Exerçons-nous

Grammaire

Cours de Civilisation française de la Sorbonne

350 exercices
Niveau supérieur I

**J. Cadiot-Cueilleron, J.-P. Frayssinhes,
L. Klotz, N. Lefebvre du Preÿ, J. de Montgolfier**

HACHETTE F.L.E.
58, rue Jean-Bleuzen
92170 Vanves

Dans la même collection

Exerçons-nous

Titres parus ou à paraître

Pour chaque ouvrage, des corrigés sont également disponibles.

- **Grammaire**
  (350 exercices)
  - *niveau débutant (**nouvelle édition**)*
  - *niveau moyen (**nouvelle édition**)*
  - *niveau supérieur I*
  - *niveau supérieur II*

- **Conjugaison**
  (350 exercices)

- **Révisions** (350 exercices)
  - *niveau 1*
  - *niveau 2*
  - *niveau 3*

- **Vocabulaire**
  (350 exercices)
  - *Vocabulaire illustré niveau débutant*
  - *Vocabulaire illustré niveau intermédiaire*
  - *niveau avancé*

- **Orthographe de A à Z**
  (350 règles, exercices, dictées)

- **Phonétique** (350 exercices)
  avec 6 cassettes

Grammaire du Français

Cours de Civilisation française de la Sorbonne

Y. Delatour, D. Jennepin, M. Léon-Dufour, A. Mattlé-Yeganeh, B. Teyssier

Maquette de couverture : Version Originale

ISBN : 2-01-016289-7
ISSN : 114 2 – 768 X
© HACHETTE 1992, 43, quai de Grenelle - 75905 Paris Cedex 15

Préface

Nul enseignement n'est peut-être plus délicat que celui de la grammaire française. Il requiert une connaissance subtile des moindres nuances de la langue et une rigueur impitoyable dans l'élimination des fautes.

Les Cours de Civilisation française de la Sorbonne ont réuni un collège remarquable de professeurs spécialisés dans l'enseignement de la langue française. L'équipe réunie pour la constitution de ce livre en est issue. C'est une garantie de qualité et de sérieux.

Pourtant ce recueil d'exercices était particulièrement difficile à réaliser. Il s'adresse à des étudiants qui ont déjà une solide pratique de la langue française, mais qui n'en connaissent pas les subtilités. Or nous savons combien de pièges sont tendus, combien de richesses sont cachées. L'utilisation de ce manuel doit permettre de passer du niveau moyen au niveau supérieur et d'acquérir cette aisance qui seule permet de faire de la maîtrise d'une langue une joie véritable.

C'est cette joie que je souhaite à tous les utilisateurs futurs de cet ouvrage, modeste dans ses dimensions, ambitieux dans ses objectifs. Qu'ils se laissent guider, non pas sans effort, mais avec confiance, comme s'ils montaient une pente douce qui permet de découvrir, au sommet, un splendide panorama !

Pierre Brunel
Professeur à l'Université de Paris-Sorbonne
Directeur des Cours de Civilisation française de la Sorbonne

Introduction

Cet ouvrage s'inscrit dans le cycle des Cours de Civilisation française de la Sorbonne. Il s'adresse non seulement aux étudiants étrangers mais à tous ceux qui désirent développer leur connaissance pratique du français.

Notre propos est d'aider les étudiants qui, ayant acquis les mécanismes essentiels de la langue courante, ne sont pas encore prêts à utiliser avec suffisamment d'aisance les ressources d'une langue plus soutenue écrite et orale.

Nous avons donc repris les points de grammaire pratiqués aux niveaux Débutant et Moyen, introduit des structures plus diverses et plus nuancées, élargi le vocabulaire. Les formes puis les emplois sont présentés d'une manière méthodique et progressive.

Les chapitres procèdent du même principe : exposé systématique et révision complète des formes, traitement des emplois les plus courants, et enfin étude des cas particuliers, suivie d'une révision sous forme d'exercices de synthèse et de textes.

Par ailleurs, nous avons voulu, à ce niveau, insister sur l'initiative personnelle, grâce à des exercices de composition et de construction de phrases.

Tout en évitant une approche théorique et abstraite, nous nous sommes proposé de mettre le système grammatical au service de la communication en privilégiant les tournures naturelles et euphoniques.

Les auteurs.

Sommaire

Préface 3

Introduction 4

Chapitre 1. L'article 7

Chapitre 2. Les adjectifs et les pronoms démonstratifs 17

Chapitre 3. Les adjectifs et les pronoms possessifs 20

Chapitre 4. Les adjectifs et les pronoms indéfinis........................ 23

Chapitre 5. Le nom 29

Chapitre 6. Les pronoms.. 33

Chapitre 7. La proposition relative 45

Chapitre 8. L'adjectif 52

Chapitre 9. La préposition.. 54

Chapitre 10. L'adverbe.. 60

Chapitre 11. Formes verbales... 68

Chapitre 12. Les voix 77

Chapitre 13. L'infinitif.. 85

Chapitre 14. Le participe 91

Chapitre 15. Modes et temps.. 99

Chapitre 16. La coordination 108

Chapitre 17. La proposition subordonnée complétive 111

Chapitre 18. L'expression du temps.. 120

Chapitre 19. L'expression de la cause 128

Chapitre 20. L'expression de la conséquence 132

Chapitre 21. L'expression du but 136

Chapitre 22. L'expression de l'hypothèse et de la condition.......... 138

Chapitre 23. L'expression de l'opposition et de la concession....... 145

Chapitre 24. L'expression de la comparaison 153

Chapitre 25. Discours direct et indirect.. 159

Chapitre 26. Exercices de révision 171

Remarque

L'astérisque signale les exercices et les textes plus particulièrement destinés à servir de transition avec le niveau Supérieur II.

L'ARTICLE

Article défini et indéfini .... 1 à 5

Article défini contracté 6-7

Article partitif 8-9

Exercice de synthèse 10

Constructions négatives ....11 à 14

Articles avec l'adjectif ....15 à 19

Article devant les parties du corps 20

Omission de l'article .... 21 à 36

1. Compléter les phrases en employant des articles définis ou indéfinis.

1. Qui est M. Martin ?
   – C'est ...... professeur.
   – C'est ...... professeur de mon fils.
2. Qui est M. Durand ?
   – C'est ...... ministre.
   – C'est ...... ministre de l'Intérieur.
3. Qui est cette personne ?
   – C'est ...... guide.
   – C'est ...... guide qui va nous faire visiter la Sorbonne.
4. Qui est Victor Hugo ?
   – C'est ...... écrivain célèbre.
   – C'est ...... auteur des *Misérables.*
5. Qui est Bizet ?
   – C'est ...... compositeur français.
   – C'est ...... auteur de *Carmen.*

2. Même exercice.

1. Qui est cette dame ?
   – C'est ...... parente par alliance.
   – C'est ...... tante de mon mari.
2. Qui sont ces personnes ?
   – Ce sont ...... clients.
   – Ce sont ...... clients dont je vous ai parlé tout à l'heure.
3. Qu'est-ce qu'il y a dans ce paquet ?
   – Il y a ...... programmes.
   – Il y a tous ...... programmes que nous devons distribuer.

4. Qu'avez-vous apporté ?
  – Ce sont ...... photos.
  – Ce sont ...... seules photos qui sont en ma possession.
5. Que voyez-vous là, sur la photo satellite ?
  – On dirait ...... camions.
  – Oui, ce sont ...... derniers camions du convoi.

3. Même exercice.

1. Avez-vous lu ...... roman que je vous ai prêté ?
   Avez-vous lu ...... roman en français ?
2. Ils regardent tous les soirs ...... informations télévisées.
   Ils regardent quelquefois ...... film policier.
3. J'aime ...... soie.
   J'ai acheté ...... très belle soie pourpre.
4. Il préfère ...... coton.
   Il me faut ...... coton tissé plus fin.
5. Nous reprenons ...... travail début octobre.
   On peut faire fortune en reprenant ...... entreprise en difficulté.

4. Imiter l'exemple suivant en utilisant d'autres noms de profession.

Que fait-il dans la vie ?
  → *Il est chef d'orchestre à Lyon.*
  → *C'est un chef d'orchestre réputé.*

5. Compléter les phrases par l'article défini ou indéfini qui convient.

1. J'étudie deux langues, ... français et ...... allemand.
2. Trouvez-vous que le français soit ...... langue difficile ?
3. Ce sont toutes ...... deux ...... langues difficiles !
4. J'ai ...... ami qui apprend ...... japonais.
5. Prêtez-moi ...... deuxième tome des œuvres de Balzac.
6. Il y a deux dictionnaires dans ...... bibliothèque ; prenez ...... plus gros.
7. Il me faudrait ...... grammaire pour chercher ...... renseignement.
8. Je peux peut-être vous donner ...... renseignement dont vous avez besoin.
9. Si vous désirez emprunter ...... livres, inscrivez-vous à ...... bibliothèque municipale.
10. Je me suis inscrit à ...... bibliothèque municipale de mon quartier.

6. Compléter les phrases en utilisant la préposition indiquée avec l'article qui convient.

A. Préposition *à* :
   1. Il va ...... poste.
      Il va ...... école
      Il va ...... lycée.
   2. Ils habitent ...... campagne.
      Ils habitent ...... bord de la mer.
      Ils habitent ...... environs de Lyon.
   3. Elle aime les choux ...... crème.
      Elle aime la mousse ...... chocolat.
      Elle aime les beignets ...... pommes.

B. Préposition *de* :
    1. Il revient ...... plage.
       Il revient ...... école.
       Il revient ...... lycée.
    2. Il se moque ...... pluie.
       Il se moque ...... opinion des autres.
       Il se moque ...... critiques.
    3. Que pensez-vous ...... idée qu'il a eue ?
       Que penses-tu ...... politiciens ?
       Que penser ...... réponse qu'elle nous a faite ?

7. Compléter le texte suivant en employant les articles qui conviennent : articles définis (contractés ou non) ou articles indéfinis.

Dans ...... régions (de) ...... nord de la France, dès ...... premiers jours de septembre, ... petite brise un peu trop fraîche va soudain cueillir au passage ...... jolie feuille (de) ...... jaune éclatant, qui tourne et virevolte, aussi gracieuse qu'un oiseau. Elle précède de bien peu ...... démission (de) ...... forêt, qui devient rousse, puis maigre et noire, car toutes ...... feuilles se sont envolées à ...... suite (de) ...... hirondelles quand ...... automne a sonné dans sa trompette d'or.
Mais dans mon pays de Provence, ... premières pluies de septembre ressuscitent ...... mois d'avril. Sur ...... plateaux (de) ...... garrigue, c'est en silence, au fond (de) ...... vallons que ...... automne furtif se glisse. *(Marcel Pagnol)*

8. Employer l'article partitif qui convient. Préciser s'il s'agit d'un partitif avec un nom concret ou abstrait.

A. 1. Mettez-vous .... ail dans la salade ?
    2. Il faudrait prendre ...... essence.
    3. Nous avons trouvé ...... raisin au marché.
    4. Avez-vous acheté ...... crème fraîche ?
    5. Ce pays produit ...... fer.

B. 1. Nous perdons ...... temps, nous allons arriver en retard.
    2. J'ai ...... patience, mais ma patience a des limites !
    3. Espérons qu'il aura ...... chance.
    4. Il a ...... savoir-vivre, ce qui n'est pas fréquent.
    5. Avec ...... imagination, vous trouverez d'autres exemples.

9. Employer l'article qui convient en précisant s'il est partitif ou déterminatif (article défini contracté).

A. 1. Voulez-vous ...... pain ? C'est celui ...... boulanger de mon quartier, qui fait un pain excellent.
    2. Il lui faudra ...... courage pour sortir ...... mauvais pas où il se trouve.
    3. Voilà l'auteur ...... scénario ; il est jeune, mais il a déjà ...... talent !
    4. Je rentrerai tard, ce soir : j'ai ...... travail à terminer avant la fin ...... mois.
    5. Vous vous donnez bien ...... peine pour cet enfant ! – Oui, c'est le plus jeune ...... groupe, et il est un peu perdu.

B. 1. L'orage approchait ; nous commencions à entendre les grondements ...... tonnerre et à voir la lueur ...... éclairs.
    2. Faites ...... sport ! Cela vous fera ...... bien !
    3. Au fond de la grotte, des stalactites pendaient ...... plafond.
    4. Ce garçon a ...... bonne volonté, mais on lui demande trop d'efforts.

5. Il est interdit de faire ...... tapage après dix heures du soir.
6. L'automne arrive ; c'est la fin ...... vacances.
7. Les feuilles ...... arbres jonchent le sol.
8. Demain, c'est le jour ...... départ.
9. Devant une telle attitude, on éprouve ...... indignation !
10. Les touches du piano étaient fabriquées avec ...... ivoire et ...... ébène.

10. Compléter les textes suivants en employant les articles qui conviennent.

1. En ville, on a ...... distractions, il y a ...... monde et on trouve plus facilement ...... travail : voilà pour ...... avantages !
Mais il n'y a pas que cela ; on doit supporter bien ...... inconvénients : où que l'on soit, il y a ...... bruit et ...... saleté, ... violence et jusqu'à ...... crimes.
Or moi, pour être heureux, il me faut ...... bon air, ... calme, ... voisins paisibles, ... arbres et ...... oiseaux.

2. On ne me donnait que ...... livres enfantins choisis avec circonspection ; ils admettaient ...... mêmes vérités et ...... mêmes valeurs que mes parents et mes institutrices ; ...... bons étaient récompensés et ...... méchants punis ; il n'arrivait de mésaventures qu'à ... gens ridicules et stupides. Il me suffisait que ces principes essentiels fussent sauvegardés ; ordinairement, je ne cherchais guère de correspondance entre ...... fantaisies ...... livres et ...... réalité. Parfois pourtant ...... livre me parlait plus ou moins confusément ...... monde qui m'entourait ou de moi-même ; alors il me faisait rêver ou réfléchir, et quelquefois il bousculait mes certitudes.
...... roman, qui s'appelait "Le Coureur des Jungles", me bouleversa. ...... auteur contait ...... aventures extravagantes avec assez d'adresse pour m'y faire participer. ...... héros gagna tout de suite ma sympathie. (d'après Simone de Beauvoir)

11. Mettre à la forme affirmative.

1. Sa tenue n'a pas provoqué de commentaires.
2. Nous n'avons pas trouvé de solution.
3. Ce magasin ne fait pas de retouches.
4. Au marché, il n'y a plus de fraises.
5. Cette station d'essence ne vend pas de produits régionaux.
6. Ne rajoutez pas de sel.
7. Ne mettez pas de cire sur ce meuble.
8. Cette toile n'a pas encore pris de valeur.
9. Il n'y avait plus de gelée blanche sur l'herbe.
10. Le public ne manifeste guère d'enthousiasme.

12. Mettre à la forme négative.

1. Prends de l'aspirine.
2. Apporte-moi encore des bûches pour le feu.
3. Nous avons déjà passé une annonce.
4. On fera de la publicité pour ce produit.
5. Dans cette mine, on extrait toujours du charbon.

13. Mettre à la forme négative.

1. Tu t'es écarté du sujet.
2. Il se désintéresse de l'avenir.
3. Nous avons peur des cambrioleurs.

4. Il s'est éloigné de la ville.

5. Je peux me passer du confort auquel je suis habitué.

14. *Employer, si nécessaire, les articles qui conviennent.*

A. 1. Je ne bois pas ...... vin.
   2. À ton âge, je n'avais pas ...... voiture.
   3. Je ne prends jamais ...... taxi.
   4. Je ne me fais plus ...... illusions.
   5. Cette station de radio ne passe jamais ...... musique classique.

B. 1. Je ne bois pas ...... vin, mais ...... jus de pomme.
   2. Ce n'est pas ...... camembert, c'est ...... brie.
   3. Le charcutier ne vend pas ...... bœuf, mais ...... porc.
   4. Ne prends pas ...... viande, mais ...... poisson.
   5. Je ne mets pas ...... huile, mais ...... beurre.

C. 1. Mes voisins n'ont pas ...... petit chien, ils en ont ...... gros, et qui aboie sans arrêt!
   2. Ce soir-là, nous n'avons pas bu ...... bouteille de champagne, mais au moins trois!
   3. Il ne possède pas ...... maison, mais plusieurs!
   4. Mais non! elle n'a pas ...... moto : elle a seulement ...... vélomoteur.
   5. Je le connais : il ne mettrait jamais ...... cravate verte! Il déteste cette couleur!

D. 1. Je n'aime pas ...... café; je ne bois jamais ...... café.
   2. Je n'ai pas ...... télévision; pourtant, je ne déteste pas ...... télévision.
   3. Je ne veux pas ...... commérages : je n'aime pas ...... commérages.
   4. Ne lui donne pas ...... conseils : tu sais qu'il n'accepte pas ...... conseils.
   5. Ne fais pas ...... ironie : souviens-toi que je n'apprécie pas ...... ironie.

15. *Compléter par l'article qui convient.*

A. 1. Il vivait dans ...... solitude.
   Il vivait dans ...... solitude agréable.
   2. Il s'était réfugié dans :...... silence.
   Il s'était réfugié dans ...... silence méditatif.
   3. Elle s'exprimait avec ...... plus grande douceur.
   Elle s'exprimait avec ...... douceur charmante.
   4. Ses avertissements se sont heurtés à ...... indifférence générale.
   Ses avertissements se sont heurtés à ...... totale indifférence.
   5. Ils nageaient dans ...... bonheur.
   Ils nageaient dans ...... bonheur dont ils n'imaginaient pas la fin.

B. 1. ...... soleil brille très fort aujourd'hui.
   Il a fait hier ...... soleil éclatant.
   2. ...... bruit me fatigue.
   Du fond du jardin provenait ...... bruit bizarre.
   3. Très vite ...... lecture devient presque un besoin.
   ...... lecture distrayante ne lui ferait pas de mal!
   4. ...... presse nous laisse prévoir de sensationnels rebondissements dans cette affaire.
   Nous aimerions tous ...... presse objective.
   5. ...... vie du sage doit être heureuse.
   Le sage doit avoir ...... vie heureuse.

16. Compléter les phrases par l'article qui convient.

A. 1. Il a ...... ambition.
   Il a ...... ambition démesurée.
   2. En la circonstance, cette personne a montré ...... courage.
   ...... tel courage suscite l'admiration.
   3. Sa famille a ...... fortune.
   Le directeur de cette galerie a amassé ...... fortune considérable.
   4. L'air marin donne ...... appétit.
   Au retour de la plage, les enfants dînaient avec ...... bel appétit.
   5. J'ai ...... mal à trouver la bonne réponse.
   Notre ami s'est donné ...... mal fou pour réussir cette fête.

B. 1. Tu t'es donné ...... mal pour lui trouver un appartement dès son arrivée.
   2 Tu t'es donné ...... mal de lui trouver un appartement dès son arrivée.
   3. Prenez ...... temps de réfléchir.
   4. J'aimerais qu'on me laisse ...... temps de réfléchir.
   5. J'aimerais qu'on me laisse ...... temps pour réfléchir.

17. Construire des phrases selon l'exemple suivant :

Il a acheté un livre / beau.
→ *Il a acheté un beau livre.* → *Il a acheté des livres.* → *Il a acheté de beaux livres.*

1. Vous avez une idée / bonne.
2. Ils ont un projet / grand.
3. C'est un chef / bon.
4. C'est une petite fille / jolie.
5. Il a élaboré une théorie / curieuse.

18. Mettre au pluriel les groupes en italique.

1. *C'est une secrétaire très compétente.*
2. Elle porte *un beau bijou.*
3. Cet historien a écrit *une bonne biographie.*
4. A l'occasion de cette réunion, j'ai retrouvé *un ancien ami.*
5. Attention ! Tu as fait tomber *un petit pois.*
6. Il a *un petit-fils très intelligent et une ravissante petite-fille.*
7. Ma grand-mère *fait un excellent biscuit et une tarte délicieuse.*
8. Dans notre groupe, il y avait *une personne âgée*, mais aussi *un jeune homme* et *une jeune fille.*
9. J'ai pris *un délicieux canapé* et *un petit four.*
10. Dans cette grammaire, j'ai trouvé *une bonne explication* et *une liste complète* des formes difficiles.

*19. Compléter le texte suivant en employant les articles qui conviennent.

...... parents ...... jeune homme habitaient, dans ...... belle maison nouvellement construite en bordure ...... Parc de la Muette, ... appartement situé (à) ...... dernier étage, qui était fort grand. Il m'en fit ...... honneurs, m'arrêtant devant ...... magnifiques meubles de marqueterie et faisant jouer ...... éclairage au-dessus (de) ...... tableaux.
Je n'avais jamais pénétré dans ...... maison contenant tant de richesses. ...... impression fut telle que, ... rayons de soleil entrant par ...... fenêtres, je crus à ...... voiles d'or jetés sur ...... objets.
Je regardai par ...... fenêtres. On n'apercevait que ...... arbres hauts et superbes, ceux (de) ...... Parc de la Muette, puis, au loin, ... ligne ondulée des coteaux. *(d'après Jacques de Lacretelle)*

*20. Compléter par un article (défini ou indéfini) ou par un adjectif possessif.

A. 1. Ferme ...... yeux !
    2. Ce bébé a ...... yeux bruns.
    3. A cette pensée, ... yeux s'emplirent de larmes.
    4. La fillette avait ...... beaux yeux tristes.
    5. La fillette avait ...... beaux yeux pleins de larmes.

B. 1. Il m'a raconté ...... vie.
    – Il m'a longuement parlé de ...... vie qu'il menait en Afrique.
    2. Je me suis blessé à ...... orteil.
    – ...... orteil me fait souffrir.
    3. Le chien se lèche ...... patte.
    – Le chien lèche ...... patte blessée.
    4. Il est étendu sur ...... dos.
    – ...... dos, brûlé par le soleil, lui faisait très mal.
    5. Dans sa chute, le jeune homme s'est tordu ...... cheville.
    – Le lendemain, ... cheville était très enflée.
    – Il avait ...... cheville enflée.

21. Sur le modèle : "Cent grammes de beurre – Une cuillerée d'huile", compléter les expressions de quantité suivantes en les associant aux substantifs proposés.

1. une livre	2. une bouchée	3. un bol	4. un flacon
un litre	une poignée	un tonneau	une carafe
une tonne	une pincée	un bidon	un pot
un hectare	une brassée	un tube	une boîte
un mètre	une pelletée	une corbeille	un sachet

Substantifs proposés :

a) oranges	b) cerises	c) dentifrice	d) chocolats
forêt	glaïeuls	café au lait	confiture
ruban	terre	fruits	eau
cuivre	sel	essence	parfum
lait	pain	vin	lavande

22. Donner le contraire des expressions suivantes :

1. Dans le film, il y a *plus d'*action que dans le roman.
2. Ils s'inscrivirent avec *peu d'*enthousiasme.
3. Je suis surpris de voir *tant d'*autos sur cette route.
4. Il y a *trop d'*invités pour que l'ambiance soit agréable.
5. *Un grand nombre d'*admirateurs lui sont restés fidèles.

23. Faire des phrases avec les expressions suivantes :

1. tant de – 2. autant de – 3. tellement de – 4. si peu de – 5. un bon nombre de.

24. Compléter les phrases suivantes avec la préposition DE suivie éventuellement d'un article (défini ou indéfini).

1. Cette bête a besoin ...... affection.
    – Cette bête a besoin ...... affection de ses maîtres.
    – Cette bête a besoin ...... affection constante.

2. Il a envie ...... repos.
   – Il a envie ...... bonne voiture.
   – Il a envie ...... voiture qu'il a vue au Salon de l'Auto.
3. Vous avez fait preuve ...... compréhension.
   – Vous avez fait preuve ...... compréhension nécessaire.
   – Vous avez fait preuve ...... grande compréhension.
4. Pour passer la frontière, il s'est muni ...... documents indispensables.
   – Munissez-vous ...... petite monnaie.
   – Munissez-vous ...... parapluie.
5. Un bon artisan se sert toujours ...... outils qui conviennent.
   – Pour faire ces marionnettes, je me suis servi ...... papier journal et ...... colle.
   – Je me sers de préférence ...... stylo à plume.

25. Compéter les phrases par la préposition DE éventuellement suivie d'un article indéfini.

1. Elle avait besoin ...... conseil.
   – Elle avait souvent besoin ...... conseils.
2. J'ai envie ...... tasse de thé.
   – J'ai envie ...... marrons glacés.
3. Sa boutonnière était décorée ...... œillet blanc.
   – La table était décorée ...... œillets blancs.
4. L'enfant était coiffé ...... bonnet de laine.
   – Les enfants étaient coiffés ...... bonnets de laine.
5. Le château est entouré ...... haut mur.
   – Le château est entouré ...... hauts murs.

26. Mettre les phrases suivantes au pluriel.

1. Je garde le souvenir du voyage que j'ai fait en sa compagnie.
   – Je garde le souvenir d'un voyage enrichissant que j'ai eu la chance de faire dans ma jeunesse.
2. Il est bien puni de la faute qu'il a commise.
   – Il serait injuste de le punir d'une faute qu'il n'a pas commise.
3. Je ne peux pas me contenter de l'explication trop vague qu'il me donne.
   – Je ne peux pas me contenter d'une explication trop vague.
4. On l'a chargé de la mission la plus délicate.
   – On l'a chargé d'une mission très délicate.
5. Nous tiendrons compte de la remarque qu'il nous a faite.
   – Nous tiendrons le plus grand compte d'une remarque aussi pertinente.

27. Faire une phrase avec chacune des expressions suivantes.

1. Une cheminée d'usine.   – La cheminée de l'usine.
2. Une carte d'Europe.   – La carte de l'Europe.
3. Des cinémas de quartier.   – Les cinémas du Quartier Latin.
4. Un article de journal.   – L'article du journal.
5. Un médecin de famille   – Le médecin de la famille.

28. Faire une phrase avec chacun de ces groupes. Remarquer qu'en aucun cas on ne peut introduire un article entre la préposition DE et le nom.

1. Femme de ménage
   Couteau de cuisine
   Lampe de chevet
   Table de nuit
   Livre de poche

2. Erreur de calcul
   Billet de banque
   Sac de voyage
   Ciel d'orage
   Voiture d'enfant

3. Jeu de hasard
   Chaussures de ski
   Balle de tennis
   Train de banlieue
   Lunettes de soleil

4. Maison de retraite
   Film d'aventures
   Maître d'hôtel
   Eau de toilette
   Instrument de musique

29. Combiner les deux propositions indépendantes de manière à utiliser la préposition DE.

Il était en colère ; son visage était rouge.
→ *Il était rouge de colère.*

1. On a trouvé dans la voiture une couverture tachée ; c'était de la boue.
2. L'autel était décoré ; il y avait des fleurs.
3. Les bords du lac étaient plantés ; c'étaient des azalées et des iris.
4. Son front est brûlant : c'est la fièvre.
5. Le randonneur était tout gris ; il était couvert de poussière.

30. Imiter ces phrases en utilisant les expressions suivantes : recouvert de – rempli de – orné de – comblé de – privé de.

31. Former des phrases avec chacune des expressions suivantes.

1. Crier de surprise.
2. Périr d'ennui.
3. Mourir de soif.
4. Trembler d'impatience.
5. Vivre d'amour et d'eau fraîche.

32. Compléter les phrases, si nécessaire, en employant un article défini ou indéfini.

1. Elle m'a reçu avec ...... amabilité.
   – Elle m'a reçu avec ...... amabilité charmante.
2. Ils se sont quittés sans ...... regrets.
   – Ils se sont quittés sans ...... moindre regret.
3. Je l'ai rencontré par ...... hasard.
   – Je l'ai rencontré par ...... plus grand des hasards.
4. Dans ce conte, le monstre se transforme en ...... prince.
   – Dans ce conte, le monstre se transforme en ...... beau prince.
5. Dans les contes, les monstres se transforment en ...... princes.
   – Dans les contes, les monstres se transforment en ...... beaux princes.

33. Même exercice.

1. Il a toujours vécu sans ...... soucis.
   – Il a toujours vécu sans ...... ombre d'un souci.
2. Il a agi sur ...... ordres.
   – Il a agi sur ...... ordre direct du Président.
3. Il est parti sans ...... mot dire.
   – Il est parti sans ...... mot d'adieu.
4. Il est toujours sans ...... argent.
   – Il est toujours sans ...... sou en poche.
5. Elle marche avec ...... grâce et légèreté.
   – Elle marche avec ...... grâce et ...... légèreté d'une gazelle.

34. Former des phrases qui fassent apparaître clairement le sens des locutions suivantes.

1. Porter secours (à)   – porter bonheur (à)
2. Chercher querelle (à)   – chercher fortune
3. Faire place (à)   – faire fête (à)
4. Tenir bon   – tenir lieu (de)
5. Prendre part (à)   – prendre parti

35. Même exercice.

1. Prendre forme   6. Avoir peine (à)
   – prendre la forme (de)   – avoir de la peine
2. Prendre congé (de)   7. Faire erreur
   – prendre un congé   – faire une erreur
3. Tenir tête (à)   8. Avoir mal (à)
   – tenir la tête (de)   – avoir du mal (à)
4. Prendre place   9. Tenir parole
   – prendre une place   – prendre la parole
5. Prêter main-forte (à)   10. Faire face (à)
   – prêter la main (à)   – perdre la face

36. Justifier l'emploi ou l'omission de l'article (cas d'omission : apposition – attribut – coordination de termes de sens proche – énumération).

1. Mon frère est *médecin*. Ce n'est pas *un médecin* spécialiste : il est *généraliste*. Il n'exerce pas à l'hôpital ; il a un cabinet médical dans un immeuble. C'est *un médecin* de *quartier*. C'est *le meilleur médecin du quartier*.
2. Tous les ans, pour Noël, la famille se réunit au grand complet : *frères et sœurs, oncles et tantes, cousins et cousines*, tous sont au rendez-vous.
3. Le 14 Juillet, *jour* de notre fête nationale, il y a un grand défilé militaire, des feux d'artifice et des bals dans les rues.
4. Victor Hugo, *écrivain et poète*, prit une part active à la vie politique de son époque.
5. Le fond de l'atelier était son paradis : *vieilles ferrailles, outils* hors de service, *vieux meubles* inutilisables – *une chaise boiteuse* par-ci, *une porte d'armoire* par-là – et puis *des cartons* bourrés de vieux livres et de vêtements d'autrefois......

LES ADJECTIFS ET LES PRONOMS DÉMONSTRATIFS

L'adjectif démonstratif ....1 à 4

Le pronom démonstratif ....5 à 8

1. Remplacer les groupes en italique par des adjectifs démonstratifs (CE – CET – CETTE – CES) et le substantif donné, en faisant les changements nécessaires.

1. Donne-moi *le paquet que tu portes*, il est trop lourd pour toi.
2. J'ai lu *les livres qui sont sur cette étagère*.
3. J'ai bien envie d'acheter *la robe qui est dans la vitrine*.
4. *Le gâteau dont nous venons de nous régaler* était délicieux.
5. Comment s'appelle *l'oiseau qui est dans la cage ?*

2. Employer l'adjectif démonstratif qui convient.

1. Notre maison était entourée d'un grand jardin ; ...... jardin a été la joie de mon enfance.
2. Dans les régions du Nord, les maisons sont souvent en briques ; ...... briques, patinées par le temps, ont de belles tonalités brun-rouge.
3. On vous avait ordonné de ne pas quitter votre poste. ...... ordre n'a pas été respecté ; vous êtes responsable de l'accident.
4. Faites au moins une heure de marche tous les jours : ...... entraînement est nécessaire pour vous maintenir en forme.
5. Je m'engage dans une petite rue tranquille ; ...... rue, je ne sais pas où elle mène, je vais au hasard.

3. Compléter les phrases en employant des adjectifs démonstratifs renforcés par les particules adverbiales -CI ou -LÀ.

1. Préférez-vous ...... couleur ...... ou ...... couleur ...... ?
2. L'ophtalmo m'a demandé : "Laquelle de ces deux lignes distinguez-vous le mieux ? ...... ligne ...... ou ...... ligne ...... ?"
3. Je ne fréquente pas ...... gens ......! Ils sont trop désagréables!
4. ...... automne ......, il fit un temps splendide et les vendanges furent excellentes.
5. D'habitude, il vient me voir assez souvent, mais ...... jours ......, il est trop occupé, il ne pourra pas venir.

4. *Faire précéder les mots suivants de l'adjectif démonstratif qui convient. Quelle remarque peut-on faire ?*

1. ...... auberge
...... hauteur
2. ...... herbe
...... haie
3. ...... harmonie
...... harpe
4. ...... antenne
...... hâte

5. ...... arbres
...... haricots
6. ...... hirondelles
...... hiboux
7. ...... échecs
...... héros

8. ...... enfants
...... hangars
9. ...... habit
...... hasard
10. .....amphithéâtre
...... handicap

5. *Remplacer les groupes en italique par des pronoms démonstratifs.*

1. Je dois acheter une nouvelle grammaire pour remplacer *la grammaire* que j'ai perdue.
2. J'ai pris deux exemplaires du corrigé ; voici *l'exemplaire* qui t'est destiné.
3. Votre explication est plus claire que *l'explication* que l'on m'avait donnée.
4. J'ai quelques amies mais ce ne sont pas *les amies* que j'avais l'an dernier : elles sont rentrées dans leur pays.
5. Quels poèmes préférez-vous ? *Les poèmes* de Verlaine ou *les poèmes* de Baudelaire ?

6. *Même exercice.*

1. Vous ne serez pas satisfaite de cette laine, elle supporte mal le lavage ; prenez plutôt *cette laine-là*.
2. J'hésite entre ces deux paires de chaussures : *ces chaussures-ci* sont peut-être plus solides mais *ces chaussures-là* sont plus légères.
3. *Cet exemple-ci* est plus clair que *cet exemple-là*.
4. Nous avons dix textes à préparer pour l'examen ; j'ai déjà étudié *ces textes-ci* mais il me reste encore à lire *ces textes-là*.
5. J'ai deux vélos, je vais t'en prêter un ; tiens ! prends *ce vélo-ci* et moi, je garde *ce vélo-là*.

7. *Compléter les phrases en employant CE – CECI – CELA – ÇA.*

1. Votre projet m'intéresse ; venez donc un jour me parler de tout ......
2. Ma valise est trop petite ; je n'y mettrai jamais tout ...... dont j'ai besoin.
3. ...... y est ! Les enfants ont encore fait une sottise !
4. Je n'ai jamais vu ce genre de récipient ! comment est-ce que ...... s'appelle ?
5. Voilà vos deux escalopes, Madame, et avec ...... ?
6. Regardez-moi ...... ! Ils n'ont pas essuyé leurs pieds et ils ont sali la moquette !
7. Allez-vous bientôt finir ce tapage ! Mais qu'est-ce que c'est que ...... ! Allez vous coucher immédiatement !
8. Il ne faut pas employer ce mot : c'est de l'argot, ... n'est pas correct.
9. Je ne vois pas pourquoi on m'empêcherait d'aller à cette soirée ! J'irai si ...... me plaît !
10. Je ne suis pas vraiment d'accord avec ces idées ; ...... dit, je comprends que l'on puisse avoir ce point de vue.

8. Compléter les phrases ou répondre aux questions en employant :

ça ne fait rien – ça ne va pas – ça n'en vaut pas la peine – ça n'a pas de sens – donne-moi ça –
à part ça – comme ci, comme ça – c'est ça – où ça ? – qui ça ?

1. Veux-tu que j'appelle un taxi ? – Non, ... la gare est à deux pas.
2. Qu'est-ce que tu as trouvé ? ......, que je regarde.
3. Qu'avez-vous fait samedi soir ? – Nous avons regardé la télévision ; ......, rien de spécial.
4. Il était bon, ce film ? – Bah ! ......
5. Je ne t'ai pas rapporté ton dictionnaire. – ......, je n'en ai pas besoin.
6. Es-tu mieux aujourd'hui ? – Non, ... ; je vais téléphoner au médecin.
7. Veux-tu venir faire un pique-nique dimanche ? – Oh oui ! ...... ?
8. ......! Moquez-vous de moi ! Et qu'est-ce que vous auriez fait, à ma place ?
9. Quelqu'un nous invite à dîner pour samedi prochain. – Ah oui ? ...... ?
10. Je ne comprends rien à tout ce qu'il m'a écrit : ......!

LES ADJECTIFS ET LES PRONOMS POSSESSIFS

Adjectifs possessifs .... 1 à 7

Pronoms possessifs 8-9

Synthèse 10-11

1. Compléter les phrases en employant l'adjectif possessif qui convient.

1. Je mets ...... bottes et je prends ...... parapluie : il va sûrement pleuvoir toute la journée.
2. Tu sors à cette heure-ci ? Il fait nuit noire ! Prends ...... lampe de poche, et n'oublie pas ...... clés.
3. Elle rangea soigneusement ...... manteau et ...... robe dans la penderie.
4. Nous étions partis de bon matin, ... père, ... mère, ... deux sœurs et moi pour une excursion dans les collines.
5. À l'heure du déjeuner, les touristes s'installent au bord de la route, près de ...... voiture, et ils déballent ...... provisions.
6. Nous avons terminé ...... calculs et nous pouvons vous donner ...... avis.
7. Nous avons reçu ...... rapport dont nous vous remercions ; nous estimons cependant que ...... prévisions sont trop pessimistes.
8. Elle avait de longue date préparé ...... voyage, fait ...... comptes, et réuni toute la documentation nécessaire.
9. Lorsqu'elle débarqua à l'aéroport, ... valise à la main, ... guide sous le bras, et ...... caméra en bandoulière, elle était partagée entre la joie de la découverte et une certaine appréhension.
10. Un instant, elle se sentit perdue ; ...... liberté l'effrayait soudain. Allait-elle renoncer à ...... rêve ? Devant la sortie, l'autocar attendait les voyageurs. Résolument, elle remit ...... bagages au chauffeur et alla s'asseoir. L'aventure commençait !

2. Compléter les phrases par des adjectifs possessifs dont on justifiera l'emploi.

1. Ce soir, je sors avec ...... amie.
   – Ce soir, je sors avec ...... nouvelle amie.
2. ...... intervention a été remarquée : on l'a félicité.
   – Tout le monde l'a félicité pour ...... courageuse intervention.
3. Il a réussi grâce à ...... ténacité.
   – Il a réussi grâce à ...... inlassable ténacité.
4. Regarde-moi ces pattes de mouches ! Il faut soigner ...... écriture.
   – Maintenant, recopie cette lettre de ...... plus belle écriture.
5. J'ai dû déployer toute ...... éloquence pour le persuader de venir.
   – Nous avons tous admiré ...... brillante éloquence.

3. *Même exercice.*

1. ...... hésitation m'a étonné. Aurais-tu changé d'avis ?
   – Tu vas avoir une bonne occasion de montrer ...... hardiesse.
2. ...... honorabilité ne fait aucun doute : ici, tout le monde le connaît.
   – Cette trahison restera ...... honte : on la lui reprochera toujours !
3. ...... hypothèse est surprenante ; sur quoi te bases-tu pour la formuler ?
   – ...... haine pour lui est compréhensible, mais tu ferais mieux de lui pardonner.
4. ...... humeur était changeante : un jour triste, un jour gaie !
   – Tapi au fond de ...... hutte, le chasseur attendait le passage des oiseaux.
5. Connaissez-vous ...... histoire ? Il la raconte volontiers.
   – L'été, je range mon manteau de fourrure dans ...... housse.

4. *Compléter les phrases en employant l'article ou l'adjectif possessif qui conviennent. Justifier cet emploi.*

1. Il m'a donné un coup de poing sur ...... nez, et maintenant, j'ai mal (à) ...... nez ! – Pourquoi pleures-tu ? – Mais parce que ...... nez me fait mal.
2. Va vite faire ta toilette : coupe-toi ...... ongles, prends ...... douche, lave-toi ...... pieds et sèche bien ...... cheveux.
3. N'attendez pas d'avoir ...... dents gâtées pour aller chez le dentiste.
4. Elle a ...... belles dents. – Oui, ... dents sont très blanches. Comment fait-elle pour avoir ...... dents si blanches ?
5. Croyant rêver, il passa ...... mains sur ...... visage.

5. *Même exercice.*

1. J'ai passé toute ...... vie dans ce pays.
2. Il a juré de m'aimer pour ...... vie.
3. Il sentit qu'on le tirait par ...... manche.
4. Je m'aperçois que ...... mémoire diminue ; eh oui ! avec l'âge, on perd ...... mémoire.
5. S'animant de plus en plus, il me saisit brusquement par ...... veston et me regarda dans ...... yeux.

6. *Compléter les phrases par l'adjectif possessif qui convient.*

1. Dans la vie, chacun a ...... problèmes.
2. Après deux ans de vie commune, nous nous sommes quittés, chacun allant de ...... côté ; nous ne nous reverrons plus.
3. Ne poussez pas ! Vous serez tous servis, mais chacun à ...... tour !
4. Les cours finis, chacun retourna dans ...... pays.
5. Quand on s'arrêta pour le pique-nique, chacun put boire à ...... soif et manger à ...... faim.

7. *Même exercice.*

1. Que tout ceci reste entre nous : il faut laver ...... linge sale en famille !
2. Une fois qu'on a pris ...... décision, il faut s'y tenir.
3. Je n'accepterai jamais qu'on me traite de cette manière : on a ...... fierté, tout de même !
4. Il vaut mieux partir en avance ; ainsi, on n'a pas à se presser, on a tout ...... temps !
5. Il convient de faire ...... travail correctement, ou bien il faut laisser ...... place à un autre !
6. Ils ont donné ...... opinion sur cette affaire.
7. Ils ont pris ...... responsabilités.

8. Chacun a pris ...... responsabilités.
9. Elles ont toutes pu exposer ...... griefs.
10. Chacune d'entre elles a pu exposer ...... griefs.

8. Compléter les phrases en employant des pronoms possessifs.

1. Je dois garder mon petit garçon ; si cela vous rend service, je peux très bien m'occuper (de) ...... en même temps.
2. J'ai mes opinions, vous avez ......
3. Tu n'as pas de ciseaux ? Veux-tu que je te prête ...... ?
4. Ils connaissent mes goûts et je connais ......
5. J'ai pris mon imperméable et je t'ai apporté ......
6. Maintenant que nous avons rencontré vos amis, il faut que vous rencontriez ......
7. J'ai fait mon devoir, que chacun fasse ...... !
8. Si tu n'as pas tes cartes routières, tu peux prendre ......
9-10. Si votre magnétophone ne fonctionne pas, nous pouvons vous prêter .... Quand notre magnétophone était en panne, des amis nous ont prêté ......

9. Répondre aux questions en employant les divers moyens d'exprimer la possession.

– Cette caravane est-elle à vous ?
– Est-ce que cette caravane est à vous ?
– Est-ce votre caravane ?

→ – *Oui, elle est à nous.*   – *Non, elle n'est pas à nous.*
    – *Oui, elle nous appartient.*   – *Non, elle ne nous appartient pas.*
    – *Oui, c'est notre caravane.*   – *Non, ce n'est pas notre caravane.*
    – *Oui, c'est la nôtre.*   – *Non, ce n'est pas la nôtre.*
    – *Oui, c'est à nous.*   – *Non, c'est celle de mon frère.*

1. Ces livres sont-ils à toi ?
2. Est-ce ta moto ?
3. Est-ce que c'est votre voiture ?
4. Ce terrain vous appartient-il ?
5. Ce sont tes jumelles ?
6. Est-ce que ce sont ses bijoux ?
7. Ces lunettes sont-elles à eux ?
8. Est-ce leur boutique ?
9. Ce sont ses documents ?
10. Ces foulards sont-ils à elle ?

10. Compléter par les adjectifs possessifs qui conviennent.

...... mère m'inspirait des sentiments amoureux ; je m'installais sur ...... genoux, dans la douceur parfumée de ...... bras, je couvrais de baisers ...... peau de jeune femme ; elle apparaissait parfois la nuit, près de ...... lit, belle comme une image dans ...... scintillante robe noire.
Quant à ...... père, je le voyais peu. Il partait chaque matin, portant sous ...... bras une serviette pleine de choses intouchables qu'on appelait des "dossiers". Il n'avait ni barbe ni moustache, ... yeux étaient bleus et gais. J'étais contente quand il s'occupait de moi ; mais il n'avait pas dans ...... vie de rôle bien défini. *(d'après Simone de Beauvoir)*

*11. Compléter par les adjectifs possessifs ou les articles qui conviennent.

La plage éblouit et me renvoie au visage une chaleur montante. Instinctivement, j'abrite ...... joues, ... mains ouvertes, ... tête détournée comme devant un foyer trop ardent. ...... orteils fouillent le sable pour trouver l'humidité de la dernière marée. Midi sonne et ...... ombre courte se ramasse à ...... pieds.
Couchée sur ...... ventre, un linceul de sable me couvre à demi. Si je bouge, un fin ruisseau de poudre s'épanche au creux de ...... jarrets, chatouille ...... plante de ...... pieds. *(d'après Colette)*

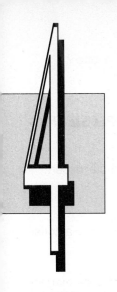

LES INDÉFINIS

Principaux adjectifs et pronoms indéfinis .... 1 à 9

Expressions avec *autre* 10-11

Expressions de lieu .... 12 à 14

Expressions avec *n'importe* 15-16

Autres indéfinis.. 17-18

Tout.. 19 à 28

1. Dans les phrases suivantes, remplacer ON par le pronom personnel qui convient (faire les modifications nécessaires).

1. Les spectateurs voulaient entrer tous à la fois. *On* se bousculait aux grilles.
2. Allons, les enfants, un peu de calme ! *On* se tait, maintenant !
3. Alors, mon petit chien, *on* a mangé sa pâtée ?
4. Quel caractère, cette enfant ! *On* a été grondée et voilà qu'on boude !
5. Non, madame ! Je ne le salue plus ! *On* a sa fierté, tout de même !

2. Mettre les phrases suivantes au passé composé.

1. On n'entend rien.
2. Je les aime tous.
3. Nous ne voyons personne.
4. Elle en achète quelques-unes.
5. Vous n'en gardez aucun.

3. Répondre négativement aux questions suivantes en employant des indéfinis.

1. Avait-on déjà marché sur la lune avant 1969 ?
2. Le commissaire a-t-il découvert des indices ?
3. Peut-on apprendre une langue étrangère en un mois ?
4. Quelque chose vous a-t-il ému dans ce récit ?
5. Parmi toutes ces robes, n'y en a-t-il pas une qui te plaise ?
6. Cette épreuve était beaucoup trop difficile. Quelqu'un a-t-il obtenu la moyenne ?
7. La bagarre a eu de nombreux témoins. N'y en a-t-il pas un qui soit intervenu ?
8. Tu as, paraît-il, passé une mauvaise soirée. N'a-t-on vraiment pas dit quelque chose d'intéressant ?
9. On me dit qu'il n'est pas cultivé. A-t-il au moins lu quelques romans ?
10. N'y a-t-il donc pas de restaurant sur l'autoroute entre Beaune et Fontainebleau ?
11. As-tu aimé cette pièce ? Dans tous ces personnages, y en avait-il un de sympathique ?
12. Est-ce que vous avez trouvé quelqu'un d'aimable dans tout ce magasin ?

13. Lors de ce championnat, leur équipe a-t-elle obtenu une médaille ?

14. Vous avez passé un mois dans ce petit village ! Avez-vous trouvé quelque chose à faire ?

15. Ce film était ennuyeux d'un bout à l'autre. Y avez-vous pris un plaisir quelconque ?

4. Compléter les phrases en utilisant : QUELQUES – QUELQUES-UNS – PLUSIEURS – AUCUN – QUELQU'UN – QUELQUE CHOSE.

1. A l'aube, il ne restait plus que ...... convives attardés dans la salle à manger de l'hôtel désert.
2. C'est un téléfilm en ...... épisodes.
3. Avez-vous obtenu des concessions ? – J'en ai obtenu ......
4. Je n'ai pas vu le facteur mais ...... m'a dit qu'il était déjà passé.
5. Combien de cigarettes vous a-t-on permis de fumer par jour ? Hélas ! On ne m'en a autorisé ......!
6. Y a-t-il encore des peintres à Montparnasse ? – Oui, il y en a encore ......
7. Y a-t-il ...... que je puisse faire pour t'aider ?
8. Comme il n'avait ...... autre adresse, il fut obligé de descendre à l'hôtel qu'on lui avait indiqué à l'aéroport.
9. Pouvez-vous me donner ...... renseignements sur les horaires des trains ?
10. Il faut confier ce travail à ...... de compétent.
11. Vous savez bien que je n'ai ...... goût pour les jeux de cartes.
12. ...... d'étonnant vient de se produire.
13. Il y a ici ...... personnes qui désirent vous voir.
14. Pour déplacer une commode aussi lourde, il faut se mettre à ......
15. ...... aurait-il ...... à ajouter ?

5. Répondre aux questions en utilisant une seule fois chacun des mots suivants : ASSEZ – BEAUCOUP – GUÈRE – PEU – TROP.

1. Avez-vous envie de vous baigner par ce vent glacial ?
2. Y a-t-il des moyens de protéger la nature contre la pollution ?
3. Pourquoi êtes-vous si essoufflé ?
4. Faut-il mettre beaucoup de poivre dans cette sauce ?
5. Alors vraiment, vous ne voulez pas une autre tranche de rôti ?

6. Compléter les phrases en utilisant : QUELQUES – DIFFÉRENTS – CERTAIN – PLUSIEURS – DIVERS.

1. ...... se disent amateurs de vin et n'en possèdent qu'une connaissance superficielle.
2. Voici les ...... aspects de la question.
3. J'aimerais entendre ...... opinions sur ce sujet.
4. Cette station de ski offre des activités ......
5. Certaines questions peuvent recevoir ...... réponses.
6. Je pense que cette information est exacte : elle a été confirmée par ...... sources.
7. Quand doit-elle revenir à Paris ? – Je l'ignore, mais je pense qu'elle est partie pour un ...... temps.
8. Dans ...... circonstances particulièrement délicates, il est difficile de savoir comment agir.
9. La secrétaire n'est pas là ? – Non, elle a pris ...... jours de congé.
10. Le discours du député-maire a provoqué ...... réactions dans l'assistance.

7. Former cinq phrases en utilisant les indéfinis de l'exercice 6.

8. Répondre par des phrases complètes en utilisant CHACUN ou AUCUN.

1. Chaque dossier sera-t-il examiné avec le même soin ?
2. Chaque ordre religieux a-t-il sa propre règle ?
3. Les femmes parviennent-elles à résister à Don Juan ?
4. Chaque personne voit-elle la vie de la même façon que les autres ?
5. Un héros se laisserait-il arrêter par les obstacles ?

9. Former cinq phrases en utilisant CHAQUE – CHACUN – AUCUN.

10. Compléter les phrases en utilisant : L'UN L'AUTRE – UN AUTRE – D'AUTRES – QUELQUES AUTRES – PAS D'AUTRE – AUCUN AUTRE – TOUS LES AUTRES – PERSONNE D'AUTRE – TROIS AUTRES.

1. Cet appartement n'est pas bien orienté, mais il y en a ...... au-dessus qui me conviendrait mieux.
2. Il reste le seul membre de sa famille dans ce hameau : ...... sont partis.
3. J'ai déjà lu trois nouvelles de Maupassant. J'ai l'intention d'en lire ...... avant demain.
4. Cette chambre jouit d'un panorama splendide ; je n'en veux ......
5. J'ai trouvé ce canapé très confortable ; c'est celui-là que je veux et ......
6. Ces échantillons me plaisent, mais en avez-vous ...... ?
7. Les deux amies se regardèrent ...... puis éclatèrent de rire.
8. La personnalité de cet ingénieur est discutable, mais ...... ne connaît le terrain comme lui.
9. Quelques chansons datent des années cinquante ; ...... sont antérieures.
10. Un cambriolage a eu lieu dans cet immeuble ; on en redoute ......

11. Former dix phrases en utilisant les indéfinis de l'exercice 10.

12. Compléter les phrases en employant l'une des expressions suivantes : NULLE PART – QUELQUE PART – AUTRE PART – PARTOUT – N'IMPORTE OÙ.

1. Bientôt, on ne pourra plus se garer ......
2. Où sont mes ciseaux ? Je les avais il y a trois minutes ; ils sont pourtant bien ......
3. Elle n'a aucun ordre ; elle jette ses affaires ......
4. C'est un modèle très courant ; on le trouve ......
5. Ce vase est trop lourd pour ce petit guéridon. Il faut le placer ......

13. Répondre aux questions par une courte phrase comportant : AILLEURS – NULLE PART – QUELQUE PART – PARTOUT – N'IMPORTE OÙ.

1. Il est tard ! Pourrons-nous encore trouver de l'essence ?
   – Oui, ...
   – Non, ...
2. Y a-t-il beaucoup de kiosques à journaux à Paris ?
   – Oui, ...
3. Irez-vous encore à Biarritz cette année ?
   – Non, ...
4. As-tu retrouvé la boucle d'oreille que tu avais perdue ?
   – Non, ...
5. Les clochards ont-ils un domicile fixe ?
   – Non, ...

14. *Former cinq phrases en utilisant les indéfinis de l'exercice 13.*

15. *Répondre par des phrases complètes en utilisant :*
N'IMPORTE LEQUEL – N'IMPORTE QUEL – N'IMPORTE OÙ – N'IMPORTE
COMMENT – N'IMPORTE QUAND – N'IMPORTE QUOI – N'IMPORTE QUI.

1. Que désirez-vous prendre comme apéritif ?
2. Qui fera ce travail ?
3. Où trouve-t-on cet ouvrage ?
4. A quelle heure peut-on le joindre ?
5. Laquelle de ces deux routes conduit à la chapelle ?
6. Qui acceptera de me rendre ce service ?
7. Chez lequel de vos cousins logerons-nous ?
8. Pensez-vous que le plombier ait correctement monté ce chauffe-eau ?
9. Quels programmes regarde-t-il à la télévision ?
10. Qui serait capable de répondre à ces questions ?

16. *Former des phrases avec chacune des expressions ci-dessus.*

17. *Compléter les phrases suivantes en employant l'indéfini qui convient :*
AUCUN – NUL – AUTRUI – QUICONQUE – QUELQUE – QUELCONQUE.

1. Cette proposition n'a pas été accueillie sans ...... méfiance.
2. ...... désobéira aura affaire à moi.
3. Qui sculpta ce chef-d'œuvre ? ...... ne le saura jamais.
4. La liberté d'...... borne la nôtre.
5. Ce diamant était d'une pureté à ...... autre pareille.
6. Ce soir, je n'ai pas envie de faire la cuisine. Allons manger un morceau dans un bistrot......
7. A-t-on le droit de traiter les propos de ce grand homme d'État comme ceux d'un ...... politicien ?
8. Ne fais pas à ...... ce que tu n'aimerais pas qu'on te fasse.
9. C'est ainsi ! ...... n'y peut rien !
10. ...... dérogation ne sera accordée.

*18. *Former dix phrases en utilisant les indéfinis ci-dessus.*

19. *Écrire l'adjectif TOUT à la forme correcte.*

1. Ne parle pas ...... le temps, je ne peux pas me concentrer.
2. Il a communiqué à ...... le monde les renseignements utiles.
3. Le témoin jure de dire ...... la vérité.
4. ...... les chorales de la région vont participer à ce festival.
5. Il a passé ...... son année à étudier chaque soir jusqu'à minuit ou une heure du matin.
6. Presque ...... les vieilles légendes de cette région sont inspirées par la mer.
7. Il s'écoula ...... un mois sans que leur fils vînt les voir.
8. Elle est très mélomane, elle possède en disques ...... l'œuvre de Ravel.
9. Il n'arrive pas à remplir ...... ses engagements.
10. Nous avons discuté ...... une longue journée sans interruption.
11. L'enfant a été incapable de rester tranquille pendant ...... l'office.
12. Le journaliste a recueilli ...... les informations nécessaires à la rédaction de son article.
13. Il était si fatigué qu'il a dormi pendant presque ...... le concert.
14-15. Je n'ai pas encore lu ...... les poèmes de ce recueil, et lui prétend avoir lu ...... Victor Hugo !
    C'est impossible !

20. Répondre à ces questions en employant le pronom neutre TOUT.

Avez-vous fini votre travail ? → *Oui, j'ai* tout *fini.*

1. Avez-vous compris ces explications ?
2. As-tu rangé tes affaires ?
3. A-t-il prévu les difficultés de cette expédition ?
4. Avez-vous pensé à ce qu'il fallait préparer ?
5. Se souvient-il des circonstances de l'accident ?

21. Faites cinq phrases en utilisant le pronom neutre TOUT.

22. Répondre aux questions en employant TOUS ou TOUTES.

1. Cette crue des eaux est inquiétante. Les rivières ont-elles débordé ?
2. Les informations diffusées par la presse sont-elles toujours exactes ?
3. Lors d'une élection nationale, le ministère de l'Intérieur centralise-t-il les résultats ?
4. Les Parisiens ont-ils approuvé la construction de la pyramide du Louvre ?
5. Le Marché Commun inclut-il la totalité des pays européens ?
6. Apprécions-nous toujours les habitudes d'autrui ?
7. Tous les viticulteurs vendangent-ils en même temps ?
8. Les volcans d'Europe sont-ils encore en activité ?
9. Avez-vous suivi les conférences du professeur X. ?
10. Dans le TGV, les voyageurs ont-ils une place assise ?

23. Remplacer TOUT par un adverbe de même sens.

1. Regarde ce poulain ; il semble *tout* jeune.
2. Le vieillard s'est assis *tout* près du feu.
3. Ayant cru à la victoire, il était *tout* déçu de sa troisième place.
4. A la fin de l'été, j'ai retrouvé cette jupe *toute* mitée.
5. Après l'averse, elle est rentrée *toute* trempée.

24. Écrire l'adverbe TOUT à la forme correcte.

1. La candidate était ...... pâle.
2. Le soldat qui montait la garde était ...... transi.
3. La fillette, émerveillée devant ses jouets, était ...... rose de plaisir.
4. Les ramoneurs, quand ils travaillent dans la cheminée, sont ...... barbouillés de suie.
5. Cette pièce sera tapissée ...... en jaune.
6. Elle est restée ...... ahurie à l'annonce de cette nouvelle.
7. Mon chandail a déteint dans la machine et mes socquettes blanches sont à présent ...... bleues.
8. Attention à tes lunettes ; elles sont ...... de travers.
9. Elle s'est endormie ...... habillée.
10. Par ce temps glacial, les petites filles avaient les mains ...... engourdies.

*25. Compléter les phrases en employant TOUT à la forme correcte et en précisant sa nature (adjectif, pronom, adverbe, nom).

1. Le long des routes, il y a des bornes ...... les kilomètres.
2. Cet enfant est ...... ma joie.

3. Nos amis ont six enfants, ... des garçons.
4. Il se dirigea vers la fenêtre et l'ouvrit ...... grande.
5. Pour ...... ressources, ce vieux monsieur n'a que sa maigre retraite.
6. Ce spectacle est présenté au public pour la ...... première fois.
7. Après le passage de l'ouragan, ... les toitures étaient arrachées.
8. ...... est bien qui finit bien.
9. La population ...... entière s'était portée sur les remparts pour lutter contre les assiégeants.
10. Au retour de ses vacances, elle a été ...... heureuse de retrouver sa maison.
11. Sophie était ...... honteuse de sa maladresse.
12. Les ouvriers sont revenus du chantier ...... couverts de boue.
13. On ne saurait penser à ......
14. Ils parlent ...... bas pour ne pas réveiller le nouveau-né.
15. Il faut de ...... pour faire un monde.
16. Elle est arrivée ...... en larmes.
17. Cette suite de tableaux forme un .... Il ne faut pas les disperser.
18. Méfiez-vous de lui, il est capable de ......
19. Vous pouvez réussir ; le ......, c'est de persévérer.
20. ...... jeune qu'il fût, le petit Nicolas ne pensait qu'à lire et à étudier.

*26. **Compléter les phrases en employant : VOILÀ TOUT – TOUT DE MÊME –**
    COMME TOUT – TOUT À COUP – CE N'EST PAS TOUT – TOUT D'UN COUP –
    TOUT À FAIT – PAR-DESSUS TOUT – APRÈS TOUT – EN TOUT.

1. Attends-moi cinq minutes, je ne suis pas ...... prêt.
2. Je ne tenais pas beaucoup à voir cette pièce, mais j'y suis allé......
3. Il adore la musique, mais ce qu'il aime ......, ce sont les opéras de Mozart.
4. Vous avez donc 200 francs pour la chambre, 30 francs de petit déjeuner, et 15 francs de téléphone ; ...... 245 francs.
5. Le ciel s'obscurcissait ; ...... il y eut un éclair, puis on entendit le tonnerre.
6. Mélanger le sucre et les œufs, puis verser le lait ......
7. Tu m'as apporté un cadeau ! C'est gentil ......!
8. Laissons nos valises à la consigne ; ......, nous n'en avons pas besoin pour le moment.
9. Tu n'as pas le temps de lui écrire ? Eh bien ! téléphone-lui, ...!
10. ...... d'avoir des enfants ; il faut les élever !

*27. **Former des phrases avec chacune des expressions ci-dessus.**

*28. **Compléter les phrases en utilisant : EN TOUTE BONNE FOI – À TOUT PRIX –**
    À TOUTE HEURE – EN TOUT CAS – TOUT COMPTE FAIT – À TOUTE VITESSE –
    À TOUT HASARD – DE TOUS CÔTÉS – À TOUT PROPOS – UN POINT, C'EST TOUT.

1. Ici, on sert un repas chaud ......
2. Il veut ...... que vous le receviez.
3. Votre commande sera là d'un jour à l'autre ; passez jeudi ......
4. La moto dévalait la pente ......
5. Quand on travaille, on n'aime pas être interrompu ......
6. Demain, il y aura certainement des absents, mais moi, ... je serai là.
7. Il ne se croyait coupable d'aucun délit ; il a agi ......
8. Devant cette injustice, des protestations s'élevèrent......
9. Il n'y a pas à discuter ; on s'arrête au feu rouge, ...
10. Le Quartier Latin est cher, la banlieue l'est moins, et elle est aussi plus calme, mais,......,je préfère encore le Quartier Latin !

LE NOM

Formation du féminin .... 1 à 4

Recherche du genre .... 5 à 8

Recherche du nombre 9-10

Exercices de synthèse .... 11 à 13

Accord du complément du nom 14

Pluriel des noms composés 15

1. Donner le féminin des noms suivants.

un ami	un époux	un candidat
un bavard	un orgueilleux	un courtisan
un muet	un vendeur	un idiot
un mondain	un acteur	un voisin
un fermier	des jumeaux	un espion

2. Trouver le mot féminin correspondant.

garçon   oncle   homme   gendre   monsieur   parrain   mari   amant   père   dieu
bouc   coq   bélier   cheval   taureau

*3. Employer chacun des mots suivants dans une phrase au masculin puis au féminin.

aide   élève   partenaire   artiste   enfant   propriétaire   camarade   locataire   touriste   collègue

*4. Dans les phrases suivantes, remplacer "homme" par "femme", "monsieur" par "madame" ou par "dame", "il" par "elle", etc.

1. Ces messieurs ont été les témoins de la dispute.
2. Mon mari est médecin.
3. Son époux est un véritable tyran.
4. Le monsieur auquel nous parlions tout à l'heure est un grand amateur d'art.
5. L'homme qui passe dans la rue est un curieux personnage.
6. Cet homme fera un excellent chef d'équipe.
7. "L'assassin est un homme", affirma le détective.
8. Il est peintre à ses heures.
9. Je suis un homme : je suis un individu libre et responsable.
10. Il est considéré comme un excellent écrivain.

5. Associer aux mots donnés les mots de sens proche avec l'article qui convient.

le hachoir	l'océan	marais	fleuve
le canot	le soleil	cerveau	hache
la cervelle	le couteau	fauteuil	lune
la mare	l'eau	barque	mer
la rivière	la chaise	fourchette	vin

6. Indiquer le genre des mots suivants.

antichambre	épisode	obélisque
astérisque	équinoxe	octave
autoroute	équivoque	oasis
azalée	hémisphère	orbite
emblème	nacre	pétale

7. Même exercice.

1. pari, oubli, fourmi, appui, ennui.
2. poulie, lubie, manie, génie, anomalie.
3. gâchis, brebis, fouillis, souris, treillis.
4. biscuit, nuit, récit, dépit, produit.
5. perdrix, riz, persil, fusil, pays.

8. Compléter chaque phrase avec le substantif donné mis au genre qui convient et précédé de l'article approprié.

1. *Mode*
   – L'infinitif est ...... non conjugué.
   – Les cheveux multicolores ont été à ......
2. *Poste*
   – Il espère obtenir bientôt ...... plus intéressant.
   – ...... est une administration énorme et complexe.
3. *Voile*
   – Le bateau avait ...... rouge.
   – La fumée formait comme ...... qui arrêtait la vue.
4. *Solde*
   – Ce n'est pas avec ...... de sous-officier qu'on peut mener une vie de luxe !
   – Vous payez un tiers à la commande et ...... à la livraison.
5. *Manche*
   – ...... de ce couteau est en corne : ne le trempez pas dans l'eau.
   – Il faut mettre une pièce à ...... gauche de cette blouse : il y a un trou au coude.

9. Mettre les noms suivants au pluriel.

1. un agenda, une pêche, un été, un oubli, un écho, un chat, un chef, un pommier, un marron.
2. un poids, une croix, un nez, un progrès, un lys, un taux, un fracas, un marais, un prix, une brebis
3. un noyau, un tuyau, un drapeau, un agneau, un joyau, un feu, un vœu, un enjeu, un bleu, un pneu
4. un mal, un bal, un canal, un carnaval, un signal, un régal, un bocal, un festival, un maréchal, un récital

5. un détail, un travail, un rail, un vitrail, un portail, un émail, un gouvernail, un corail, un attirail, un bail

6. un œil, un bœuf, un œuf, un aïeul, un ciel

7. un clou, un filou, un bijou, un voyou, un cou, un caillou, un verrou, un fou, un hibou, un trou, un chou, un genou, un sou, un joujou, un pou

10. Mettre les groupes suivants au singulier. Remarquer ce qui se produit alors.

A. 1. Des corps vigoureux.
2. Des poids lourds.
3. Des puits de pétrole.
4. Des remords éternels.
5. Des temps composés.

B. 1. Des amours passionnées.
2. Des ciseaux ébréchés.
3. Des délices inconnues.
4. Des lunettes coûteuses.
5. Des orgues rénovées.

11. Dans les phrases suivantes, mettre les groupes en italique au pluriel.

A. 1. Il faut faire nettoyer *notre tapis*.
2. *Cette chanteuse a une voix émouvante.*
3. Il a mal *à l'œil*. *aux yeux*
4. *Ce jeune homme est très sympathique.*
5. *Votre bijou n'est pas ancien ; il n'a* aucune valeur.

B. 1. Il a fallu que j'achète *un pneu neuf* et que je fasse réparer *le feu arrière* de ma voiture. *Il a fallu que nous achetions des pneus neufs que nous fassions reparer des feux arrières de ma voiture.*
2. *Cet oiseau niche dans le creux d'un rocher. Ces oiseaux nichent dans les creux d'un rocher.*
3. Ils ont fait sans se plaindre *un pénible travail. des pénibles travaux.*
4. Je tricote *un chandail pour ma fille. des chandails pour mes filles*
5. *Ce bal était un événement* de la vie parisienne. *Ces bals étaient des événements*

C. 1. On a installé *un nouveau vitrail* dans le chœur. *de nouveaux vitraux*
2. *Le portail* de cette église *est* du XIIe siècle. *Les portaux de ces églises sont*
3. *Ce monsieur est un membre actif* de notre association. *Ces messieurs sont des membres actifs*
4. On m'a présenté *une jeune fille* : c'était Mademoiselle de *** *des jeunes filles c'étaient Mesdemoiselles*
5. Au XVIIe siècle, *le bourgeois enrichi voulait ressembler à un gentilhomme. Les bourgeois enrichis voulaient à des gentils hommes*

*12. Faire l'accord des participes passés avec les substantifs soulignés.

1. Qui va nous rembourser *les frais* que nous avons (engagé) ? *engagés*
2. *Les environs* de Paris étaient autrefois (couvert) de bois où, le dimanche, les Parisiens allaient se promener. *couverts*
3. Après la démolition de l'immeuble, *les décombres* ont été (évacué) par camions entiers. *débris évacués*
4. *Les personnes* que nous avons (questionné) approuvent cette décision. *questionnées*
5. Puisque vous n'êtes pas en mesure de me livrer les meubles, remboursez-moi *les arrhes* que je vous ai (versé). *deposit versées*

*13. Employer les mots suivants dans une phrase :

– archives – mœurs – ténèbres – mathématiques – funérailles.

14. Selon le sens, mettre le mot entre parenthèses au singulier ou au pluriel.

A. 1. Un sac de (blé)   – Un sac de (bille)
   2. Un col de (dentelle)   – Une collection de (dentelle)
   3. Une société par (action)   – Un homme d'(action)
   4. Du vernis à (ongle)   – Un verre à (liqueur)
   5. Une boîte de (sardine)s   – Une boîte de (thé)

B. 1. Un meuble à (tiroir)s   – Un bateau à (vapeur)
   2. Un carnet à (souche)/s   – Un homme à (principe)
   3. Un litre de (cidre)   – Un paquet de (haricot)s
   4. Un bocal de (cornichon)   – Un pot de (moutarde)
   5. Du papier à (lettre)s   – Un carton à (chapeau)

C. 1. Des bouquets d'(œillet)s   – Des coups de (théâtre) *adj. relacional*
   2. Des projets de (loi)   – Des points de (vue)
   3. Des extraits de (naissance) – Des touffes d'(herbe)
   4. Des poignées de (main)   – Des coups de (canon)
   5. Des plats d'(asperge)s   – Des livres de (prière)

*15. Accorder correctement les mots composés mis entre parenthèses.

A. 1. Après les orages, il y a parfois des (arc-en-ciel)s splendides.
   2. Je suis allé plusieurs fois au Louvre pour revoir certains (chefs-d'œuvres) que j'aime particulièrement.
   3. Jacques est vraiment trop violent : il vient encore de donner des (coups de poing) à son petit frère.
   4. J'ai déménagé trois fois, mais j'ai toujours habité des (rez-de-chaussée).
   5. On ne sait jamais s'il faut ou non mettre des (traits d'union) aux mots composés.

B. 1. Je n'ai pas le temps d'écrire longuement : j'enverrai quelques (cartes-lettres).
   2. Les TGV ont-ils des (wagons-restaurants) ?
   3. Voulez-vous quelques (petits-fours) ?
   4. Pour le dessert, je prendrai deux (petits-suisses).
   5. Certaines pièces de Molière ne sont-elles pas des (tragi-comédies) plutôt que des comédies ?

C. 1. Dans la vitrine, j'ai vu deux très jolies lampes en porcelaine de Sèvres avec des (abat-jour)s de soie grège.
   2. Toute circulation restera impossible tant que les (chasse-neige) n'auront pas déblayé les routes.
   3. Sous le choc, les (pare-brise) des deux voitures ont volé en éclats.
   4. Ces ruelles sont de véritables (coupe-gorge).
   5. Il a une belle collection de (coupe-papier)s.

LES PRONOMS

Pronom tonique ou atone .... 1 à 5
Pronom objet direct 6-7
Pronoms remplaçant un groupe introduit par la
préposition *à* .... 8 à 12
Accord du participe passé 13-14
Synthèse 15
Double complément .... 16 à 18
En et *y* .... 19 à 23
En avec des expressions de quantité .... 24 à 26
Synthèse .... 27 à 32
Pronom avec les verbes pronominaux .... 33 à 34
Pronoms avec l'impératif .... 35 à 37
Pronoms neutres .... 38 à 46
Synthèse 47-48

1. Compléter les phrases suivantes par le pronom tonique qui convient.

1. ......, je ne suis pas libre demain, mais ......, tu pourrais aller chercher grand-père à l'aéroport.
2. ......, il est quelconque, mais ......, elle est très bien.
3. ......, nous n'aurions rien dit ; mais ce sont ...... qui ont soulevé la question.
4. ......, vous vous êtes encore laissé faire !
5. ......, ils n'ont vraiment pas le sens des convenances.

2. Terminer les phrases selon les indications données.

1. Lui et moi, ... (ne pas très bien s'entendre).
2. Elle et toi, ... (se charger de prévenir les autres).
3. Vous êtes un peu trop prudents, eux, ... (foncer) !
4. Moi qui croyais que ce serait facile, ... (être bien déçu) !
5. Nous étions nombreux et de bonne humeur : ...... (bien s'amuser) !

3. Compléter par des pronoms (toniques et atones).

1. ......, ... ne veux jamais attendre ton tour !
2. Ton frère, ..., fait ce qu'il peut, mais ......, es- ...... vraiment sûr d'en faire autant ?
3. ......, ... souhaiterions que tout soit terminé le plus vite possible.
4. Mais ......, ... pourriez les raisonner !
5. ......, ... nous en allons ce soir, ..., par contre, restent encore quelques jours.

4. Compléter les phrases par les pronoms toniques qui conviennent.

1. Servez-......, puis servez-......, car j'en veux aussi.
2. Ces enfants sont tout seuls, occupez-vous de ......
3. Ces jeunes filles étaient charmantes et les garçons étaient aux petits soins pour ......
4. On a souvent besoin d'un plus petit que ......
5. Ton cousin est influent ; tu devrais passer par ...... pour appuyer ta demande.
6. Les employés sauront vous renseigner ; adressez-vous à ......
7. Sauve qui peut ! C'est chacun pour ......!
8. Il ne peut pas soulever ce meuble à ...... tout seul, mais à ...... trois, nous y arriverons.
9. Nous n'irons pas ? Parle pour ......! Quant à ......, je suis bien décidé à m'y rendre !
10. Pierre exagère ! Je fais tout dans la maison et ...... ne fait jamais rien !

5. Répondre aux questions suivantes en employant le pronom qui convient après la préposition en italique.

1. Seriez-vous heureux d'habiter près de *chez* vos amis ?
2. La décision dépend-elle *de* toi ?
3. Marie s'est-elle attachée *à* son institutrice ?
4. Est-ce *grâce à* votre concierge que vous avez été avertie ?
5. Peux-tu te joindre *à* nous pour organiser les fêtes de fin d'année ?
6. As-tu pensé à acheter un cadeau *pour* tes grands-parents ?
7. Dois-je m'adresser *à* vous ou *à* votre collègue ?
8. Etes-vous en train de dire que tout est arrivé *à cause de* moi ?
9. Est-il aussi dur avec lui-même qu'*avec* ses collaborateurs ?
10. Est-ce *par* Marie ou *par* Pierre que tu as appris la nouvelle ?

6. Dans les phrases suivantes, remplacer le groupe en italique (complément d'objet direct) par un pronom personnel.

A.
1. J'apporte le poulet ; je découpe *le poulet.*
2. Je n'ai plus besoin de ma voiture ; je vais vendre *la voiture.*
3. Ne prends pas le journal ; je viens d'acheter *le journal.*
4. Les vitres sont sales ; je fais nettoyer *les vitres.*
5. Les enfants veulent jouer dehors ; je laisse sortir *les enfants.*

B.
1. Ce contrat ne lui convient plus ; il va résilier *ce contrat.*
2. Ce torrent est trop impétueux ; nous ne pouvons pas traverser *ce torrent.*
3. Nous n'avons pas encore lu ces lettres ; nous venons de recevoir *ces lettres.*
4. Il empêche ses camarades de travailler ; il fait rire *ses camarades.*
5. Ils ne rangent jamais leurs affaires ; ils laissent traîner *leurs affaires* partout.

7. Dans les phrases suivantes, mettre le verbe au temps composé correspondant.

Tu le préviendras ⟶ *tu l'auras prévenu.*

1. Vous le voyez.
2. Tu le feras remplacer.
3. Vous le laissez partir.
4. Tu pourras le constater.
5. Ils voulaient le finir.
6. Vous devez le voir.
7. Tu sais le réparer.
8. Elle pensait à le dire.
9. Il est nécessaire de le répéter.
10. Il faut le faire.

8. Dans les phrases suivantes, remplacer le groupe en italique (complément d'attribution) par un pronom personnel.

   1. Nous écrirons *au propriétaire*.
   2. Il téléphone *à son amie*.
   3. Il dit bonjour *à ses voisins*.
   4. Elle donne sa nouvelle adresse *à ses parents*.
   5. Il offrait souvent des cadeaux *à sa femme*.

9. Dans les phrases suivantes, mettre le verbe au temps composé correspondant. Mettre ensuite les phrases aux formes négative, interrogative et interro-négative (sans employer « est-ce que »).

   1. Nous lui parlerons.
   2. Vous lui souriez.
   3. Il leur conviendra.
   4. Elle te plaît.
   5. Il nous mentait.

10. Remplacer le groupe en italique par un pronom.

   1. Ce petit garçon ressemble beaucoup *à son père*.
   2. La mise en scène a déplu *à un grand nombre de spectateurs*.
   3. Elle a survécu *à son mari*.
   4. Il est de mauvaise humeur : il fait la tête *à ses camarades*.
   5. Ce jeune joueur d'échecs a tenu tête *à des adversaires expérimentés*.
   6. Cette fois, le juge a retiré *à la mère* la garde des enfants.
   7. Le facteur affirme avoir remis la lettre *au destinataire*.
   8. La Sécurité Routière ne recommandera jamais assez *aux automobilistes* d'être prudents.
   9. Pierre n'a pas encore annoncé *à sa fiancée* qu'il allait partir en mission pour six mois.
  10. Certains prêts permettent *à des salariés* d'acheter un appartement.

11. Répondre aux questions suivantes en employant des pronoms.

   1. Ces beaux fruits ne vous font-ils pas envie ?
   2. Quelqu'un vous a-t-il écrit la semaine dernière ?
   3. Quelle récompense remet-on à un champion ?
   4. Que servez-vous aux personnes qui viennent vous voir ?
   5. Est-ce que les chiens font toujours peur aux jeunes enfants ?
   6. Quels objets donne-t-on à réparer à un menuisier ?
   7. Les visites ne font-elles pas plaisir aux malades hospitalisés ?
   8. Qu'est-ce qu'on loue aux estivants sur les plages ?
   9. Les inondations sont-elles toujours utiles à la terre ?
  10. Le contact avec la nature n'apporte-t-il pas quelque chose à l'homme ?

12. Remplacer les groupes en italique par des pronoms personnels.

   1. a) Je ressemble *à ma sœur*.
     b) Il pensait *à sa sœur*.
     c) Il s'est opposé *à sa sœur*.

2. a) Elle a répondu *à son mari*.
   b) Elle songeait *à son mari absent*.
   c) Elle s'est toujours fiée *à son mari*.
3. a) Parlez-vous *à votre chat*?
   b) Il tient beaucoup *à son chat*.
   c) Ils se sont vite attachés *à leur chat*.
4. a) Elle fera plaisir *à ses enfants*.
   b) Elle rêvait *à ses futurs enfants*.
   c) Elle s'est adressée *à ses enfants*.
5. a) Il faisait peur *à ses concurrents*.
   b) Il ne fait pas assez attention *à ses concurrents*.
   c) Il s'est attaqué *à ses concurrents*.

13. Remplacer le groupe en italique par un pronom. Quand le participe s'accorde, expliquer cet accord.

1. Nous avons revu *ce film* trois fois.
2. Cet étudiant a-t-il remis *sa copie*?
3. Je n'avais pas encore lu *les journaux du soir*.
4. Vous avez éteint *les lampes*.
5. J'aurai fini la moitié *de ce travail* dès ce soir.

14. Dans les phrases suivantes, mettre le verbe principal au passé composé. Quand le participe s'accorde, expliquer cet accord.

1. Elle couche les jumeaux.
   Elle les couche.
   Elle se couche tard.
2. Vous parlez aux autres voyageurs.
   Vous leur parlez.
   Les voyageurs se parlent.
3. Il rencontre souvent sa collègue dans le métro.
   Il l'y rencontre souvent.
   Ils s'y rencontrent souvent.
4. Ils ne disent pas toujours la vérité.
   Ils ne la disent pas toujours.
   Ils se disent qu'il vaut mieux cacher la vérité.
5. Elle demande à sa mère la permission de sortir.
   Elle la lui demande.
   Elle se demande si elle pourra sortir.

15. Remplacer le groupe en italique par un pronom.

A. 1. L'ordinateur nous a facilité *le travail*.
   2. Je n'ai pas compris *leur réponse*.
   3. Le médecin lui a déconseillé *les sports violents*.
   4. Ils ont deviné *la fin de l'histoire*.
   5. Les victimes n'ont pas oublié *les souffrances qu'elles ont éprouvées*.

B. 1. Je n'ai pas pu entendre *votre question*.
   2. Quand avez-vous décidé de soumettre *votre proposition*?

3. Qui va défendre *les droits des minorités* ?
4. Serait-il possible d'augmenter *la puissance de cet appareil* ?
5. Je voudrais bien faire encadrer *ces gravures*.

C. 1. Elle expliquera *ses intentions* en détail.
2. Ils emporteront *leur secret* avec eux.
3. Écoutera-t-il toujours *vos conseils* ?
4. Il ne faut pas aggraver *les choses* inutilement.
5. Le maire avait mis à la hâte *son écharpe tricolore*.

16. Remplacer les groupes en italique par les pronoms qui conviennent.

A. 1. Une pancarte nous signalait *le refuge*.
2. La loi te reconnaît *le droit de revenir sur ta décision*.
3. Un barrage de police vous interdit *l'entrée de cette rue*.
4. Le cardiologue va peut-être me déconseiller *les séjours en altitude*.
5. Elle avait du mal à nous décrire *les circonstances de l'accident*.

B. 1. L'auteur a dédié *son œuvre à ses parents*.
2. Le biologiste exposa *l'état de ses recherches aux congressistes*.
3. Le comité devrait réclamer *au maire l'aménagement d'un espace vert*.
4. Nous pouvons accorder *à ce client la remise qu'il demande*.
5. En général, une société ne distribue pas *tous ses bénéfices aux actionnaires*.

17. Remplacer les groupes en italique par des pronoms personnels. Mettre les réponses obtenues à la forme négative – interrogative – interro-négative, sans employer "est-ce que".

1. Elle nous rapportera *notre scie*.
2. Il se fait *ses repas* lui-même.
3. Il donnera *son vélo à son frère*.
4. Elle confiait *ses clés aux voisins*.
5. Nous inviterons *nos cousins au mariage*.
6. Tu parleras *de ce projet à mon associé*.
7. Vous enverrez *des cartes postales à vos amis*.
8. Nous mettons *notre téléphone sur la table de nuit*.
9. Il te prêtera *de l'argent*.
10. Ils se promenaient tous les dimanches *dans la forêt*.

18. Répondre aux questions suivantes en employant les pronoms qui conviennent.

1. Finalement, avez-vous proposé *votre commode à l'antiquaire* ?
2. Me reprochez-vous *les dépenses que j'ai faites* ?
3. Pouvez-vous livrer dès aujourd'hui *les marchandises aux clients* ?
4. Est-ce que tu adresses *tes vœux à tes amis* au Nouvel An ?
5. Le prestidigitateur vous a-t-il dévoilé *son secret* ?
6. A-t-on distribué *les sujets d'examen aux candidats* ?
7. Est-ce que le locataire vous a déjà rendu *les clés* ?
8. Est-ce qu'il t'a bien expliqué *toutes les clauses du contrat* ?
9. Ne nous aviez-vous pas déjà proposé *cette croisière en Méditerranée* ?
10. L'avocat général saura-t-il faire admettre *ses conclusions aux jurés* ?

19. Répondre aux questions en remplaçant le groupe en italique par un pronom.

1. Pensait-elle *à sa jeunesse* ?
2. Joue-t-il *de son charme* ?
3. Joueriez-vous *aux boules* ?
4. Arrivons-nous *à Chartres* ?
5. Ce train arrive-t-il *de Toulon* ?

20. Dans les phrases suivantes, mettre les verbes au temps composé corespondant. Mettre ensuite les phrases aux formes négative, interrogative et interro-négative (sans employer « est-ce que »).

1. Ils en doutaient.
2. Nous y faisons attention.
3. On en trouve partout.
4. Tu y vas de temps en temps.
5. Vous en reviendrez vite.

21. Remplacer le groupe en italique par un pronom.

1. Nos vacances ont été excellentes ; nous avons bien profité *de ces vacances*.
2. On m'avait invité à cette soirée, or j'étais pris, je ne me suis donc pas rendu *à cette soirée*.
3. Cette maison est vaste ; une famille nombreuse pourrait vivre à l'aise *dans cette maison*.
4. Ne dites rien aujourd'hui de cet incident ; vous parlerez *de cet incident* quand les esprits seront calmés.
5. Vous pouvez toujours faire des objections mais je serais surpris qu'on tienne compte *de ces objections*.
6. J'étais venu à Paris pour une dizaine de jours et finalement, je serai resté un mois *à Paris*.
7. La mer envahit cette grotte ; elle se retire *de cette grotte* à marée descendante.
8. Les années d'enfance laissent des souvenirs durables ; on repense souvent *à ces années*.
9. Autrefois, ces maladies étaient incurables ; aujourd'hui, on guérit très bien *de ces maladies*.
10. Le tremblement de terre a ébranlé la plupart des bâtiments. Si de nouvelles secousses se produisaient, ils ne résisteraient pas *à ces secousses*.

22. Remplacer le groupe en italique par un pronom.

1. Il est arrivé *au Havre* il y a quinze jours.
   Il partira *du Havre* dans un mois.
2. Nous allons entrer *dans la saison des pluies*.
   Nous sortons enfin *de l'hiver*.
3. Tel entraîneur encourage les jeunes sportifs *à l'effort*, tel autre, trop strict, décourage *de l'effort* les jeunes les mieux disposés.
4. Ce pauvre chien est toujours attaché *à sa niche*.
   Elle a détaché plusieurs feuilles *de son bloc de papier à lettres*.
5. Je me suis associé *à l'action de ces consommateurs*.
   Je me suis séparé à regret *de mon vieux piano*.

23. Imiter les phrases ci-dessus en utilisant les verbes proposés.

1. Y aller / en venir.
2. Y monter / en descendre.
3. S'y engager / s'en dégager.
4. S'y habituer / s'en déshabituer.
5. S'y fier / s'en méfier.

24. Dans les phrases suivantes, remplacer ce qui peut l'être par le pronom EN.

1. On abat beaucoup trop d'arbres.
2. Elle achète deux mètres cinquante de tissu.
3. J'ai dû apporter six photos d'identité.
4. Il montre autant de courage que son adversaire.
5. Le Palais Garnier contient moins de spectateurs que l'Opéra Bastille.

25. Remplacer ce qui peut l'être par le pronom EN, puis répondre aux questions en employant ce pronom.

1. Est-ce que tu prends du café ?
2. Veux-tu un gâteau ?
3. Y a-t-il plusieurs exceptions à cette règle ?
4. Avez-vous quelques bibelots anciens à vendre ?
5. Est-ce qu'elle ne portait pas un collier de perles ce soir-là ?

26. Remplacer ce qui peut l'être par un pronom.

1. Elle a emprunté un parapluie.
2. Cherchent-ils encore un appartement ?
3. En général, il trouvait une bonne explication.
4. Auriez-vous un foulard qui aille avec ce manteau ?
5. J'ai cueilli une rose pour vous.
6. J'ai cueilli des roses pour vous.
7. J'ai cueilli quelques roses pour vous.
8. Il a déjà eu deux crises cardiaques.
9. Il a toujours des idées.
10. Il a parfois de bonnes idées.

27. Remplacer les groupes en italique par des pronoms.

1. Les ouvriers n'ont pas encore présenté *leurs réclamations* aux responsables du personnel.
2. Mes parents nous ont fait parvenir *de l'argent* plusieurs fois.
3. Les journalistes nous feront connaître dès que possible *la composition du gouvernement*.
4. Nous vous expédierons *douze bouteilles de bordeaux*.
5. Ils ont accepté de nous laisser utiliser *leur piscine*.
6. "Nous allons vous donner *notre réponse* dès demain", assura le directeur.
7. L'employé m'a tendu *un paquet de prospectus*.
8. Veux-tu que nous t'offrions *quelques disques de Berlioz* ?
9. Nous leur avons écrit *plusieurs lettres* à ce sujet.
10. Je viens d'acheter *de très jolies chaussures*.

28. Répondre aux questions suivantes en employant les pronoms qui conviennent.

1. Vous donne-t-on souvent des conseils ?
2. Est-ce qu'on demande un autographe à un chef d'État ?
3. Les compagnies de transport accordent-elles des réductions aux personnes âgées ?
4. Est-ce que vous confieriez votre voiture à un conducteur débutant ?
5. Pourriez-vous parler de votre ville natale à un groupe de visiteurs ?

6. Aimez-vous écrire de longues lettres à vos proches ?
7. Sauriez-vous expliquer à un étranger le système politique de votre pays ?
8. Iriez-vous demander de l'aide à votre pire ennemi ?
9. Seriez-vous capable de préparer un plat exotique à vos invités ?
10. Fait-on faire assez de sport aux jeunes ?

29. Répondre aux questions suivantes en utilisant les pronoms Y ou EN.

1. Avez-vous des projets pour cet été ?
2. Etes-vous déjà allé à l'Opéra ?
3. Auriez-vous la force de traverser la Manche à la nage ?
4. Répondriez-vous à des questions indiscrètes ?
5. Reste-t-il encore des terres inexplorées ?
6. La loi contraint-elle les citoyens à déclarer leurs revenus ?
7. Sortez-vous toujours content d'une salle de cinéma ?
8. Doit-on parfois se mêler des affaires d'autrui ?
9. En matière de langue, faut-il toujours se conformer à l'usage ?
10. Quelle importance faut-il accorder à l'âge ?

30. Remplacer le groupe en italique par le pronom qui convient.

1. On aimerait se consacrer *à une cause*, mais on n'en a jamais le temps !
2. "Je vais avoir besoin *de la clé de votre réservoir*", me dit le pompiste.
3. Les invités se sont mis aussitôt à jouer *au bridge*.
4. Je me souviens très bien *de mes compagnons de voyage*.
5. Suzanne va s'associer *à ses amies* pour offrir un cadeau à l'heureuse maman.
6. Ce médecin vient de faire *aux employés* une conférence sur les effets nocifs du tabac.
7. Paul ne va pas songer à téléphoner *à ses parents* si on ne le lui rappelle pas.
8. Le mécanicien s'est servi *du cric* pour soulever la voiture.
9. J'ai l'intention de réserver la meilleure place *à notre hôte*.
10. Le petit garçon avait du mal à s'habituer *à ses nouveaux camarades de jeu*.

31. Remplacer les groupes en italique par des pronoms.

1. Fais attention, je tiens beaucoup *à ce vase*.
2. Qui va distribuer les programmes *aux spectateurs* ?
3. Il leur fallut un certain temps pour s'accoutumer *à cette curieuse manière de vivre*.
4. Si le beau temps se maintient, nous proposerons *à nos invités* d'aller pêcher en mer.
5. Bien entendu, vous pourriez renoncer *à vous défendre*, mais vous auriez tort.
6. Il serait plus facile *à mon confrère* qu'à moi de vous exposer ce point particulier.
7. Je ne crois pas qu'il se risquerait *à nous faire un procès*.
8. Il est déconseillé de faire trop de critiques *à un débutant*; il vaut mieux l'encourager.
9. Le gouvernement ne semblait pas avoir l'intention de céder *à la pression de la rue*.
10. Il aime la chasse et se montre infatigable *à la chasse*.

32. Répondre aux questions suivantes en utilisant des pronoms.

1. N'est-il pas dangereux de s'approcher *du bord de la falaise* ?
2. Est-ce que tu peux encore te fier *à ses promesses* ?
3. Vous fiez-vous *à ce beau parleur* ?

4. En fin de compte, s'est-elle séparée *de son associé* ?
5. Finira-t-elle par s'habituer *à sa nouvelle situation* ?
6. Mieux vaut rire *de cette mésaventure*, non ?
7. Est-ce que cette campagne électorale ne vous a pas dégoûté *de la politique* ?
8. T'arrive-t-il de penser *à ce que sera le monde dans vingt ans* ?
9. N'avez-vous jamais rêvé *de voir une aurore boréale* ?
10. Visiblement, il se méfiait *de sa voisine*.

33. Remplacer le groupe en italique par un pronom.

1. Elle se lave *les cheveux* tous les jours.
2. Finalement, il se met *au travail*.
3. Nous nous passerons *de ses conseils*.
4. Il se réservait toujours *les bons morceaux*.
5. Les garçons se disputaient *l'unique bicyclette*.

34. Dans les phrases suivantes, mettre le verbe au temps composé correspondant. Mettre ensuite les dix phrases aux formes : négative, interrogative, interro-négative, sans employer "est-ce que".

1. Tu te le rappelles.
2. Vous vous en souvenez.
3. Nous nous y ferons.
4. Il s'en inquiète.
5. Elle se le demandait.

35. Mettre à la forme négative (A) et à la forme affirmative (B).

A. 1. Lève-toi !
   2. Servez-moi !
   3. Cache-toi !
   4. Retournez-vous !
   5. Hâtons-nous !

B. 1. Ne me donne pas ce dossier tout de suite
   2. Ne vous occupez pas de cette affaire
   3. Ne vous servez pas de ces ciseaux
   4. Ne t'enferme pas à double tour
   5. Ne t'assieds pas dans ce fauteuil

36. Remplacer les groupes en italique par des pronoms puis mettre la phrase obtenue à la forme affirmative.

A. 1. Ne prends pas *ce train-là*.
   2. N'obéis pas *à ton frère*.
   3. Ne parle pas *à ta voisine*.
   4. Ne restons pas *dans le jardin*.
   5. N'achetez pas *de moules* en ce moment.

B. 1. Ne me donne pas *de moutarde*
   2. Ne me confiez pas *cette tâche*
   3. Ne nous livrez pas *ces colis* avant samedi
   4. Ne lui donne pas *de conseils*
   5. Ne t'occupe pas *des bagages*

37. Remplacer les groupes en italique par les pronoms qui conviennent. Mettre ensuite à la forme négative.

A. 1. Envoyez-moi *votre représentant*.
   2. Portez *ces documents au comptable*.
   3. Transmettez *ces informations à nos associés*.
   4. Adressez *ce constat à votre assureur*.
   5. Va *à la mer* avec *tes enfants*.

B. 1. Accordez-lui *des délais*.
   2. Donne *de l'avoine au cheval*.
   3. Offrez-lui *des œillets blancs*.
   4. Achète-toi *d'autres disques*.
   5. Allez *à la réception* et adressez-vous *au veilleur de nuit*.

38. *Remplacer le groupe en italique par un pronom neutre.*

On constate aisément *que le tabac est nocif*.
⟶ On *le* constate aisément.

A. 1. On dit *que l'eau va manquer un peu partout*.
   2. Expliquez-moi *ce qu'il faut faire*.
   3. Croyez-vous sincèrement *qu'un tel sujet convienne à un jeune public ?*
   4. Il m'a laissé entendre *qu'il me vendrait volontiers sa maison*.
   5. Les enfants ont vite découvert *comment utiliser le magnétoscope*.

B. 1. Ce siège est-il libre ? – Oui, il est *libre*.
   2. Georges est chirurgien ; son frère est aussi *chirurgien*.
   3. Son père est tourangeau mais sa mère n'est pas *tourangelle*.
   4. Les gens de cette région paraissent froids, mais ils ne sont pas du tout *froids*.
   5. J'ai peut-être l'air naïf mais je suis loin d'être *naïf*.

*39. *Répondre aux questions en employant le pronom neutre LE.*

   1. Ne doit-on pas *respecter ses parents* ?
   2. Votre propriétaire souhaite-t-il *vous voir partir* ?
   3. Souhaitez-vous *que je vous accompagne* ?
   4. Crains-tu *d'être critiqué* ?
   5. A-t-il su *qu'on le surveillait* ?

40. *Remplacer les groupes en italique par le pronom qui convient (LE, LA, LES / LE neutre / EN).*

   1. Elle voulait *cette terre* à tout prix.
      – Il voulait vraiment *voyager*.
      – Chacun veut *que ses enfants reçoivent une bonne éducation*.
   2. N'a-t-on pas besoin *d'amitié* ?
      – Le chien a besoin *de sortir*.
      – Il a besoin *qu'on le laisse un peu tranquille*.
   3. Elle accepte *les maux de l'âge* avec philosophie.
      – Accepteront-ils *de témoigner* ?
      – Ils accepteront sans doute *que la réunion soit repoussée de huit jours*.
   4. Nous avons décidé *cet achat* sur un coup de tête.
      – Nous avons décidé *de divorcer*.
      – Ils avaient décidé *que leur fils prendrait le TGV jusqu'à Valence*.
   5. J'ai envie *d'un sorbet à la poire*.
      – Je n'ai pas envie *de répondre*.
      – Les habitants de ce village n'ont pas envie *que la voie ferrée passe au milieu des vignobles*.

*41. Transformer les phrases selon les exemples donnés.

A.   J'ai décidé que j'allais partir. ➞ *Je vais partir, je l'ai décidé.*
1. Je suis convaincu *que c'est une bonne idée.*
2. L'inspecteur des contributions s'est rendu compte *que le contribuable était de bonne foi.*
3. J'étais persuadé *que quelqu'un m'en voulait.*
4. L'architecte a constaté *que l'étanchéité des murs était insuffisante.*
5. Francine a juré *qu'elle n'était pour rien dans cette affaire.*

B.   J'ai peur qu'il pleuve demain. ➞ *Il pleuvra demain, j'en ai peur.*
1. Je suis ravie *que nous ayons enfin obtenu des billets pour le festival d'Aix-en-Provence.*
2. Je m'attendais bien *à ce qu'il soit mécontent de sa croisière.*
3. Je suis préoccupé *que tout devienne de plus en plus cher.*
4. Elle ne permettrait pas *que ses enfants aillent jouer dans la rue tout seuls.*
5. Nous nous opposerons *à ce que ces arbres soient abattus.*

42. Répondre affirmativement ou négativement : a) avec le pronom neutre ; b) sans le pronom neutre (usage idiomatique).

Pouvez-vous déplacer notre rendez-vous ?
➞ *Oui, je le peux / non, je ne le peux pas.*
➞ *Oui, je peux / non, je ne peux pas.*

1. Savez-vous que le musée Gustave Moreau, si mal connu, est en réalité fort intéressant ?
2. Savez-vous pourquoi la conférence a été annulée ?
3. Sauriez-vous, d'ici, rejoindre la route nationale ?
4. Refuseriez-vous de signer une pétition ?
5. Voudriez-vous être célèbre ?
6. As-tu compris ce que les enfants chantaient dans la cour ?
7. Vous rappelez-vous comme il a fait froid, cet hiver-là ?
8. Et maintenant, comprenez-vous comment ils en sont arrivés à se séparer ?
9. Est-ce que vous pensez que le brouillard va se lever et que notre avion pourra enfin partir ?
10. Croyez-vous que j'aie été négligente ou même que je l'aie fait exprès ?

*43. Trouver les questions dont voici les réponses :

➞ *La situation semble bloquée ; voyez-vous comment nous pourrions nous en sortir ?*
    – Non, je ne vois pas.

1. ...... ? – Oui, je sais.
2. ...... ? – Non, je ne trouve pas.
3. ...... ? – Quand vous voudrez.
4. ...... ? – Comme vous voulez.
5. ...... ? – Chaque fois que je pourrai.

44. Imiter les exemples ci-dessus (questions et réponses) en employant les verbes suivants :

accepter
commencer
continuer
essayer
oublier.

*45. Remplacer les mots en italique par un pronom, puis remplacer ce pronom par le verbe FAIRE.

Il projette de *traverser le désert.*
→ *Il le projette.*
→ *Il projette de le faire.*

1. Pourriez-vous *porter ce paquet à mes amis* ?
2. Nous sommes cette fois-ci décidés *à déménager.*
3. Il ne peut pas s'empêcher *de dire du mal de tout le monde.*
4. Me promets-tu *de m'écrire plus souvent* ?
5. Il se refuse *à régler cette facture.*

*46. Remplacer le pronom en italique par le verbe FAIRE.

1. Révisez un peu chaque jour, nous vous *le* conseillons.
2. Quand il m'a demandé de relire son manuscrit, je m'*y* suis mis aussitôt.
3. Dans les films, les cascadeurs passent d'un toit à un autre en sautant par dessus le vide. Cela paraît tout simple mais je ne m'*y* risquerais pas !
4. Le tour du monde sur un beau navire ? Qui n'*en* a pas rêvé ?
5. Quand tu es revenu à toi, t'es-tu souvenu d'avoir appelé au secours ? – Oui, je m'*en* suis souvenu.

47. Répondre aux questions en utilisant des pronoms.

1. Possédez-vous *une carte de crédit* ?
2. Révisez-vous souvent *les verbes irréguliers* ?
3. Peut-on prévoir *l'avenir* ?
4. Avez-vous déjà suivi *un cours d'histoire de l'art* ?
5. Connaissez-vous *la signification du mot "désormais"* ?
6. Sauriez-vous *reconnaître cinq vins français* ?
7. Pensez-vous qu'on devrait *limiter davantage la vitesse sur les autoroutes* ?
8. Souhaitez-vous *devenir célèbre* ?
9. Avez-vous du mal à *apprendre les verbes irréguliers* ?
10. Les questions de votre dernier examen étaient-elles *difficiles* ?

48. Répondre aux questions en utilisant des pronoms (deux réponses possibles).

1. Toutes les mères permettent-elles à leurs filles de quinze ans de sortir le soir ?
2. Quand avez-vous décidé d'étudier le français ?
3. Prévoyez-vous de passer vos prochaines vacances au bord de la mer ?
4. Vous a-t-on conseillé d'employer un dictionnaire bilingue ?
5. Accepteriez-vous de travailler au pair si l'occasion se présentait ?

LA PROPOSITION RELATIVE

Le pronom relatif simple .... 1 à 4

Pronoms relatifs composés .... 5 à 9

Pronoms démonstratifs avec
le pronom relatif .... 10 à 13

Prépositions avec le pronom relatif 14-15

Où et locutions avec *où* 16-17

Synthèse 18

Proposition relative explicative
ou déterminative 19-20

Mode dans les relatives 21-22

Pronom relatif ou pronom personnel 23

1. *Relier les phrases suivantes par un pronom relatif.*

1. J'ai retrouvé de vieilles photos / elles étaient restées au fond d'un tiroir.
2. Derrière la maison, il y avait un coin de terre / on avait planté quelques légumes dans ce coin de terre.
3. Il aperçut un visage / les traits de ce visage lui semblaient familiers.
4. Ce sont des questions intéressantes / je ne m'étais jamais posé ces questions.
5. J'ai reconnu la voiture / le pare-brise de cette voiture n'avait pas encore été réparé.

2. *Compléter les phrases suivantes.*

1. La salle ...... vous vous trouvez fait partie de l'ancienne abbaye.
2. Ils ont eu une petite fille ...... ils ont appelée Aurore.
3. Les bêtes s'étaient réfugiées sous l'arbre ...... le feuillage les abritait.
4. Jetez-moi cette tasse ...... est ébréchée.
5. Il a acheté une guitare ...... il joue rarement.

3. *Relier les phrases suivantes par un pronom relatif.*

A. 1. Est-ce que je vous ai parlé de ce prestidigitateur ? / Nous l'avons vu au casino.
2. Il y a sous la crypte un souterrain / on ne l'a pas encore exploré.
3. Nous sommes entrés dans une grange / celle-ci avait été transformée en salle de bal.
4. C'est une neige molle / il faut s'en méfier.
5. Tu devrais te débarrasser de cette machine / tu ne t'en sers plus.

B. 1. Les couples dansaient sur la piste / je les observais.
   2. Elle avait perdu sa chaîne sur la plage / elle ne l'a jamais retrouvée.
   3. Il avait besoin d'outils / il n'a pas pu les trouver.
   4. Cette revue vient de paraître / je l'ai feuilletée.
   5. La nature est préservée dans cette vallée / n'aimeriez-vous pas y retourner ?

C. 1. Il a un chien / son chien est très affectueux.
   2. On m'a offert une montre / son cadran est lumineux.
   3. Quelles sont ces fleurs ? / je ne sais pas leur nom.
   4. Les archéologues ont découvert un objet / son usage est inconnu.
   5. Son père était officier de marine / j'ai bien connu son père.

4. Relier les phrases suivantes par un pronom relatif.

1. C'est une grande maison / elle date du XVIIe siècle.
2. Le mendiant ramassa les pièces / les passants les avaient lancées dans sa casquette.
3. On a découvert une statue / l'un des bras de la statue était cassé.
4. Pourriez-vous me rappeler le numéro de la salle / nous sommes censés nous y retrouver à six heures.
5. L'accident se produisit un jour / ce jour-là, il avait gelé à pierre fendre.
6. Nous leur avions écrit une lettre / malheureusement, elle leur parvint trop tard.
7. Il y a des instants privilégiés / tout semble parfait dans ces instants-là.
8. C'était une femme charmante / elle nous a toujours accueillis chaleureusement.
9. Au bout du sentier apparurent trois enfants / leurs rires nous parvenaient malgré la distance.
10. La pluie n'était toujours pas venue / on l'annonçait depuis huit jours.

5. Relier les phrases par un pronom relatif.

1. a) C'est un garçon sérieux / j'ai beaucoup d'estime pour lui.
   b) C'est un climat trop rude / tu n'es pas fait pour ce climat.
2. a) Cette jeune femme avait rencontré l'année dernière l'un de nos amis / elle vient de se fiancer avec lui.
   b) Prends la grande poêle / on fait les crêpes avec cette poêle.
3. a) Maître Dupin est un excellent avocat / sans lui, nous aurions perdu notre procès.
   b) Procurez-vous ces attestations / sans ces attestations, votre dossier serait incomplet.
4. a) On a menacé les journalistes / le scandale avait été rendu public par ces journalistes.
   b) Cette route date de Napoléon / vous allez passer par cette route.
5. a) Ma voisine m'a souri gentiment / je m'étais tournée vers elle.
   b) La profession d'architecte est encombrée / votre fils s'oriente vers cette profession.
6. a) Martine a fait la connaissance d'étudiants étrangers / elle était à côté d'eux dans l'amphithéâtre.
   b) Cette solution présente des avantages / à côté de ces avantages, les inconvénients paraissent négligeables.
7. a) Les deux vieilles dames n'ont pas cessé de bavarder pendant tout le voyage / j'étais assis en face d'elles.
   b) Retrouvons-nous à la brasserie / nous avons garé la voiture hier en face de cette brasserie.
8. a) Nous attendons notre tante / nous lui offrirons un cadeau.
   b) C'est une hypothèse discutable / il vaut mieux ne pas y faire allusion.
9. a) Montez au premier étage ; vous verrez la secrétaire / vous devez vous adresser à elle.
   b) Voilà un sujet neuf / il pourrait consacrer son mémoire à ce sujet.
10. a) J'aimerais avoir des nouvelles de mes camarades / je pense souvent à eux.
    b) Les orchidées sont des plantes fragiles / il leur faut une température et une humidité constantes.

6. Relier les phrases par un pronom relatif.

1. Je vais consulter mon notaire / j'ai toute confiance en lui.
2. Il faudrait emprunter cet itinéraire / par cet itinéraire, vous atteindriez plus facilement la côte.
3. Déçue par l'attitude de son ami, elle refuse d'écouter ses promesses / elle n'y croit plus.
4. Il ne va tout de même pas soutenir ce candidat / il avait voté contre lui aux dernières élections.
5. Claire se réjouit de passer quelques jours chez ses cousins / elle éprouve envers eux une profonde affection.
6. On m'a montré plusieurs bracelets / j'hésite encore entre ces bracelets.
7. L'entrepreneur a subi de nombreux contretemps / malgré ces contretemps, il a réussi à terminer les travaux à la date prévue.
8. Vous venez de faire une remarque / j'aimerais revenir sur cette remarque.
9. Ce poète a reçu le prix Nobel il y a quelques années / on vient de publier sur lui un ouvrage très documenté.
10. Cette perceuse se vend maintenant dans toutes les grandes surfaces / il est facile, avec cette perceuse, de faire des trous dans le béton.

7. Compléter les phrases suivantes.

1. On va inaugurer un musée dans lequel......
2. L'employé qui ...... était très aimable.
3. Ce chef d'entreprise a licencié un certain nombre d'ouvriers parmi lesquels ......
4. Les spectateurs devant qui ...... ont beaucoup ri.
5. Faites-moi savoir la date à laquelle ......
6. J'ai remercié les personnes par qui ......
7. Il m'a prêté les outils avec lesquels ......
8. J'ignore la raison pour laquelle ......
9. Nous avons fait une excursion au cours de laquelle ......
10. Le syndicat d'initiative vous fournira les renseignements grâce auxquels ......

8. Relier les phrases par DONT ou DUQUEL.

1. Le club a organisé une tombola / le produit de cette tombola permettra d'acheter un magnétoscope.
2. Ce sera bientôt la fête du village / à l'occasion de cette fête, on tire toujours un feu d'artifice.
3. Je leur ai fait des remarques / ils n'ont pas tenu compte de ces remarques.
4. On a trouvé un second testament / aux termes de ce testament, toute sa fortune irait à la Croix-Rouge.
5. Il s'est enfui par le jardin de la mairie / la grille de ce jardin était justement ouverte.
6. Il y a un fait nouveau / en raison de ce fait, le procès pourrait être révisé.
7. Il sortit de sa poche un agenda / les pages de cet agenda étaient cornées.
8. Le candidat doit obtenir cinq cents signatures / faute de ces signatures, il ne peut se présenter à l'élection présidentielle.
9. Il est en train d'essayer une nouvelle voiture / on lui en a vanté les performances.
10. Il reconnaissait à peine cette femme / pour l'amour de cette femme, il aurait été prêt, autrefois, à tout abandonner.
11. Il a eu un mois de convalescence / au cours de ce mois, il a eu le temps de penser à l'avenir.
12. Nous avons contourné cette région / nos guides en avaient souligné l'insécurité.
13. Un médecin doit avoir la confiance de son patient / à défaut de cette confiance, il ne pourrait pas le soigner efficacement.
14. J'ai aperçu un porche / à l'abri de ce porche, j'ai attendu la fin de l'averse.
15. Ce sont des héros / on raconte leur histoire depuis des siècles.

9. Compléter les phrases en imitant l'exemple suivant :

L'heure à partir de laquelle on peut visiter n'est pas précisée sur le prospectus.
→ *Dites-moi* l'heure à partir de laquelle *nous pouvons passer vous voir.*

1. Le lac sur les bords duquel......
2. La salle au fond de laquelle ......
3. Les incidents à la suite desquels ......
4. Les explications grâce auxquelles ......
5. La date au-delà de laquelle ......

10. Compléter les phrases en employant CE QUI – CE QUE – CE DONT.

1. J'ai fait ...... tu m'avais dit de faire.
2. Elle a oublié ...... nous avons parlé ce jour-là.
3. Il n'a pas pu emporter tout ...... il avait besoin.
4. Expliquez-moi ...... vous a déplu.
5. On ne fait pas toujours ...... on veut.
6. Ils m'ont secouru sans hésitation, ... je leur suis très reconnaissant.
7. Vous dites que l'affaire est sans risques ; c'est ...... reste à démontrer.
8. L'entrée du musée était gratuite le dimanche, ... j'ignorais.
9. L'hôtelier m'avait proposé une chambre sur la rue, ... ne me convenait pas du tout.
10. Il a dû travailler samedi, ... il se serait bien passé !

11. Terminer les phrases suivantes.

1. Vous savez ce que ...
2. Dites-moi ce dont ...
3. Elle s'est excusée, ce qui ...
4. Il faut que j'aille chez le dentiste, ce que ...
5. L'ancien maire a été réélu, ce dont ...

12. Terminer les phrases suivantes.

1. Mets cette cravate, c'est celle que ......
2. Arrête-toi devant ce magasin, c'est celui où ......
3. Regarde ! La jeune femme qui arrive est celle dont ......
4. Non, merci ! pas ces gâteaux-là ! Je n'aime que ceux qui ......
5. Je vais te faire connaître mes amis, ceux avec lesquels ......

13. Compléter les phrases suivantes en employant : QUI – QUE – QUOI – DONT – OÙ – précédés d'un pronom démonstratif.

1. Connais-tu un plombier ? ...... j'avais noté l'adresse est absent.
2. Je te recommande cet hôtel. C'est ...... nous descendons régulièrement.
3. Les réactions que nous avons ne sont pas toujours ...... l'on attend de nous.
4. Je ne peux pas te prêter ces diapositives ; ce sont justement ...... j'ai besoin pour ma conférence.
5. Parmi les insectes, ... causent le plus de dégâts dans une maison sont les termites.

14. Compléter les phrases suivantes en employant un pronom relatif précédé d'une préposition (À – AVEC – POUR – SUR).

1. De toutes mes voisines, cette dame est celle ...... je préfère bavarder.
2. Il a fait une très belle carrière, mais pas du tout celle ...... ses parents le destinaient.
3. Celui ...... profite le crime est ordinairement celui qui l'a commis.
4. L'aîné de mes trois fils est celui ...... je peux toujours compter.
5. Les poèmes les plus réussis ne sont pas forcément ceux ...... l'auteur s'est donné le plus de mal.

15. Remplacer les points par À QUOI – SANS QUOI – GRÂCE À QUOI – FAUTE DE QUOI.

1. Fais ce que je te dis, ... je vais me fâcher.
2. Les documents sont parvenus à temps, ... l'inscription a pu se faire avant la date de clôture.
3. Je dois déposer d'urgence ces chèques à la banque, ... mon compte serait à découvert.
4. Mon indépendance ? Il n'y a rien ...... je tienne davantage !
5. Cette façon d'engager des dépenses sans consulter personne, c'est précisément ce ...... il faut s'opposer.

16. Relier les phrases soit par OÙ soit par une locution avec OÙ.

1. Place des Vosges, il y a une maison / Victor Hugo a vécu dans cette maison.
2. Il cherchait un raccourci / par ce raccourci, il rejoindrait la grand-route.
3. Voilà un superbe promontoire / nous pourrons, de ce promontoire, admirer toute la côte.
4. Je suis sorti à l'aube / à ce moment-là, les oiseaux commençaient à chanter.
5. L'accident s'est produit à un endroit précis / montrez-nous cet endroit.

17. Terminer les phrases suivantes.

1. Ils sont allés partout où ...
2. L'appartement a un balcon d'où ...
3. Prenez cette rue et tournez là où ...
4. Le moment est venu où ...
5. Le chien avait fait un trou dans la haie par où ...

*18. Remplacer les points par un pronom relatif (éventuellement précédé d'une préposition).

1. J'ai suivi l'an dernier un cours d'anglais ...... j'ai tiré le plus grand profit.
2. Quel est le pays ...... proviennent ces fruits ?
3. L'enthousiasme ...... s'exprimait l'orateur se communiquait à l'assistance.
4. La forêt ...... nous nous promenions était plantée d'arbres centenaires.
5. Protéger la nature est une tâche ...... nous devons tous nous consacrer.
6. Demain matin, il y aura une réunion ...... nous pourrions déjeuner ensemble.
7. La ville ...... nous roulions était encore éloignée de cinquante kilomètres.
8. Pour cette exposition, on avait réuni des tableaux ...... représentaient tous des chevaux.
9. Le XIXᵉ siècle est la période ...... le progrès technique a commencé à s'accélérer.
10. La pièce était éclairée par une ampoule ...... la faible lumière laissait les coins dans la pénombre.
11. C'était mon meilleur ami, celui ...... je pouvais toujours me confier.

12. Je voudrais finir ma vie en Savoie, là ...... j'ai passé mon enfance.
13. N'hésitez pas à demander ce ...... vous aurez besoin.
14-15. Il y a des gens ...... le passé obsède et ...... en oublient le présent.

*19. Remplacer les mots en italique par une proposition relative dont on précisera le sens.

a) Il faudra soigner le cheval *boiteux*.
→ *Il faudra soigner le cheval qui boite.* (détermination)

b) Ce cheval, *boiteux*, ne peut pas participer à la course.
→ *Ce cheval, qui est boiteux, ne peut pas participer à la course.* (explication)

1. a) La chouette est un oiseau *nocturne*.
   b) La chouette, oiseau *nocturne*, craint la lumière.
2. a) C'est un plaisir *trop éphémère*.
   b) Ce plaisir, *trop éphémère*, ne m'attire pas.
3. a) Je vais faire réparer la chaise *cassée*.
   b) Cette chaise, *cassée*, doit être mise de côté.
4. a) Est-ce de l'eau *potable* ?
   b) Cette eau, non *potable*, sert à l'arrosage du jardin.
5. a) Il a fait le portrait d'une jeune fille *tenant* une rose.
   b) Un élève, *tenant* à répondre, agitait la main.

*20. Remplacer les mots en italique par une proposition subordonnée relative.

A. 1. J'ai soigné un oiseau *tombé du nid*.
   2. *Installé sur un banc*, un vieillard fume sa pipe.
   3. Ce roman, *maintenant célèbre*, fit scandale en son temps.
   4. *Exploitées depuis plus d'un siècle*, ces mines de charbon vont bientôt être fermées.
   5. *Visiblement ivre*, l'homme prononça quelques mots sans suite.

B. 1. *Revenant dans son pays après dix ans d'absence*, Philippe se sentait un peu perdu.
   2. Les deux amis, *ayant épuisé le sujet*, restèrent un moment silencieux.
   3. Le tigre, *s'étant échappé de sa cage*, descendait tranquillement l'allée principale du zoo.
   4. Il faut passer un examen *comprenant* un écrit et un oral.
   5. J'ai enfin trouvé un cours *convenant* à mon niveau.

*21. Mettre le verbe entre parenthèses à l'indicatif ou au subjonctif selon le sens.

1. La comédie que je (voir) hier soir était très spirituelle.
   – C'est la meilleure comédie que je (voir) cette année.
2. Je connais une petite boutique où l'on (vendre) des robes à des prix extraordinaires.
   – Connaissez-vous un magasin qui (vendre) des robes à des prix raisonnables ?
3. J'ai un grand placard dans lequel je (pouvoir) ranger toutes mes affaires.
   – Je cherche un studio avec des éléments de rangement où je (pouvoir) mettre toutes mes affaires.
4. J'ai trouvé un horloger qui (savoir) réparer ma pendule ancienne.
   – Auriez-vous l'adresse d'un horloger qui (savoir) réparer une pendule ancienne ?
5. C'est le seul médecin qui (vouloir) bien se déranger dimanche dernier.
   – C'est le seul médecin qui (vouloir) bien se déranger le dimanche.

*22. *Mettre le verbe entre parenthèses à l'indicatif, au subjonctif ou au conditionnel selon le cas.*

1. J'ai un camarade très sympathique avec qui je (sortir) de temps en temps.
2. J'aimerais avoir un ami avec qui je (pouvoir) sortir de temps en temps.
3. Je rêve parfois d'un pays où il (faire) toujours beau......
4. J'avais coupé la tarte en parts plus ou moins grosses. Naturellement, c'est une grosse part qu'il (prendre).
5. Il n'y a pas que vous qui (aimer) les sucreries : moi, je n'y résiste pas !
6. Pensez-vous que ce soit le directeur lui-même qui (dicter) cette lettre ?
7. Pourquoi n'avez-vous pas exécuté les travaux que vous (devoir) faire la semaine dernière ?
8. Si on lui résistait, vous n'imaginez pas ce qu'il (être) capable de faire !
9. Cette interprétation de la Neuvième Symphonie est la meilleure que je (entendre) jamais.
10. Comment ! Il t'avait invitée et tu as refusé ! Ce n'est pas moi qui (manquer) une pareille occasion !

*23. *Remplacer les pronoms relatifs par des pronoms personnels.*

Il y a eu, ce jour-là, une discussion déplaisante que je me rappelle fort bien.
➤ *Il y a eu, ce jour-là, une discussion déplaisante ; je me la rappelle fort bien.*

1. Ce furent des moments agréables *dont* je me souviendrai longtemps.
2. Il aimerait aller à Reims *où* on peut visiter une cathédrale.
3. Voici l'inspecteur Roux, grâce *à qui* votre voiture a été retrouvée.
4. Je vais vous présenter une amie *à qui* j'ai beaucoup parlé de vous.
5. C'est une dame charmante, *dont* je vous ai d'ailleurs souvent parlé.
6. Ce sera un voyage pénible *que* je redoute d'avance.
7. Voilà un pâté en croûte bien appétissant *dont* je goûterais volontiers un morceau.
8. Il faut prévenir notre oncle et notre tante *à qui* nous passerons rendre visite.
9. Il a dû se séparer de sa vieille robe de chambre, *à laquelle* il tenait pourtant beaucoup.
10. Vous avez un métier passionnant *auquel* je ne pense jamais sans un peu d'envie.

L'ADJECTIF

Le genre .... 1 à 3

Le nombre .... 4 à 6

Place de l'adjectif .... 7 à 9

Accord de l'adjectif 10

1. Former le masculin des adjectifs (ou participes) suivants.

charmante	frontalière	fédérale	bénigne	franche
doucereuse	complète	plate	blanche	longue
admiratrice	totale	ancienne	dissoute	publique
précise	nulle	perverse	favorite	sèche
moyenne	gloutonne	blafarde	fraîche	tierce

2. Former le féminin des adjectifs suivants.

joli	rancunier	primitif	gentil	faux
délicat	désuet	veuf	breton	roux
courtisan	net	fameux	mitoyen	doux
marin	sot	trompeur	parisien	jaloux
importun	cruel	délateur	européen	frileux

3. À partir de l'adjectif féminin, trouver les deux formes de l'adjectif masculin en les associant aux substantifs proposés.

1. belle   hypocrite / frêne
2. folle   espoir / argent
3. nouvelle   opéra / vin
4. vieille   arbre / sapin
5. vieille   homme / hibou

4. Construire des phrases en utilisant les adjectifs suivants au pluriel (masculin ou féminin).

1. âgé – bleu – hardi – joli – touffu
2. beau – jumeau – nouveau – égal – loyal
3. fatal – natal – banal – glacial – final

5. Dans les phrases suivantes, mettre les groupes en italique au singulier.

1. Hier soir, j'ai dîné avec *de vieux amis*.
2. Comment *s'appellent ces beaux oiseaux* ?

3. Ce sont *de fort beaux iris*.
4. Je vous apporterai demain *de nouveaux exercices*.
5. De ce sommet on découvre *de nouveaux horizons*.

6. Dans les phrases suivantes, mettre les groupes en italique au pluriel.

1. *La jeune fille portait un chapeau bleu*.
2. *La jeune fille portait un chapeau bleu ciel*.
3. Je mettrai *un coussin marron* sur ce divan.
4. Je vais mettre *un rideau orange* à cette fenêtre.
5. L'œuf de Pâques était orné *d'un ruban cerise*.

7. Former un groupe nominal où chacun des noms suivants sera qualifié par les deux adjectifs indiqués.

1. table	bas / petit	6. jeune homme	brun / grand
2. ami	fidèle / sincère	7. visiteurs	étranger / nombreux
3. après-midi	beau / ensoleillé	8. visage	rond / joufflu
4. robe	long / gris	9. situation	confus / dangereux
5. garçon	agile / robuste	10. vin	bon / rosé

8. Faire deux groupes nominaux avec chacun des adjectifs suivants et les deux noms indiqués. (L'adjectif placé après le nom = qualification objective. L'adjectif placé avant le nom = nuance affective.)

1. affreux   temps / sorcière
2. extraordinaire   phénomène / personnage
3. épouvantable   tyran / tempête
4. admirable   paysage / dévouement
5. sinistre   plaisanterie / rue

9. Dans deux courts exemples, employer chacun des adjectifs suivants avant puis après le nom de manière à faire ressortir les différences de sens.

même	simple	ancien	brave	petit
propre	triste	vrai	cher	bon
seul	grand	pauvre	sale	riche

10. Accorder les adjectifs (ou participes) selon le sens.

A. 1. Un auteur de romans (vendu) dans le monde entier.
   Un auteur de romans (connu) dans le monde entier.
2. Un foulard de soie (déchiré).
   Un foulard de soie (bleu).
3. Un acte de guerre (caractérisé).
   Un acte de guerre (civil).
4. Une forêt de chênes (centenaire).
   Une forêt de chênes (ravagé) par le feu.
5. Une plaque de chocolat (noir).
   Une plaque de chocolat (vendu).dix francs

B. 1. Des couverts d'argent (massif).
2. Un chef de clinique (surmené).
3. Un permis de chasse (périmé).
4. Des droits de douane (excessif).
5. Une salle de bal (enfumé).
6. Un fait de notoriété (public).
7. Un cas de force (majeur).
8. Une piste d'aéroport (défoncé).
9. Un train de banlieue (bondé).
10. Une cargaison de denrées (périssable)

LA PRÉPOSITION

Emploi de *à* et *de* .... 1 à 8

Locution avec à ou de 9-10

Par – pour .... 11 à 13

Prépositions diverses .... 14 à 19

Cas des noms de lieu 20

Prépositions de sens contraire 21

Sens de la préposition 22

Synthèse 23

1. Compléter par À ou DE.

A. 1. Cet appartement est ...... Pierre.
   2. C'est celui ...... Pierre.
   3. Il appartient ...... Pierre.
   4. C'est l'appartement ...... Pierre.
   5. Pierre est propriétaire ...... son appartement.

B. 1. Nous sommes partis ...... Lille le matin et nous sommes allés d'une seule traite ...... Biarritz.
   2. Un tel sujet est difficile ...... traiter.
   3. Il est difficile ...... traiter un tel sujet.
   4. J'ai eu beaucoup de plaisir ...... vous revoir.
   5. j'avais déjà eu le plaisir ...... vous rencontrer il y a un mois.

C. 1. Il a demandé ...... rencontrer un responsable.
   2. Vous a-t-on demandé ...... arbitrer le débat ?
   3. En se comportant de cette manière, il a manqué ...... toutes les convenances.
   4. J'ai manqué ...... présence d'esprit : sur le moment, je n'ai pas su comment réagir.
   5-6. Que pensez-vous ...... cet homme ? – Il m'intrigue et me fait penser ...... quelqu'un que j'ai déjà vu, mais où ?
   7-8. Sur la scène, Carmen jouait ...... castagnettes. Carmen jouait ...... troubler Don José.
   9-10. Je tiens beaucoup ...... ce médaillon : je le tiens ...... ma grand-tante.

2. Compléter les phrases par À ou DE.

1. Avez-vous déjà vu une aurore boréale ? Il paraît que c'est magnifique ...... voir.
2. Jean est toujours très content ...... lui-même.
3. Certaines vérités ne sont pas toujours bonnes ...... dire.
4. Il s'est montré satisfait ...... nos efforts.
5. Nous avons de grands projets, malheureusement difficiles ...... réaliser pour le moment.

6. Je ne suis guère surpris ...... sa réaction.
7. Tout cela n'est pas très facile ...... admettre, mais enfin j'étais dans mon tort.
8. Ces soies synthétiques sont moins agréables ...... porter que les soies naturelles.
9. Il m'est impossible ...... me souvenir de son numéro de téléphone.
10. Cette eau est mauvaise ...... boire.

3. Imiter les deux phrases de l'exemple en utilisant les adjectifs suivants :

Il est difficile de traduire ce texte.
→ *Ce texte est difficile à traduire.*

1. facile   6. fatigant
2. utile   7. effrayant
3. agréable   8. déplaisant
4. ennuyeux   9. intéressant
5. pénible   10. amusant

4. Compléter par la préposition qui convient.

1. Je n'avais jamais eu affaire ...... quelqu'un d'aussi exigeant.
2. Moi, je pense que tu es en âge ...... prendre une décision.
3. Pour réunir la somme nécessaire, elle a fait appel ...... tous ses amis.
4. Ils ont atteint le sommet au prix ...... efforts héroïques.
5. Il s'est enrichi aux dépens ...... autres.

5. Même exercice.

1. ...... première vue, la chose me paraît possible.
2. Il tira ...... toutes ses forces sur la poignée.
3. On impose certains produits à coups ...... publicité.
4. Sur le point ...... plonger, il s'est ravisé.
5. Pendant les examens, il est interdit de communiquer avec ses voisins sous peine ...... exclusion.

6. Compléter les phrases par la préposition DE si nécessaire.

1. Il n'a pas craint ...... lui parler sur un ton agressif.
   – Il a osé ...... lui parler sur un ton agressif.
2. Elle est sûre ...... avoir tout vérifié.
   – Elle affirme ...... avoir tout vérifié.
3. Il prétend ...... avoir traversé la Manche à la nage.
   – Il se vante ...... avoir traversé la Manche à la nage.
4. Il se plaint ...... avoir été frappé.
   – Il déclare ...... avoir été frappé.
5. Il est convaincu ...... être irremplaçable.
   – Il se figure ...... être irremplaçable.
6. J'aimerais bien ...... faire la grasse matinée.
   – Je serais ravi ...... faire la grasse matinée.
7. Je déteste ...... me lever si tôt.
   – J'ai horreur ...... me lever si tôt.

8. Je rêve ...... avoir une baguette magique.
   – Je voudrais ...... avoir une baguette magique.
9. Souhaiteriez-vous ...... rester éternellement jeune ?
   – Auriez-vous envie ...... rester éternellement jeune ?
10. Je préférerais ...... être toujours heureux.
    – Il me serait agréable ...... pouvoir vous remercier personnellement.

7. Dans l'exercice précédent, regrouper en deux colonnes d'une part les verbes qui se construisent avec l'infinitif sans préposition, d'autre part ceux qui, devant l'infinitif se construisent avec la préposition DE.

8. Compléter les phrases par À ou DE.

A. 1. Je ne lui pardonne pas de m'avoir traité ...... lâche !
   2. Encore une fois, il a manqué ...... tous ses devoirs.
   3. Elle s'est inscrite ...... un club d'arts martiaux.
   4. On va opérer ma fille ...... l'appendicite.
   5. Je tiens ...... ce que cette vérification soit achevée demain.

B. 1. Il faudrait le dissuader ...... entreprendre ce procès, qu'il est assuré de perdre.
   2. Le soir de Noël, on a permis aux enfants ...... veiller jusqu'à minuit.
   3. Après bien des efforts très mal récompensés, il a décidé ...... tout abandonner.
   4. Pierre m'a défié ...... le battre aux échecs.
   5. Il lui arrive ...... s'attacher à des bibelots sans valeur.

C. 1. C'est ...... vous que je m'adresse.
   2. Nous nous éloignons ...... (le) sujet.
   3. Je ne me ferai jamais ...... (les) manières de cet individu.
   4. Pour une fois, ils se sont écartés ...... leur ligne de conduite.
   5. Il s'attaque ...... plus fort que lui.

D. 1. Finalement, tout le monde se désintéresse ...... la situation.
   2. Bien des gens ne parviennent pas à se passer ...... somnifères.
   3. Débarrassons-nous ...... cette corvée.
   4. Il s'est toujours débrouillé pour se suffire ...... lui-même.
   5. Remettons-nous ...... (le) travail.

E. 1. Il a demandé ...... te parler.
      – Vous a-t-on déjà demandé ...... parler en public ?
   2. Ils ont décidé ...... partir immédiatement.
      – Je suis décidé ...... m'inscrire à ce cours.
   3. Nous avons été forcés ...... nous arrêter.
      – Personne ne peut vous forcer ...... acheter quoi que ce soit.
   4. On va probablement le contraindre ...... donner sa démission.
      – Il sera contraint ...... donner sa démission.
   5. La chauve-souris tient ...... rat et ...... l'oiseau.
      – Nous tenons ...... voir le préfet.

9. Compléter les phrases en employant les locutions suivantes : À DROITE DE – AU LIEU DE – AU MILIEU DE – AUTOUR DE – AU TRAVERS DE – EN FACE DE – HORS DE – LE LONG DE.

1. Les abeilles volent ...... la ruche.
2. Mettez-vous bien ...... l'objectif et ne bougez plus.

3. Quand tu mets le couvert, place la cuillère ...... (le) couteau.
4. Les péniches sont amarrées ...... (les) quais.
5. ...... répondre sans réfléchir, relisez la question.
6. De nombreux satellites tournent maintenant ...... la Terre.
7. Le camion roulait juste ...... la route ; je ne pouvais pas le dépasser.
8. Les petits poissons passent ...... (les) mailles du filet.
9. Cette société a plusieurs filiales en France et ...... France.
10. Je me suis promené ...... la Seine.

10. Compléter les phrases en employant les locutions suivantes : À PARTIR DE – AU VU ET AU SU DE – À L'INSU DE – QUITTE À – QUANT À.

1. Certains font toutes sortes de promesses ; ...... les tenir, c'est une autre affaire !
2. Réfléchissez un peu, ... remettre votre décision de quelques jours.
3. Fenêtres ouvertes, ils se disputaient ...... tout l'immeuble.
4. Il parvint à faire sortir les documents ...... ses collègues.
5. ...... là, on peut tout imaginer.

11. Compléter en employant PAR ou POUR.

1. C'est ...... moi qu'il a eu la nouvelle.
2. ...... moi, il réapparaîtra un beau jour sans prévenir.
3. J'ai ...... principe d'achever ce que j'ai entrepris.
4. ...... principe, il ne mange pas de viande.
5. ...... un Français, ne pas connaître le nom de La Fontaine est impensable.

12. Même exercice.

1. Il a l'air de se prendre ...... un génie.
2. Elle se fait passer ...... ce qu'elle n'est pas.
3. Tu n'es pas obligé de dire tout ce qui te passe ...... la tête.
4. Moi, je suis ...... le mariage et la fidélité.
5. On veut être toujours ensemble puis on finit ...... regretter de ne plus jamais être seul.
6. Il y a une taxe forfaitaire de cent francs ...... personne.
7. ...... le moment, il n'a aucune intention de se retirer.
8. Etes-vous ici ...... longtemps ?
9. On a mis le feu ...... imprudence.
10. Alors, ce départ, c'est ...... bientôt ?

*13. Exprimer la même idée sans employer PAR ni POUR.

1. La cérémonie s'est déroulée *par* un beau soleil.
2. Il a obtenu ce poste *par* relations.
3. Nous vous félicitons *pour* la clarté de votre exposé.
4. J'ai eu ce bronze *pour* un prix dérisoire.
5. Il m'a répondu *par* un hochement de tête.

14. Compléter les phrases en employant : À – DANS – DE – ENTRE – VERS.

1. Le pétrole a jailli ...... (le) sol.
2. Sur la cheminée se trouvait une pendule ancienne ...... deux chandeliers.

3. Ce jeune homme s'est engagé ...... la marine.
4. Le soir, quand on roule ...... l'ouest, on a le soleil en plein ...... les yeux.
5. L'autre jour, je suis allé .. pied ...... (les) Champs-Elysées.

15. Même exercice en employant : À – AVEC – DANS – PAR – SANS.

1. Les singes sautent de branche en branche ...... agilité.
2. Les oiseaux viennent picorer les graines ...... le creux de sa main.
3. Les premières comédies filmées étaient des histoires ...... paroles.
4. Il est interdit de vendre ...... perte.
5. Cette lettre a été déposée dans ma boîte ...... erreur.

16. Même exercice en employant : CONTRE – EN – SAUF – SOUS – SUR.

1. Ce plat n'est préparé que ...... commande.
2. Ce micro-onde est-il encore ...... garantie ?
3. ...... erreur de ma part, la réunion aura lieu vendredi.
4. Ayant oublié mes lunettes lors de mon séjour chez vous, je vous serais obligé de me les
   expédier ...... port dû.
5. Je préfère payer d'avance que de recevoir les marchandises ...... remboursement.

17. Même exercice en employant : À – EN – PAR – SANS – VERS.

1. Les émeutes ont été réprimées ...... pitié.
2. La ville a été ...... partie détruite.
3. Quand le bateau a été repéré au large d'Ouessant, il faisait route ...... le nord.
4. Elle tricote ...... plaisir plutôt que ...... besoin.
5. Prenez le dossier ; vous pourrez l'étudier ...... loisir.

18. Même exercice en employant : DE – POUR – SANS – SOUS – SUR.

1. Étant inconscient, le malade était maintenu ...... perfusion.
2. J'aimerais être sûr qu'il agit ...... arrière-pensées.
3. J'ai reçu de ma banque trois cent douze francs ...... solde de tout compte.
4. Il s'est fait faire un costume ...... mesures.
5. Il ne lisait jamais ses discours mais les prononçait ...... mémoire.

19. Même exercice en employant : AVANT – DEPUIS – DÈS – JUSQU'À – VERS.

1. ...... combien de temps habitez-vous la région ?
2. Ce roman me passionne : cette nuit, j'ai lu ...... deux heures du matin.
3. Notre petite route de montagne est assez dangereuse : essayez d'arriver ...... la nuit.
4. Je ne peux pas vous dire l'heure exacte du train, mais je suis sûr que c'est ...... sept heures.
5. Tous les matins, ... l'aube, le fermier est au travail.

20. Compléter les phrases suivantes avec les noms de lieu entre parenthèses en employant : À – DANS – DE – EN – SUR.

1. Je vais passer mes vacances ...... (Saint-Nazaire – Le Lavandou – Les Sables-d'Olonne –
   La Bretagne – L'Auvergne).

2. L'été prochain, j'irai ...... (Les Ardennes – Le Massif Central – La Corse – L'île d'Oléron – La Côte d'Azur).

3. Depuis trois ans, il habite ...... (L'Allemagne – Les Pays-Bas – Le Danemark – Madagascar – Les Philippines).

4. Il revient ...... (Barcelone – Athènes – Le Caire – Le Canada – La Guyane).

5. Il a séjourné ...... (Les Baléares – L'Antarctique – Le Sahara – L'Afrique – Le Midi).

21. Donner le contraire des expressions en italique.

A. 1. Nous partirons juste *après* Pâques.
   2. On a élevé une palissade *derrière* le terrain vague.
   3. Ils ont voté *contre* la construction de l'autoroute.
   4. Il travaille *sans* plaisir.
   5. J'ai posé mon sac *sur* le siège.

B. 1. *Au-dessus de* chez moi habite une famille de musiciens.
   2. Le magasin est *loin du* centre.
   3. L'église avait été construite *hors des* remparts.
   4. Ils parviendront *en haut de* la colline dans dix minutes.
   5. Le kiosque à journaux est *à droite de* la sortie du métro.

C. 1. Ils *montaient au grenier*.
   2. Peux-tu *ramener* les enfants *de* l'école ?
   3. *Accrochez* le miroir *au* mur.
   4. *Sors* la voiture *du* garage.
   5. *D'où venez*-vous ?

*22. Employer la préposition qui convient en indiquant chaque fois l'idée exprimée.

1. Dire quelque chose ...... l'oreille.
   – Avoir le sourire ...... lèvres.
2. S'évader ...... prison.
   – Se détacher ...... quelqu'un.
3. Une pile ...... draps.
   – Une colonne ...... chiffres.
4. Un fer ...... cheval.
   – Une lampe ...... souder.
5. Dormir ...... poings fermés.
   – Citer ...... mémoire.

23. Compléter les phrases à l'aide des réponses données.

1. Je me suis laissé dire qu'il n'était pas tout à fait étranger à ...
   – cette affaire.
2. Les rideaux sont assortis à ...
   – secourir ses amis.
3. L'appareil faisait un très léger bruit presque imperceptible à ...
   – (le) papier.
4. Saviez-vous que Jean était sujet à ...
   – accepter cette responsabilité.
5. La cuisine est contiguë à ......
   – (les) membres du personnel.
6. Les copies sont conformes en tous points à ...
   – l'office.
7. Ces événements sont antérieurs à ...
   – ces sautes d'humeur.
8. Le coffre n'était pas accessible à ...
   – l'oreille.
9. Êtes-vous prêt à ...
   – (les) originaux.
10. C'est une personne toujours disposée à ...
   – (les) émeutes dont vous parliez.

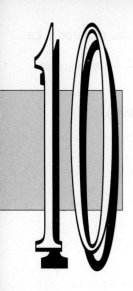

L'ADVERBE

Formation des adverbes en -*ment*
à partir des adjectifs 1

Emploi de l'adverbe .... 2 à 8

Adverbes et locutions adverbiales synonymes 9 à 11

Adverbes de sens contraire 12

Locutions adverbiales 13

Adjectifs employés adverbialement 14

ne négatif et *ne* explétif 15-16

tout ....17 à 22

Place de l'adverbe .... 23 à 26

Synthèse .... 27 à 30

1. Compléter les phrases par les adverbes correspondant aux adjectifs donnés.

A. 1. Il est aimable.
   2. Il est rapide.
   3. Cette rue est large.
   4. C'est vrai.
   5. Il est poli.

– Il me parle toujours ......
– Il est venu ......
– C'est une théorie ...... répandue.
– Vous êtes ...... trop aimable !
– Il m'a salué......

B. 1. Il est grand. Elle est grande.
   2. Il est vif. Elle est vive.
   3. Il est malheureux. Elle est malheureuse.
   4. Il est sot. Elle est sotte.
   5. Il est clair. Elle est claire.

– Ils sont ...... logés.
– Elle a répondu un peu trop ......
– ......, je ne pourrai pas venir.
– Il a agi ......
– Il nous a ...... expliqué ce problème.

C. 1. Il est méchant.
   2. Il est brillant.
   3. Il est vaillant.
   4. C'est suffisant.
   5. Il est bruyant.

– Il a frappé ...... son petit frère.
– Il a ...... soutenu sa thèse.
– Ils ont ...... combattu.
– Nous n'avons pas ...... de pain.
– Ils sont entrés ...... dans la salle.

D. 1. Il est prudent.
   2. Il est patient.
   3. Il est violent.
   4. C'est évident.
   5. C'est fréquent.

– Le guide avançait ......
– Elle a répété ...... les explications.
– Il est sorti en claquant ...... la porte.
– Mais ......, tu as raison comme toujours !
– Cet appareil tombe ...... en panne.

E. 1. Cet étudiant est assidu.
   2. Il est goulu.

– Il travaille ......
– Il mange toujours ......

3. Il est gai.   – Ils marchent en chantant ......
4. C'est gentil.   – Ils m'ont reçu très ......
5. C'est bref.   – Elle m'a ...... raconté son aventure.

F. 1. C'est commode.   – Installez-vous ......
    2. C'est immense.   – Il est ...... riche.
    3. C'est précis.   – C'est ...... ce que je voulais dire.
    4. C'est grave.   – Il nous salua ......
    5. C'est grave.   – Il est ...... blessé.

2. Compléter les phrases en employant : BIEN – MIEUX – MAL – EXPRÈS – PLUTÔT.

1. Son bras cassé lui faisait ......
2. Elle a épousé un garçon très ......
3. Comment va ta mère ? – Elle va beaucoup ......, merci.
4. Je suis navré de t'avoir contrarié. C'est une erreur de ma part, je t'assure que je ne l'ai pas fait ...... !
5. Quand vous faites une réclamation, ne vous adressez pas à une vendeuse, mais ...... au chef de rayon.

3. Même exercice en employant : AUTANT – PLUS – COMME – COMBIEN – TOUT.

1. J'ai beaucoup de disques, mais vous en avez encore ...... que moi.
2. ...... aurons-nous d'invités pour le réveillon ?
3. Vous avez beaucoup de patience, mais il en a ...... que vous.
4. Il était ...... fier de me montrer son diplôme.
5. J'ai aperçu votre petit Pierre ; ...... il a grandi !

4. Même exercice en employant : LOIN – PRÈS – PARTOUT – AILLEURS – DEHORS.

1. Je n'aime pas beaucoup ce restaurant, allons dîner ......
2. L'arrêt de l'autobus ? C'est tout ......, juste au coin de la rue.
3. Il fait un temps affreux, on ne mettrait pas un chien ...... !
4. Mon fils habite trop ...... pour pouvoir venir passer les fins de semaine avec nous.
5. Oui, je viens, mais attends une minute ! Je ne peux pas être ...... à la fois.

5. Même exercice en employant :
TOUJOURS – JAMAIS – ENCORE – BIENTÔT – LONGTEMPS.

1. J'ai ...... cru que je m'habituerais à vivre en ville, mais je ne le crois plus.
2. Fais attention, voyons ! Il faut ...... te répéter la même chose !
3. Je ne comprendrai ...... comment de telles sottises peuvent te faire rire !
4. Les jours allongent, c'est ...... le printemps.
5 Le soleil avait disparu, le crépuscule venait ; seul un nuage était ...... rouge, éclairé par un dernier rayon.

6. Même exercice en employant :
AVANT – DORÉNAVANT – DÉSORMAIS – MAINTENANT – AUTREFOIS.

1. Tu as fini tes devoirs ? C'est bien ! ......, va vite te coucher !
2. J'ai eu bien tort de faire toujours ses quatre volontés ! ...... , je ne le ferai plus !

3. Tu ne dors pas assez : ......, il faudra te coucher à dix heures.
4. J'ai retrouvé ma maison ; rien n'a changé, tout est comme ......
5. ......, on s'éclairait à la chandelle ; ......, on s'éclaire à l'électricité.

7. Même exercice en employant : COMBIEN – COMMENT – OÙ – POURQUOI – QUAND.

1. Je ne sais pas ...... est mon dictionnaire.
2. Il ne comprend pas ...... vous le rendez responsable de cette erreur.
3. Je voudrais réserver une table pour ce soir.
   – Oui, Monsieur, pour ...... de personnes ?
4. Elle ne sait pas encore exactement ...... elle pourra venir ; peut-être dans le courant de la semaine prochaine.
5. Je me demande ...... je vais lui annoncer cette nouvelle !

8. Même exercice en employant : SI – D'ACCORD – BIEN – NON – OUI.

1. Avez-vous tapé mon rapport ? – ......, Monsieur, le voilà.
2. Vous n'avez pas encore tapé mon rapport ? – ......, Monsieur, le voilà.
3. Tapez-moi tout de suite cette lettre, s'il vous plaît. – ......, Monsieur.
4. Avez-vous terminé votre mémoire ? – ......, il me reste encore deux chapitres à rédiger.
5. Enfin, c'est bien lui qui a gagné le premier match !
   – ......, et après ? Cela ne signifie pas qu'il va gagner le second !

9. Remplacer l'adverbe en italique par un adverbe synonyme.

1. Fais d'abord tes devoirs, *puis* tu pourras aller jouer.
2. C'est *précisément* ce qu'il m'a dit.
3. *Dorénavant*, faites en sorte d'arriver à l'heure.
4. Jacques est courageux mais André l'est encore *davantage*.
5. Ils ont discuté pendant deux heures sans arriver à se mettre d'accord. *Enfin*, ils se sont séparés sans avoir trouvé de solution.
6. Lorsque vous irez passer l'examen, il faudra *nécessairement* présenter votre carte d'identité.
7. Il est *certes* très intelligent, mais il n'a cependant rien compris.
8. Elle est *extrêmement* aimable, elle fera tout son possible pour vous aider.
9. À l'avenir, je m'y prendrai *autrement*.
10. Le brouillard était si épais que je ne distinguais pas *clairement* la route.

10. Remplacer les locutions adverbiales en italique par des adverbes synonymes.

1. Il a exigé que nous venions *sur l'heure*.
2. Venez *de bonne heure*, que nous ayons le temps de bavarder un peu.
3. Le transport est-il assuré de la gare à l'hôtel ? – *Bien sûr*, Monsieur.
4. *Dans le temps*, on faisait la veillée au coin du feu.
5. Il n'est pas arrivé comme prévu. Il aura *sans doute* manqué son train.
6. Il s'agit, *sans aucun doute*, d'un livre de grande valeur.
7. Il se mit à pleuvoir. *Par malheur*, je n'avais ni parapluie ni imperméable.
8. Le dimanche, nous nous promenons dans Paris, et, *de temps à autre*, nous allons marcher en forêt dans les environs.
9. Quel âge a-t-il ? – *A peu près* soixante ans.
10. J'ai supporté un moment le bruit que faisaient mes voisins, mais, *à la fin*, j'ai perdu patience.

Remplacer les groupes en italique par des adverbes ou des locutions adverbiales de même sens.

1. Le rendez-vous est fixé au mardi quinze juillet à seize heures.
   En premier lieu, un cocktail réunira les participants.
2. Allez lui dire qu'il vienne *sans tarder*.
3. J'ai retardé le dîner d'une heure ; *de cette façon*, vous aurez largement le temps d'arriver.
4. Il doit subir une opération délicate et va être absent très longtemps ; *en conséquence*, il faut que nous engagions un employé temporaire.
5. Les travaux que vous avez effectués ne sont pas conformes au devis. *Dans ces conditions*, je refuse de régler la facture.

*12. **Donnez l'adverbe contraire de celui qui est en italique.***

1. Il est *plus* travailleur que son frère.
2. Nous avons *toujours* des échanges de vues très intéressants.
3. Nous avons *beaucoup* de temps pour réfléchir.
4. Il venait *parfois* nous rendre visite.
5. Elle n'est *guère* aimable avec les clients.
6. Je n'ai *pas* mis *assez* de beurre dans la purée.
7. Les enfants couraient *devant*.
8. Où se trouve la gare ? – C'est *tout près*.
9. Il y avait beaucoup de monde ? – *Oui, beaucoup*.
10. J'ai *trop* de pain, j'en voudrais *moins*.
11. Vous êtes *toujours* à l'heure ! Elle *aussi* !
12. *En avant* !
13. Il a *longuement* réfléchi avant de répondre.
14. Les jeunes gens s'approchèrent *prudemment* de la crevasse.
15. Ce qu'il a fait, il l'a fait *volontairement*.

13. **Composer des phrases en employant les locutions adverbiales suivantes.**

1. à bon compte
   en fin de compte
2. d'un seul coup
   du premier coup
3. à la fois
   en plusieurs fois
4. à toute force
   de force
5. de gré ou de force
   bon gré mal gré

6. à l'heure
   tout à l'heure
7. au fur et à mesure
   dans la mesure du possible
8. plus ou moins
   de moins en moins
9. la plupart du temps
   à temps
10. de loin
    au loin

14. **Compléter les verbes par les adjectifs suivants employés adverbialement :
BAS – BON – CHER – CLAIR – COURT – DUR – FORT – GROS – HAUT – NET.**

1. Ces roses sont splendides et elles sentent ......
2. Allume la lampe, s'il te plaît, je ne vois plus ......
3. Le cheval s'arrêta ...... et le cavalier fut projeté à terre.
4. Je ne peux pas acheter cet appartement, c'est trop ...... pour moi.
5. Il va essayer de pénétrer de nuit à l'intérieur de leurs entrepôts, mais il risque ......

6. On a commencé à parler de ce scandale, mais la conversation a tourné ...... si bien que je n'ai pas appris grand-chose.
7. Il a une situation enviable, c'est vrai, mais il est vrai aussi qu'il a travaillé ...... pour y arriver.
8. Parlez ...... , qu'il ne vous entende pas.
9. Il faisait chaud sur la route, le soleil tapait ...... et il n'y avait pas un arbre pour se reposer un moment à l'ombre.
10. Les avions peuvent voler de plus en plus ......

15. Compléter les phrases en employant l'adverbe négatif NE accompagné de : AUCUN – GUÈRE – JAMAIS – NULLEMENT – PAS – PERSONNE – RIEN.

1. J'ai cherché mon dé partout mais je ...... l'ai ...... retrouvé.
2. Dans la vie, on ...... a ...... sans peine.
3. Tu as rencontré quelqu'un ? – Mais non, je ...... ai rencontré ......
4. Pourquoi veux-tu prendre un parapluie ? Par ce beau temps, on ...... en a ...... besoin.
5. Mes amis devaient venir, mais je ...... en vois ......
6. Son échec ...... l'a ...... affecté.
7. Je ...... t'ai ...... promis de te donner mes cassettes !
8. Sortir ce soir ? Je ...... en ai ...... envie, je suis trop fatiguée.
9. Tu es de plus en plus paresseux : tu ...... as presque ...... fait de la journée.
10. On pensait pouvoir observer l'éclipse, mais il y avait des nuages : on ...... a ...... vu !

16. Distinguer NE négatif et NE explétif :

1. Ce garçon est terrible : il *ne* craint ni Dieu ni diable !
   – Je crains qu'il *ne* cherche encore à me tromper.
2. Je lui ai défendu de sortir mais cela *ne* l'empêchera pas de le faire !
   – Il est plus malin que je *ne* le pensais.
3. Ce *n'*est pas encore l'heure du cours.
   – Naguère, l'agglomération parisienne était moins dense qu'elle *ne* l'est aujourd'hui.
4. Il n'est pas en danger, mais il faudra plusieurs semaines avant qu'il *ne* soit vraiment remis.
   – Elle *ne* prendra aucune décision à moins que vous ne l'y poussiez.
5. Evitez qu'on *ne* vous voie avec lui. *Ne* le rencontrez pas.
   – J'avais d'abord refusé d'aller voir ce film ; tout compte fait, il était meilleur que je *ne* le pensais.

*17. Dans les phrases suivantes, quelle est la nature de TOUT ou TOUTES (adjectif – pronom – adverbe) ?

1. *Tout* le monde descend !
2. Avez-vous trouvé *toutes* les réponses ?
3. Ces questions sont *toutes* difficiles.
4. J'ai *tout* compris.
5. Il est *tout* ébahi qu'on lui fasse des reproches.

18. Compléter les phrases en employant l'adverbe TOUT à la forme correcte.

1. Il est ...... étonné qu'elle ne lui écrive pas.
2. Elle est ...... étonnée qu'il ne lui écrive pas.
3. Ils sont ...... étonnés de ne pas recevoir de nouvelles.
4. Elles sont ...... étonnées d'être sans nouvelles.
5. ...... intimidée, la fillette ne savait que répondre.

19. Même exercice. Montrer que la phrase 5 a deux sens.

1. Il est ...... content d'avoir réussi.
2. Elle est ...... contente d'avoir réussi.
3. Ils sont ...... fiers des succès de leur fille.
4. Elle est ...... fière des succès de son fils.
5. Elles sont ...... fières de leurs succès.

20. Même exercice.

1. Il est ...... heureux de partir en vacances.
   Elle est ...... heureuse de partir en vacances.
2. Il est ...... honteux d'avoir été puni.
   Elle est ...... honteuse d'avoir été punie.
3. Ils sont ...... honteux.
4. Elles sont ...... honteuses.
5. Je ne peux pas mettre cette chemise : elle est encore ...... humide.

21. Même exercice.

1. ...... enfant, elle avait perdu sa mère.
2. ...... enfant, il avait perdu sa mère.
3. L'écorce de ce fruit est ...... hérissée de piquants.
4. Ils se sont jetés à l'eau ...... habillés pour lui porter secours.
5. ...... hésitantes, elles avançaient à tâtons dans l'obscurité.

22. Même exercice.

1. Une année ...... entière fut consacrée à ce travail.
2. Elle est revenue ...... hâlée par le soleil et l'air marin.
3. Il a trouvé un bon prétexte pour justifier son absence, mais la réalité est ...... autre.
4. Il nous présente les ...... nouveaux modèles de sa collection.
5. Elle répéta ...... haut ce que nous venions de dire ...... bas.

23. Mettre les verbes principaux au passé composé.

A. 1. Je rêve toujours de faire un grand voyage.
   2. L'accusé proteste encore de son innocence.
   3. Il pleut tellement que les rivières débordent.
   4. Quand on l'invite, il accepte tout de suite.
   5. Elle contemple longuement le paysage.

B. 1. Il vient exprès à Paris pour me voir.
   2. Ils arrivent ensemble.
   3. Je me mets à rire, il rit aussi.
   4. Vous arrivez trop tard.
   5. Nous restons debout.

C. 1. Pour un grand champion, il se décourage bien vite !
   2. Les gaz nocifs qui s'échappent accidentellement de cette usine se répandent partout.
   3. Il se trouble visiblement et me regarde par en dessous.
   4. Ils nous accueillent chaleureusement.
   5. Elle nous renseigne aimablement.

D. 1. Nous entendons au loin les trilles d'un rossignol.
   2. Il lui écrit de là-bas.
   3. Elle lui répond aussitôt.
   4. Je pense d'abord qu'il est sincère.
   5. Je comprends bientôt qu'il ment.

24. Compléter les phrases à l'aide des adverbes indiqués.

1. Vous êtes en train de rêver au lieu de travailler ! (*encore*)
2. Réfléchis avant de prendre ta décision. (*bien*)
3. Il s'est écoulé plusieurs années depuis son départ. (*déjà*)
4. Chez un brocanteur, il a déniché une balance ancienne et il a récupéré de vieux poids en cuivre ! (*même*)
5. Il aurait fallu envoyer un télégramme pour annoncer notre arrivée. (*peut-être*).

25. Même exercice (deux réponses possibles).

1. Paul a eu un gâteau. Moi, j'en veux un ! (*aussi*)
2. Nous faisions une partie de cartes. (*de temps en temps*)
3. Il prétextait une maladie quelconque pour ne pas venir. (*souvent*)
4. En arrivant dans un pays étranger, on se sent d'abord perdu ; mais on se familiarise avec la langue et avec les usages. (*petit à petit*)
5. Je craignais d'être privé un certain temps de ma montre, mais l'horloger me l'a réparée. (*immédiatement*)

26. Compléter les phrases à l'aide des adverbes indiqués.

1. (*sans doute*)
   – Jacques va venir pour Noël.
   – Elle n'est pas très riche mais elle sait être généreuse.
2. (*quelquefois*)
   – Mon voisin vient me voir.
   – Ses réponses sont justes mais il hésite.
3. (*ensuite*)
   – Donne-moi ton point de vue, je te donnerai le mien.
   – On nous apporta des hors-d'œuvre, puis une entrée, et un somptueux gigot.
4. (*jamais*)
   – Tenté par l'aventure, il était parti. Reviendrait-il ?
   – Ce maudit chat m'a encore volé un morceau de viande. Si je l'attrape, gare à lui !
5. (*heureusement*)
   – Il faisait beau, sinon nous n'aurions pas pu nous baigner.
   – Après bien des difficultés, les négociations se sont terminées.

*27. Compléter les phrases en employant : DÉJÀ – SOUVENT – OBLIGEAMMENT – DE PROCHE EN PROCHE – AU FUR ET À MESURE – DANS LA MESURE DU POSSIBLE – À PREMIÈRE VUE – À VUE D'ŒIL – TOUT DE SUITE – PAR LA SUITE – D'UNE PART ...... DE L'AUTRE.

1. Les pompiers avaient le plus grand mal à lutter contre le feu qui, poussé par un vent violent, gagnait .... Une grande partie de la forêt était ...... détruite.

2. Je n'arrive pas à prendre de décision pour mes vacances : ......, j'ai besoin de me reposer, mais ...... j'aimerais faire un voyage.
3. Cette lettre doit partir le plus vite possible. Pouvez-vous la taper ...... ?
4. Il n'y avait que quatre pièces dans la maison, mais ...... nous avons aménagé les combles.
5. Je pense ...... au métier que j'aimerais exercer quand j'aurai fini mes études.
6. En arrivant à Paris, j'étais un peu perdu. Heureusement, mon ami m'a ...... piloté pendant les premiers jours.
7. Les enfants ramassaient des châtaignes et les apportaient à leur mère ....
8. Mettez ce bulbe en terre, arrosez-le régulièrement, et votre plante grandira presque ....
9. Il n'a pas de gros moyens, mais il aide toujours ses enfants ....
10. ...... l'étude d'une langue semble difficile, mais peu à peu, on domine les difficultés.

*28. Même exercice en employant : DÉCEMMENT – VRAIMENT – NÉGLIGEMMENT – À PEINE – À L'HEURE – À TOUTE HEURE – À JOUR – AU JOUR LE JOUR – AU MOINS – DE MOINS.

1. Arrivez bien ...... : l'autocar n'attendra pas les retardataires.
2. Dans ce petit café, la patronne vous sert un plat chaud ....
3. Elle met une certaine coquetterie à s'habiller ....
4. A quoi bon faire des projets ? Vivons ......, et nous verrons bien ce qui arrivera !
5. Nous avons dû passer plusieurs tests ...... difficiles.
6. Je commençais à m'impatienter : il y avait ...... une heure que je l'attendais, et il n'arrivait toujours pas !
7. J'ai passé une bonne partie de la nuit à mettre mon travail ....
8. Faites attention ! Vos résultats sont ...... satisfaisants. Si vous continuez ainsi, vous allez vers un échec.
9. J'ai cinq ans ...... que mon frère.
10. J'avais reçu une invitation et je ne pouvais ...... pas la décliner, mais je n'avais pas de tenue correcte.

29. Même exercice en employant : BIEN – À MOITIÉ – PARFOIS – EN VAIN – À FOND – EN FAIT – DANS UN MOMENT – AU DERNIER MOMENT – AILLEURS – À TEMPS – LA PLUPART DU TEMPS – EN MÊME TEMPS – TOUT À FAIT – TOUT.

1. Nous sommes partis ...... et nous avons dû courir tout le long du chemin pour arriver ....
2. Cet enfant ne s'adapte pas bien à la vie scolaire ; il écoute parfois mais il dort ....
3. ......, le soir, elle regarde la télévision et elle tricote ....
4. Je n'ai pas envie de retourner là où je suis allé l'an dernier ; j'aimerais trouver une location ....
5. J'ai déjà fait plusieurs réclamations, mais ....
6. Peux-tu revenir ...... ? Je n'ai pas ...... fini de déjeuner.
7. Il dit qu'il a démissionné, mais ......, il a été licencié.
8. Avant de donner notre avis, étudions la question ...... : il ne faut jamais faire les choses ....
9. Il est ...... étonné de son succès. Il l'a pourtant ...... mérité !
10. Elle marchait difficilement ; on la voyait ...... faire un petit tour au bras de son infirmière.

30. Trouver les questions qui correspondent à ces réponses.

1. Non, pas encore.
2. Oui, souvent.
3. Si, j'aimerais bien.
4. Avec plaisir.
5. Contre l'équipe de France.
6. Non, elle n'y est plus.
7. Si, elle y est encore.
8. Mais oui, tout de suite !
9. Certainement pas !
10. J'en veux trois.

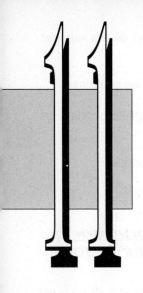

FORMES VERBALES

Formes des verbes *être* et *avoir* 1-2

Verbes du 1er groupe.. 3

Verbes des 2e et 3e groupe (en -ir)...................... 4-5

Verbes du 3e groupe.. 6

Recherche des formes (indicatif, subjonctif)........ 7-8

Verbes irréguliers et défectifs
(formes difficiles) ....9 à 16

Verbes transitifs et intransitifs .... 17 à 19

Verbes et locutions verbales .... 20 à 22

Auxiliaires et semi-auxiliaires....................... 23 à 34

1. Donner les formes suivantes d'abord pour le verbe ÊTRE puis pour le verbe AVOIR.

1. 3e personne du singulier du présent de l'indicatif.
2. 3e personne du singulier du futur de l'indicatif.
3. 3e personne du singulier de l'imparfait de l'indicatif.
4. 3e personne du singulier du passé simple de l'indicatif.
5. 1re personne du pluriel du passé simple de l'indicatif.
6. 1re personne du singulier du présent du subjonctif.
7. 1re personne du pluriel du présent du subjonctif.
8. 3e personne du singulier de l'imparfait du subjonctif.
9. Participe présent.
10. Participe passé.

2. Même exercice avec :

1. vouloir
2. pouvoir
3. devoir
4. savoir
5. croire
6. aller
7. venir
8. faire
9. laisser
10. paraître

3. Pour chacun des verbes proposés donner les formes suivantes :

1. 1re personne du singulier du présent de l'indicatif.
2. 1re personne du pluriel du présent de l'indicatif.

3. 1re personne du singulier du futur de l'indicatif.
4. 3e personne du pluriel du futur de l'indicatif.
5. 1re personne du singulier de l'imparfait de l'indicatif.
6. 1re personne du pluriel de l'imparfait de l'indicatif.
7. 1re personne du singulier du passé simple de l'indicatif.
8. 3e personne du pluriel du passé simple de l'indicatif.
9. Participe présent.
10. Participe passé.

A.	1. grimper	B. 1. aboyer	C. 1. diminuer	D. 1. enlever	E. 1. modérer
	2. inspirer	2. secouer	2. appeler	2. appuyer	2. peser
	3. témoigner	3. menacer	3. déceler	3. effrayer	3. semer
	4. pratiquer	4. plonger	4. jeter	4. fouiller	4. précéder
	5. danser	5. créer	5. déchiqueter	5. trier	5. dépecer

4. Parmi ces vingt verbes, trouver les dix qui n'appartiennent pas au deuxième groupe. Donner les vingt participes présents.

1. assaillir	6. faiblir	11. rajeunir	16. réussir
2. cueillir	7. gémir	12. reconquérir	17. sentir
3. couvrir	8. jouir	13. recouvrir	18. souffrir
4. déguerpir	9. obtenir	14. ressaisir	19. subir
5. desservir	10. offrir	15. rétablir	20. surgir

5. Pour les verbes du deuxième groupe de l'exercice 4, donner les formes suivantes :

1. 1re personne du pluriel du présent de l'indicatif.
2. 1re personne du pluriel de l'imparfait de l'indicatif.
3. 1re personne du singulier du présent de l'indicatif.
4. 1re personne du singulier du passé simple de l'indicatif.
5. 2e personne du pluriel du futur de l'indicatif.

*6. Donner le participe présent et le participe passé des verbes suivants. Donner aussi les formes suivantes de ces verbes :

1. 1re personne du singulier du futur de l'indicatif.
2. 2e personne du pluriel de l'imparfait de l'indicatif.
3. 3e personne du pluriel du présent de l'indicatif.
4. 3e personne du singulier du passé simple de l'indicatif.
5. 3e personne du singulier de l'imparfait du subjonctif.

1. asseoir	6. croire	11. étendre
2. battre	7. croître	12. extraire
3. conclure	8. décevoir	13. feindre
4. coudre	9. disjoindre	14. fondre
5. craindre	10. dormir	15. fuir
16. nuire	21. cueillir	26. tenir
17. perdre	22. sentir	27. tordre
18. permettre	23. servir	28. vaincre
19. reconnaître	24. sourire	29. valoir
20. répondre	25. suivre	30. voir

7. *Mettre les verbes en italique au passé composé, à l'imparfait, au futur. Mettre ensuite chacun de ces verbes au subjonctif présent en utilisant l'expression indiquée entre parenthèses.*

A. 1. Il *traduit* ce texte en espagnol. (L'éditeur souhaite que)
   2. Je *vois* beaucoup de films. (Mes parents ne veulent pas que)
   3. Je *dois* écrire cette lettre. (Crois-tu que)
   4. Nous *parcourons* toute cette région. (J'aimerais que)
   5. Tu *conduis* la voiture au garage. (Il est urgent que)

B. 1. Ils *font* du sport. (Il est bon que)
   2. Il *s'inscrit* à l'Université. (Il est temps que)
   3. Ils *croient* toujours leurs enfants. (Faut-il que)
   4. Nous nous *asseyons* un moment. (Il faudrait que)
   5. Vous *dormez* sous la tente. (Il faudra bien que)

C. 1. Elle *interrompt* ses études. (Il serait regrettable que)
   2. Tu *sais* comprendre les autres. (Il serait temps que)
   3. Nous *vivons* en Franche-Comté. (Il me plairait que)
   4. Ils *veulent* partir immédiatement. (Il serait ennuyeux que)
   5. Les candidats nous *promettent* monts et merveilles. (Il ne faudrait pas que)

D. 1. Ce roman lui *plaît* beaucoup. (Je souhaite que)
   2. Je *prévois* des objections. (Il faut que)
   3. On se *souvient* des jours heureux. (Il est normal que)
   4. Je vous *suis.* (Il vaut mieux que)
   5. Ces livres *appartiennent* à mon fils. (Je ne suis pas sûr que)

E. 1. Ils *correspondent* régulièrement. (Je ne pense pas que)
   2. Je *confonds* leurs noms. (Il ne faut pas que)
   3. Cela n'en *vaut* la peine. (J'ai bien peur que)
   4. En m'apercevant, les écureuils *s'enfuient.* (Je crains que)
   5. Le personnel *élit* ses délégués. (Il est de règle que)

*8. *Même exercice. Mettre ensuite les verbes en italique au subjonctif imparfait (formes littéraires)*

   1. Elle *perd* son temps. (Je ne voulais pas que)
   2. Après tant de difficultés, tout *finit* par s'arranger. (Je leur souhaitais que)
   3. Elle *vit* heureuse. (Rien n'empêchait que)
   4. Il *écrit* des poèmes. (C'était un romancier, mais il n'était pas rare que)
   5. On l'*aide* au lieu de le blâmer. (Il eût mieux valu que)

*9. *Mettre les verbes suivants au présent de l'indicatif, à la personne indiquée.*

1. vous (conclure)	6. ils (éteindre)
2. nous (coudre)	7. elles (croître)
3. elle (coudre)	8. ils (rire)
4. vous (dire)	9. vous (interdire)
5. il (mentir)	10. vous (souffrir)

*10. Mettre les verbes suivants au futur, à la personne indiquée.

1. je (conclure)
2. ils (croître)
3. vous (jeter)
4. vous (se taire)
5. vous (souscrire)
6. je (accueillir)
7. elle (convaincre)
8. nous (produire)
9. elle (résoudre)
10. il (déteindre)

*11. Mettre les verbes suivants à l'imparfait de l'indicatif, à la personne indiquée.

1. je (lancer)
2. vous (distribuer)
3. nous (gaspiller)
4. vous (se tutoyer)
5. vous (rire)
6. nous (soustraire)
7. vous (se plaindre)
8. nous (produire)
9. il (atteindre)
10. vous (essuyer)

*12. Mettre les verbes suivants au passé simple, à la personne indiquée.

1. ils (traduire)
2. nous (jeter)
3. elles (contredire)
4. il (naître)
5. nous (lire)
6. il (repeindre)
7. elle (se rendre)
8. ils (se taire)
9. elle (ressortir)
10. ils (sourire)
11. cela (nuire)
12. il (s'évanouir)
13. il (vaincre)
14. nous (faillir)
15. il (mordre)

*13. Mettre les verbes suivants au participe (présent et passé).

1. décevoir
2. bouillir
3. croire
4. offrir
5. acquérir
6. conclure
7. coudre
8. nuire
9. suffire
10. convaincre
11. recueillir
12. émouvoir
13. tordre
14. lire
15. exclure

*14. Mettre les verbes suivants au subjonctif présent, à la personne indiquée.

1. que je (servir)
2. que vous (réussir)
3. qu'ils (percevoir)
4. que nous (apercevoir)
5. qu'il (pleuvoir)
6. que je (lire)
7. que vous (décevoir)
8. qu'ils (mordre)
9. qu'il (falloir)
10. que tu (émouvoir)

*15. Mettre les verbes suivants à la 3e personne du singulier du passé simple, de l'imparfait du subjonctif.

1. réduire
2. appeler
3. élire
4. raccourcir
5. écourter
6. prétendre
7. s'engager
8. contraindre
9. s'abstenir
10. vivre

16. Mettre les verbes suivants au futur puis au conditionnel présent à la personne indiquée.

1. je (retenir)
2. tu (se souvenir)
3. ils (valoir)
4. nous (vouloir)
5. il (falloir)
6. vous (refaire)
7. ils (devoir)
8. nous (envoyer)
9. vous (s'apercevoir)
10. tu (recevoir)

17. a) Dire quand le verbe est utilisé à la forme transitive et quand il est intransitif.
b) En reprenant ou non le vocabulaire de la phrase où le verbe est utilisé transitivement, construire avec ce verbe une phrase passive.
c) Dans une courte phrase, utiliser le verbe principal à la forme pronominale.

– Les jours allongent ⟶ *Verbe intransitif*
– Il faut que j'allonge cette jupe ⟶ *Verbe transitif*
– Cette jupe doit être allongée ⟶ *Voix passive*
– Pour une psychanalyse, il faut, paraît-il, s'allonger sur un divan ⟶ *Forme pronominale.*

A. 1. Mon cœur bat.
   On ne doit pas battre les animaux.
2. La forêt brûle depuis trois jours.
   Brûlons ces lettres.
3. Je vais changer les draps.
   Les hommes changent avec le temps.
4. Le soir, un commerçant compte sa recette.
   Chacun doit savoir lire, écrire et compter.
5. Attention ! votre combinaison dépasse.
   Nous avons tous des préjugés qu'il faut apprendre à dépasser.

B. 1. On frappe à la porte.
   Le désordre de ses vêtements et son air égaré avaient frappé tout le monde.
2. Nous allons glisser un mot sous sa porte.
   La voiture glisse sur le verglas.
3. Ne vous arrêtez pas à la fin du vers, la phrase n'est pas complète : enchaînez !
   On enchaînait les galériens à leurs bancs.
4. Plusieurs cardinaux ont gouverné la France au cours des siècles.
   Certains souverains règnent mais ne gouvernent pas.
5. Il est inutile de discuter cette question plus longtemps.
   Que faisiez-vous ? – Nous ? Rien ! Nous discutions.

C. 1. Ce projet m'inspire une certaine méfiance.
   Calme-toi ! Inspire profondément.
2. Les agriculteurs manifestent devant la préfecture.
   Le chien manifeste sa joie en remuant la queue.
3. Va jouer plus loin !
   Il fallait jouer ton roi de cœur !
4. Cette chanteuse a posé pour Toulouse-Lautrec.
   Pose ton livre un moment ; j'ai quelque chose à te dire.
5. Vos thuyas poussent bien, comment faites-vous ?
   Aide-moi à pousser le secrétaire contre le mur.

D. 1. Qui nous rendra notre jeunesse ?
     Ces terres rendent bien.
  2. Ne jetez pas ces feuilles de papier : le verso peut servir comme brouillon.
     Au dessert, on nous a servi des îles flottantes.
  3. Je sens que je vais me mettre en colère.
     Ce poisson n'est pas frais, il sent.
  4. Ne laisse pas traîner tes affaires partout.
     S'il continue comme ça, il va se faire mettre à la porte : ça ne va pas traîner !
  5. Vous n'échouerez pas !
     Il a échoué son voilier sur le sable.

*18. Redonner au verbe son sujet réel.

  1. Il circule sur le compte de cet homme des bruits inquiétants.
  2. On fait une entaille dans l'arbre ; alors il suinte un liquide poisseux, et c'est avec cela que l'on fabrique le caoutchouc.
  3. Il séjourne dans notre ville, pendant l'été, un nombre de touristes dix fois supérieur à celui des résidents permanents.
  4. Entre les gratte-ciel, sur toute la longueur de l'avenue, il voltigeait des confettis et des rubans de papier.
  5. Le film est raté. Il surnage pourtant quelques répliques assez drôles.

*19. Récrire les phrases en employant le verbe à la forme impersonnelle.

  1. Dans cette région-là, dès que l'on creuse un trou, du pétrole jaillit.
  2. Cinq membres permanents siègent au Conseil de Sécurité.
  3. En ce jour de Nouvel An, des pétards venus d'on ne sait où éclataient sous nos pas.
  4. Ayez confiance ! Des idées neuves germeront, qui ne seront pas toutes mauvaises.
  5. Nous savons qu'à dix heures précises un feu d'artifice sera tiré au pied de la tour Eiffel.

20. Remplacer les locutions verbales en italique par un verbe de même sens (ATTAQUER – CRAINDRE – DÉSIRER – DIRE – SEMBLER).

  1. *J'ai envie* d'aller marcher un moment.
  2. *Elle a l'air* bien fatiguée.
  3. *J'ai peur de* l'orage.
  4. Il était furieux et m'*a pris à partie* avec une violence incroyable.
  5. *Faites-moi savoir* dès que possible le résultat des négociations.

21. Même exercice. (LICENCIER – PARTICIPER – RECONNAITRE – RÉSISTER – SATISFAIRE).

  1. Il a refusé d'obéir et m'*a tenu tête* jusqu'à ce que je me fâche.
  2. Plusieurs délégations étrangères *prendront part* aux cérémonies.
  3. Ce chercheur a été méconnu dans sa patrie, mais d'autres pays ont su *rendre justice* à son génie.
  4. J'espère que les travaux que nous avons exécutés vous *donnent satisfaction*.
  5. A la suite de cette regrettable affaire, il *a été mis à pied*.

22. Construire des phrases en employant les locutions verbales suivantes avec ou sans la préposition.

1. avoir mal (à) – avoir raison (de)
2. être en état (de) – être à bout (de)
3. faire face (à) – faire défaut (à)
4. prendre contact (avec) – prendre parti (pour / contre)
5. donner tort (à) – donner suite (à)

23. Dans les phrases suivantes, mettre le verbe au passé composé en justifiant l'emploi de l'auxiliaire ÊTRE ou AVOIR.

1. Je (monter) au premier étage.
   – Je (monter) ma valise au premier étage.
2. Il (descendre) dès qu'on l'a averti que j'étais arrivé.
   – Il (descendre) lui-même ses bagages.
3. Elle (passer) en coup de vent avant d'aller à son travail.
   – Il (passer) tout son dimanche à ne rien faire.
4. Au moment du vote, la discussion a été très vive, mais enfin la loi (passer).
   – Le ballon (passer) de main en main.
5. La proposition qu'il m'a faite me (convenir) et nous avons signé le contrat immédiatement.
   – J'ai réussi à lui prouver qu'il faisait erreur et, à la fin, il en (convenir).

24. Dans les phrases suivantes, étudier la différence d'aspect d'une part entre le futur et le futur proche, d'autre part entre le passé composé et le passé récent.

1. Lorsque je pourrai prendre deux jours de congé, j'*irai* les passer en Bourgogne.
   Que faites-vous cette semaine ? – Je *vais aller* passer deux jours en Bourgogne.
2. Lucien ? Mais voilà plusieurs mois qu'il *est parti* : il a accepté un poste à Bordeaux.
   Lucien ? Il *vient de partir*, vous le manquez de quelques minutes.
3. Si vous venez dimanche, je vous *montrerai* les photos que j'ai prises cet été.
   Si vous avez quelques minutes, je *vais vous montrer* les photos que j'ai prises cet été.
4. Le professeur nous *a expliqué*, lors du premier cours, comment nous allions organiser notre travail.
   Nous comprenons facilement cet emploi des temps car notre professeur *vient de nous l'expliquer*.
5. J'étudie le droit international. Quand j'aurai obtenu mon diplôme en France, je *ferai* un stage à l'étranger.
   Cette année, je termine mes études, ensuite je *vais faire* mon stage à l'étranger, après quoi je *chercherai* une situation.

25. Mettre les phrases suivantes au passé.

1. Il ne sait pas encore pour quel candidat il votera.
   Il se demande encore pour qui il va voter.
2. Elle ne sait pas encore que son ami a gagné la course.
   Quand on annonce que son ami vient de gagner la course, elle en pleure de joie.
3. Que fera cet enfant plus tard ? Peut-être tout autre chose que ce que ses parents imaginent.
   Il se trouve dans une situation difficile. Que va-t-il faire pour en sortir ?
4. On annonce que la cérémonie aura lieu à dix heures.
   On ne sait toujours pas à quelle heure la cérémonie va avoir lieu.
5. Il me dit que dès qu'il aura une meilleure situation, il achètera une voiture.
   Il me dit qu'il vient d'être augmenté et qu'il va pouvoir acheter une voiture.

26. Même exercice.

1. Je prépare une chambre pour mes parents, ils vont arriver demain.
2. Je prépare une chambre pour mes parents, ils doivent arriver demain.
3. Le Président et les ministres vont se réunir d'urgence pour examiner la situation.
4. Le Président et les ministres doivent se réunir dans la journée.
5. Je ne peux pas encore partir en vacances : j'ai déposé mon mémoire et je dois le soutenir la semaine prochaine.

27. Même exercice.

1. Le maire affirme que cette usine *fera* vivre un grand nombre de familles.
2. Elle me raconte que cette comédie l'*a fait* mourir de rire.
3. Tous les soirs, je vais chercher les enfants à l'école et je leur *fais faire* leurs devoirs.
4. On ne peut pas toujours *laisser* les enfants faire tout ce qu'ils veulent.
5. Les chevaux sont fatigués. Nous les *laissons* se reposer un moment.

28. Même exercice.

1. Toute la matinée, les nuages se sont accumulés ; vers deux heures, *il se met à* pleuvoir.
2. A peine arrivée, elle *commence à* se plaindre : rien ne lui convient, rien n'est à son goût.
3. Nous sommes *en train de* dîner quand quelqu'un frappe à la porte.
4. Tout le temps du film, les deux personnes qui sont derrière moi *n'arrêtent pas de* parler.
5. Juste comme je *finis de* mettre le couvert, le premier invité arrive.

*29. Mettre le verbe entre parenthèses au temps qui convient (présent – imparfait – passé composé – passé simple).

1. Sa voiture a fait une embardée et a percuté un arbre : il (faillir) se tuer.
2. Après toutes ses aventures, il est revenu dans sa famille : il (sembler) vouloir désormais mener une vie plus calme.
3. Comme son interlocuteur (paraître) douter de tout ce qu'il disait, il a fini par perdre contenance.
4. Alors que les alpinistes escaladaient une paroi verticale, un rocher se détacha et (manquer de) les emporter.
5. Il (passer pour) être un grand champion jusqu'au jour où l'on s'aperçut qu'il se dopait.

*30. Mettre le semi-auxiliaire donné entre parenthèses au temps qui convient.

1. Il décide de m'accompagner ; en deux minutes, il (être prêt à) partir, et nous partons joyeusement.
2. Comme le soleil (être près de) se coucher, nous avons pris le chemin du retour.
3. Un voyageur arriva en courant : le train (être sur le point de) partir.
4. Il faisait une carrière politique fulgurante : à trente-cinq ans, il (être en passe de) devenir ministre.
5. Elle n'avait plus goût à rien : au lieu de travailler, elle (rester à) rêver des heures entières.

31. Compléter les phrases suivantes en mettant le semi-auxiliaire VOULOIR à la forme convenable : indicatif (présent – futur – imparfait); conditionnel présent; impératif.

1. ...... dire ce que vous avez à dire, après quoi votre adversaire exposera son propre point de vue.
2. Il faudra que vous ayez la patience d'écouter tout ce qu'il ...... dire, quoi que ce soit, et sans l'interrompre.

3. N'avez-vous jamais l'impression qu'aucun mot ne suffit à exprimer ce que vous ...... dire ?

4. Je crains que ce que vous avez dit ne soit pas ce que vous ...... dire.

5. Dites carrément ce que vous ...... dire ; en général, c'est encore ce qu'il y a de mieux.

32. *Même exercice avec : indicatif (passé composé – plus-que-parfait – futur antérieur); conditionnel passé; subjonctif passé.*

1. Sans doute s'est-il mal exprimé, je ne crois vraiment pas qu'il ...... nous dire exprès des choses désagréables.

2. En principe, votre interlocuteur ne doit pas se poser de question sur ce que vous ...... dire.

3. Avoir l'esprit de l'escalier, c'est trouver après coup, et trop tard, ce que vous ...... répondre.

4. Nous pensions qu'il ne restait plus que quelques détails à régler. Mais était-ce bien ce que vous ...... dire ?

5. Ne prenez pas ses paroles au pied de la lettre ! Il ...... dire par là que les plans tels qu'ils sont ne lui conviennent pas tout à fait.

33. *Compléter les phrases suivantes par : SAVOIR – POUVOIR – AVOIR À, en mettant ces verbes au mode et au temps qui conviennent.*

1. Je ne crois vraiment pas que vous ...... lui répondre.

2. En principe, l'été prochain, vous ...... effectuer un stage de trois mois.

3. Avoir l'esprit de l'escalier, c'est trouver après coup, et trop tard, ce que vous ...... répondre.

4. Je ...... bien jouer du piano et si vous le désirez, je ...... vous jouer un morceau.

5. Ne prenez pas ses paroles au pied de la lettre ! Il ...... aussi plaisanter.

34. *Mettre les semi-auxiliaires donnés entre parenthèses au temps qui convient : indicatif (présent – imparfait – plus-que-parfait); impératif; infinitif; conditionnel (présent – passé).*

1. Voyons, les enfants, (vouloir)-vous vous taire ! Vous faites bien trop de bruit !

2. Je m'étais fait au doigt une petite coupure qui ne (vouloir) pas se fermer.

3. On conseille aux automobilistes d'être prudents : un accident (pouvoir) toujours arriver !

4. Il a pris le train de sept heures trente ; il (devoir) être maintenant à Bordeaux.

5. Je vous prie de bien (vouloir) me répondre par retour de courrier.

6. Le directeur n'était pas là : il (devoir) partir d'urgence pour aller sur un chantier où un accident venait de se produire.

7. Vos places sont par ici, messieurs, (vouloir) me suivre.

8. Quelle heure était-il ? Je n'avais pas ma montre ; au soleil, il (pouvoir) être trois heures.

9. Devant une telle situation, il (falloir) prendre des mesures au lieu de perdre notre temps à discuter.

10. Quand elle était arrivée dans cette ville inconnue, il (falloir) tout d'abord qu'elle trouve un logement ; elle (vouloir) louer un studio agréable, mais les loyers étaient si élevés qu'elle (devoir) se contenter d'une chambre sans confort.

LES VOIX

Voix active et passive .... 1 à 15

Forme pronominale .... 16 à 22

1. Distinguer les phrases actives des phrases passives.

1. La pendule *est remontée* chaque dimanche à midi.
   – Quand je suis tombée de cheval, je *suis remontée* aussitôt.
2. Quoi qu'elle eût à faire, elle *était rentrée* à trois heures.
   – Le mobilier du jardin *était rentré* chaque automne dans une petite cabane en sapin.
3. Dès que la malle *aura été redescendue* à la cave, la chambre sera vite en ordre.
   – Début octobre, nous *serons* sans doute déjà *redescendus* dans le Midi.
4. Après *être sortie* en claquant la porte, elle regretta ce mouvement d'humeur.
   – En ville, un chien doit *être sorti* trois ou quatre fois par jour.
5. Après *être montés* à pied tout en haut de la tour, nous avons éprouvé le besoin de souffler.
   – Périodiquement, elle se mettait à collectionner des objets d'un certain type, qui envahissaient alors tout l'espace disponible avant d'*être montés* au grenier pour faire place à la collection suivante.

2. Indiquer les phrases où le verbe est à la voix passive.

1. Ce jour-là, mon grand-père était allé à la pêche.
2. A six heures du soir, ils seront arrivés depuis longtemps.
3. La plupart des locataires vont être incommodés par le bruit.
4. Les gagnants sont désignés par tirage au sort.
5. Les coureurs sont entrés par la porte Maillot.
6. Les réformes seront introduites avec prudence.
7. Elle est venue par le sentier qui passe derrière la maison.
8. Il est né de père inconnu.
9. Des guirlandes seront suspendues d'un côté à l'autre de la scène.
10. Je ne pense pas que nous soyons suivis.

3. Mettre au passif les phrases qui peuvent subir cette transformation.

1. La Croix-Rouge a secouru les victimes.
2. Des avions-citernes lancent des tonnes d'eau de mer sur les foyers d'incendie.
3. J'aimerais que l'auteur me dédicace ce livre.

4. Je tiens à ce que le colis lui parvienne en bon état.
5. S'il passe dans la région, qu'il vienne nous dire bonjour.
6. Nous sommes restés par politesse mais la soirée n'était guère passionnante.
7. Une campagne publicitaire bien menée doit évidemment accroître les ventes.
8. Un politicien proposant de réduire les impôts attirera la sympathie des contribuables.
9. Chez un bouquiniste, je suis tombé par hasard sur le tome qui me manquait.
10. C'est curieux ! L'extrême-droite et les communistes combattent ce projet de loi.

4. Mettre à la voix active les phrases qui sont à la voix passive.

1. Ton amie est adorable. Tes parents seront charmés.
2. Le colibri a été merveilleusement décrit par Buffon.
3. La nouvelle vient d'être démentie.
4. Ils sont passés par la forêt.
5. Longtemps ces tableaux ont été exposés au Louvre.
6. Ils étaient morts de fatigue.
7. Nous sommes partis par un beau matin de juillet.
8. Si j'en avais eu le temps, je serais sorti avec toi.
9. Il a été mordu par son perroquet.
10. Cet escalier a été monté par des milliers de pèlerins à genoux.

5. Indiquer le mode et le temps de la forme verbale en italique. Indiquer le complément d'agent lorsqu'il y en a un.

A. 1. Le mécanisme *est bloqué* par un minuscule grain de sable.
2. Ne t'inquiète pas, ton armoire *sera restaurée* par un ébéniste réputé.
3. Dans le temps, ces cabanes *étaient utilisées* par des chasseurs.
4. Une enquête *fut ordonnée* par le préfet.
5. La nouvelle *vient d'être annoncée*.

B. 1. C'est quand la dernière traite *aura été payée* que je me sentirai vraiment chez moi.
2. De tout temps, les rues de Paris *ont été souillées* d'ordures.
3. Nous *avons été surpris* par l'orage.
4. Après que plusieurs milliers d'hectares *eurent été ravagés* par l'incendie, la population laissa éclater sa colère.
5. Il lui sembla que ses tiroirs *avaient été fouillés*.

C. 1. Les auteurs de l'attentat *seraient* déjà *connus* des services de police.
2. Le voilier en difficulté *aurait été aperçu* par un bateau de pêche.
3. Pour bien faire, il faudrait que ce rapport *soit publié* dans un grand quotidien national.
4. Ils s'étaient compris sans qu'un seul mot *eût été prononcé*.
5. Il faudrait que ces divers dossiers *aient été étudiés* d'ici trois jours.

D. 1. Il ne lui servirait pas à grand-chose d'*être admiré* après sa mort.
2. Après *avoir été remarquée* par les critiques dans un petit rôle, elle a fait une carrière fulgurante.
3. La plus grande partie de leur production *étant exportée*, ils doivent rester très attentifs à l'évolution du goût hors de nos frontières.
4. Cette eau *ayant été analysée* par deux laboratoires différents avec les mêmes résultats, la présence de polluants ne fait aucun doute.
5. Je ne peux pas réfléchir *en étant surveillé* sans arrêt par quelqu'un qui regarde par-dessus mon épaule.

E. 1. Où les troupes *ont-elles été débarquées* ?
   2. Quand cet ordre *a-t-il été donné* ?
   3. Par quoi le pétrole pourrait-il *être remplacé* ?
   4. Par qui *avez-vous été informés* ?
   5. Pourquoi le tunnel *ne serait-il pas achevé* à la date voulue ?

6. *Mettre les phrases de l'exercice précédent à la voix active.*

7. *Mettre les verbes en italique à la voix passive.*

A. 1. On peut *suivre* cet exemple.
   2. On ne doit pas *avoir aéré* cette pièce depuis longtemps.
   3. Le père *assurant* la direction technique de l'usine, le fils se consacre à la commercialisation des produits.
   4. Des parlementaires de toutes tendances *contestant* déjà ce projet de réforme, il a peu de chance d'être adopté, du moins sous sa forme actuelle.
   5. Leur maître les *ayant dressés* pour l'attaque, ces chiens sont réellement dangereux.

B. 1. Tous les contribuables, même les plus scrupuleux, *redoutent* le contrôle fiscal.
   2. Le recteur *prononcera* une brève allocution.
   3. L'entrée du nouvel arrivant *interrompit* le débat.
   4. On *a perdu* un temps précieux.
   5. Une fois qu'on *aura installé* le câble, nous pourrons capter vingt chaînes.

C. 1. Avec un minimum de précautions, on *aurait* sensiblement *réduit* les risques.
   2. Je ferai tout mon possible pour qu'on *retienne* votre proposition.
   3. Pour parler déjà de guérison, il faudrait que l'on *ait observé* une amélioration plus nette.
   4. Elle a dû partir sans qu'on l'*ait payée*.
   5. A en croire le mécanicien, c'est irréparable, il faudrait *remplacer* le moteur tout entier.

*D.1. Son grand plaisir était qu'on le *voie* en compagnie de personnes célèbres.
   2. J'ai attendu deux heures avant qu'on ne me *reçoive*.
   3. Quelles sont les conditions que je dois remplir pour qu'on m'*accepte* ?
   4. Que ne ferait-il pas pour qu'on le *choisisse* comme candidat officiel ?
   5. En attendant qu'on nous *convoque*, nous avons passé le temps comme nous avons pu.

*E.1. Qui *occupera* cette chambre ?
   2. Où va-t-on *bâtir* notre maison ?
   3. Quand *livrera*-t-on le reste de la commande ?
   4. Pourquoi ne lui a-t-on pas *posé* la question ?
   5. Dans ce type de situation, qu'est-ce qui *choquerait* un enfant ?

8. *Mettre les verbes à la voix passive; employer la préposition PAR pour introduire le complément d'agent.*

   1. Des voyous l'*ont frappé* et *dépouillé*.
   2. Peu à peu, les paysans *ont déserté* la région.
   3. C'est très joli chez eux, mais on voit trop qu'un professionnel *a décoré* leur appartement.
   4. Je dois dire que l'assurance avec laquelle il répondait *impressionnait* l'assistance.
   5. Une flèche empoisonnée *atteignit* l'explorateur.

9. À chacune des questions suivantes, associer la plus plausible des réponses proposées : Par vous, bien entendu ! – Directement par elle – Pas par moi, en tout cas ! – Par nous et par quelques amis – Par moi-même, juste avant son départ.

1. Savez-vous déjà par qui le spectacle sera produit ?
2. Par qui une telle erreur a-t-elle été commise ?
3. Peut-on savoir par qui ces consignes vous ont été données ?
4. Et par qui le groupe serait-il dirigé ?
5. Par qui cette lettre lui a-t-elle été remise ?

*10. Mettre les verbes à la voix passive en employant la préposition DE pour introduire le complément d'agent.

1. Tout le monde *redoute* ses colères.
2. Son indifférence m'*ayant désespérée*, j'avais décidé de rompre.
3. Les subordonnés de cet officier l'*apprécient* pour son ouverture d'esprit.
4. Ses collègues le *détesteront* à cause de son arrogance.
5. Malgré son caractère renfermé, cet enfant, que ses parents *aimaient* tendrement, a fini par s'épanouir.

*11. Même exercice.

1. Une torpeur délicieuse m'*envahissait*.
2. Des algues rouges *infesteront* le littoral.
3. De beaux et vieux platanes *bordent* cette avenue.
4. La jeune fille, que de nombreux bagages *encombraient,* ne savait plus à quel saint se vouer !
5. Généralement, quand il part en forêt, ses deux chiens l'*accompagnent*.

*12. Mettre chacune de ces phrases au passif en employant tour à tour PAR puis DE pour introduire le complément d'agent.

1. Votre attitude me *déçoit*.
2. C'est un conseiller compétent et discret ; nos dirigeants l'*écoutent* attentivement.
3. La mauvaise foi de ce journaliste *excédait* plus d'un lecteur.
4. Il se dirigeait vers le bord du lac. Des abeilles irritées le *suivaient*, l'*entouraient* presque.
5. Tout le monde *admire* le courage physique, et beaucoup l'*envient*.

*13. Compléter les phrases suivantes en employant PAR ou DE.

1. J'ai été *très pris* ...... ce travail.
   – Il a été *pris* ...... un malaise et a dû quitter la séance.
2. Son visage était *mouillé* ...... larmes.
   – La moquette avait été *mouillée* ...... l'eau venant de la salle de bain.
3. Il a été *touché* ...... un éclat de grenade mais sa blessure est sans gravité.
   – J'ai été *touché* ...... sa bonté à mon égard.
4. En évoquant l'horrible souvenir, il fut *saisi* ...... tremblement irrépressible et dut s'asseoir.
   – Elle m'a *saisie* ...... les épaules et m'a secouée en criant des mots que je n'ai pas compris.
5. L'ancien maire, lui, était *respecté* ...... tous ses administrés.
   – Le problème était d'obtenir que le règlement soit *respecté* ...... tous les usagers.

14. Mettre les phrases suivantes à la voix active.

A. 1. La chorale *va être dirigée* par un nouveau chef.
   2. La serrure *venait d'être fracturée*.
   3. De nouvelles pièces de dix francs *vont être frappées*.
   4. Ces plantes *doivent être arrosées* une fois par semaine.
   5. Cet avis *devra être affiché* dans toutes les salles.

B. 1. Il *est épuisé* par ses voyages incessants.
   2. A l'hôpital, la température des malades *est régulièrement relevée* par une infirmière.
   3. Nous *avons été troublés* par cette révélation.
   4. Vous *serez avertis* par un télégramme.
   5. Le public *sera très impressionné* par les cascades réalisées dans ce film.

C. 1. J'aimerais remercier la personne par qui mes affaires *ont été rapportées*.
   2. Le château où le traité de paix *a été signé* appartient aujourd'hui à l'Etat.
   3. Une promesse qui *a été faite* doit être tenue.
   4. Faites bien attention : il faudra que vous me répétiez tout ce qui *aura été dit* au sujet de cette affaire.
   5. Dès qu'il *eut été averti* que la police le recherchait, il prit la fuite.

D. 1. Voilà un excellent guide qu'on ne trouve plus nulle part ; il *devrait être réédité* !
   2. Au cas où cette question *serait débattue*, j'aimerais intervenir.
   3. La propriété *aurait été acquise* par des Parisiens.
   4. D'après certains observateurs, les sondages *auraient été manipulés* et les élections *truquées*.
   5. Vous avez bien de la chance de pouvoir faire tout ce que vous voulez ; de mon temps, une telle liberté *n'aurait pas été accordée* à des jeunes filles sans que cela fasse scandale.

E. 1. Il est révoltant que des enfants *soient brutalisés*.
   2. Y a-t-il en français beaucoup de mots dont l'étymologie ne *soit pas connue* ?
   3. Je crains bien que la moitié de la ville *soit éclaboussée* par ce scandale.
   4. Tu devrais les prévenir toi-même avant qu'ils n'*aient été mis au courant* par des tiers.
   5. En attendant que des renforts *aient été parachutés*, la garnison doit tenir par ses propres moyens.

*F. 1. Accepteriez-vous d'*être cité* comme témoin ?
   2. En attendant d'*être soigné*, j'observais mes compagnons d'infortune.
   3. Je n'ai rien contre les changements de programme à condition d'*être prévenu* à temps.
   4. Faut-il *avoir été cambriolé* plusieurs fois pour comprendre l'utilité d'une bonne assurance ?
   5. Toute sa vie, il devait se souvenir d'*avoir été*, ce jour-là, injustement *puni*.

*G. 1. *Étant poursuivi* par un sanglier, le promeneur se réfugia dans un arbre.
   2. Le remboursement de cet emprunt *étant garanti* par l'Etat, les épargnants ne risquent pas grand-chose.
   3. Le véhicule *n'ayant pas été trop endommagé* par le choc, le garagiste peut le réparer assez vite.
   4. *Ayant été contraint* à démissionner, il s'est retiré en province.
   5. Le marais *ayant été asséché*, les moustiques ont disparu.

15. Répondre à la question en reprenant les mots qui la composent, mais en changeant de voix.

A. Répondre à la voix active.
   Aimeriez-vous être défendu par cet avocat ?
   → *Oui, j'aimerais que cet avocat me défende.*

1. C'est par lui que tu as été mise au courant ?
2. Veux-tu être remboursé rapidement ?
3. Est-ce par l'argent qu'il est attiré ?
4. C'est par son propre frère qu'il a été trahi ?
5. Souhaitez-vous être accompagné d'un guide ?

B. Répondre à la voix passive.
   Qui vous a accordé ces crédits ? C'est le ministre ?
   → *Oui, c'est par lui qu'ils nous ont été accordés.*

1. Qui vous a informé de ce changement d'horaire ? Est-ce la direction ?
2. Désirez-vous qu'on mentionne votre nom dans la liste des donateurs ?
3. Le Corbusier n'a-t-il pas construit l'église de Ronchamp ?
4. Voulez-vous qu'on vous tienne au courant des activités de notre club ?
5. Avez-vous besoin qu'on relise votre manuscrit ?

16. Indiquer si le verbe souligné est réfléchi, réciproque, de sens passif, essentiellement pronominal ou pronominal idiomatique (sens différent du verbe actif correspondant).

1. Cet amateur *s'approche* des tableaux pour en examiner tous les détails.
2. Quand elle commence à parler, on ne sait jamais à quel moment elle *s'arrêtera*.
3. Je *m'aperçois* que tu as minci depuis notre dernière rencontre : comment as-tu fait ?
4. Cette étude *se divise* en trois parties.
5. Il ne m'est encore jamais arrivé de *m'évanouir*.
6. Sa fille n'étant pas rentrée à l'heure convenue, la mère ne pouvait *s'endormir*.
7. Apparemment, ces jeunes gens *se plaisent* puisqu'ils passent toutes leurs soirées ensemble.
8. Pour aller à son travail, il *se sert* rarement de sa voiture.
9. Il *s'efforcera* d'obtenir gain de cause, mais je ne suis pas sûr qu'il y parvienne.
10. Nous n'avons plus guère l'occasion de *nous voir*; en revanche *nous nous écrivons* très souvent.

17. Mettre les verbes entre parenthèses au mode et au temps simple qui conviennent.

A. 1. On dirait qu'il (s'ingénier) à rendre la vie difficile à tout le monde.
   2. Sur le terrain, l'arbitre (s'époumoner) en vain : les joueurs ne l'écoutaient plus.
   3. Si tu ne mets pas le couvercle, toute l'eau de la bouilloire (s'évaporer).
   4. Longtemps, la pauvre femme essaya de comprendre son époux ; puis elle (se résigner).
   5. Pendant la Révolution, des profiteurs (s'emparer) des biens confisqués au clergé.

B. 1. Si tu veux que les autres continuent à te faire confiance, mieux vaudrait ne pas (se dédire) après les promesses que tu viens de faire.
   2. Si elle était à ta place, elle (s'abstenir) sans doute de répliquer.
   3. Pour que tout le monde figure sur la photo, il faudrait que ceux du premier rang (s'accroupir).
   4. Si vous ne trouvez pas tout de suite la solution, (ne pas s'acharner).
   5. Puisque tu as mal à la gorge, (se gargariser) vite !

18. Mettre les verbes entre parenthèses aux temps indiqués.

A. 1. s'installer (*passé composé*)
   – Pendant l'été, la famille ...... au bon air dans les Causses.

2. se blesser (*plus-que-parfait*)
   – La fillette ...... au doigt.
3. s'introduire (*passé composé*)
   – Après un long siège, les assaillants ...... finalement dans la forteresse.
4. se mesurer (*passé composé*)
   – Les deux adversaires ...... du regard.
5. se dire (*passé composé*)
   – Pourriez-vous répéter exactement les choses qui ...... ?

B. 1. se fêler (*plus-que-parfait*)
      – J'ai appris qu'elle ...... une côte en tombant.
   2. se tricoter (*passé composé*)
      – Elles ...... de beaux chandails.
   3. se serrer (*passé composé*) / se séparer (*passé composé*)
      – Ils ...... la main puis ....
   4. s'envoyer (*passé composé*)
      – En se croisant, les deux navires ...... des signaux.
   5. s'égratigner (*plus-que-parfait*)
      – Elle ...... un peu le dessus de la main.

C. 1. se parler (*passé composé*)
      – Savez-vous de quoi ils ...... ?
   2. se demander (*passé composé*)
      – Ils ...... pardon.
   3. s'offrir (*plus-que-parfait*)
      – La voiture qu'il ...... était un luxueux bolide.
   4. se mêler (*passé composé*)
      – De quoi cette petite sotte ...... encore ?
   5. se plaindre (*plus-que-parfait*)
      – Elle ...... du bruit à plusieurs reprises sans jamais obtenir aucune amélioration.

19. Mettre les verbes entre parenthèses au mode et au temps composé qui conviennent.

A. 1. Elle a reçu un coup si violent qu'elle (s'évanouir).
   2. Je cherchai partout les enfants : ils (se cacher) sous la table.
   3. Quand elle avait accepté cette mission, elle ne (se douter) pas des difficultés et des risques qu'elle allait y rencontrer.
   4. Dès que le ministre est entré, les membres de l'opposition (se lever) et ont ostensiblement quitté la salle.
   5. Pour obtenir la médaille d'or, il aurait fallu que nos skieuses (s'entraîner) plus intensivement.

B. 1. Lorsqu'ils (s'aviser) qu'une voiture de police attendait au bas de la pente, les automobilistes ont réduit leur vitesse.
   2. Lorsqu'elle (se rendre compte) que ses plaintes continuelles n'émeuvent personne, elle cessera peut-être de récriminer.
   3. Après que les promeneurs (s'enfoncer) au cœur de la forêt, ils n'entendirent plus que le chant des oiseaux.
   4. Si je n'avais pas eu ce surcroît de travail, je (s'absenter) quelques jours pour les fêtes.
   5. Je n'avais pas prévu qu'il (s'arrêter) à de si petits détails.

C. 1. Quand on lui a dit le cours qu'avait atteint l'action, elle (se reprocher) d'avoir laissé passer une bonne affaire.

2. Je n'ai jamais compris comment ils (se procurer) les fonds nécessaires à une telle expédition.

3. Une fois qu'ils (se restaurer), ils nous racontèrent leurs mésaventures.

4. Si de telles actions (se reproduire), cela aurait entraîné de graves conséquences.

5. J'ai été choqué qu'elle (se permettre) de se mêler de mes affaires avec une telle indiscrétion.

D. 1. Après (se chamailler), les enfants se sont réconciliés.

2. Après (se nuire) longtemps par une concurrence déraisonnable, ces deux entreprises ont fini par s'associer.

3. Pour (se livrer) à ce trafic d'armes, il a été condamné à cinq ans de prison.

4. Plusieurs incendies (se déclarer) dans les entrepôts, la police enquête de toute urgence.

5. Nous (se rapprocher) de la vitrine, nous avons enfin pu voir les jouets qui y étaient exposés.

*20. Mettre au passé composé les verbes entre parenthèses.

1. Les officiels (se faire) huer par la foule en colère.

2. Elle (s'entendre) crier et puis elle a perdu connaissance.

3. Après avoir en vain essayé de nager contre le courant, elle (se laisser) porter pour conserver ses forces.

4. Ils admettent qu'ils (se laisser) duper par l'air aimable de l'imposteur.

5. Elle (se sentir) attraper par la manche et en se retournant elle a vu un mendiant en haillons.

21. Transformer les phrases suivantes en mettant le verbe en italique à la forme pronominale.

A. 1. L'élection du président de la République *est faite* au suffrage universel.

2. Des centres d'accueil *seront ouverts* au fur et à mesure des besoins.

3. Si la tendance actuelle *est confirmée*, la croissance annuelle sera très au-dessous des prévisions.

4. Ce motif *est répété* tout au long de l'œuvre.

5. C'est dans cette plaine immense que la bataille *a été livrée*.

B. 1. On n'*obtient* pas facilement cette autorisation.

2. Comment *prononce*-t-on ce mot ?

3. On *retient* les vers plus facilement que la prose.

4. Noël arrive : dans toutes les familles, on *prépare* la fête.

5. On n'*explique* pas cela, on le *constate*, un point c'est tout.

*22. Étudier les nuances de sens introduites par l'emploi de la forme passive ou par celui de la forme pronominale.

1. Ce bruit s'est répandu.
   – Ce bruit a été répandu.

2. La chenille se change en papillon.
   – Dans le conte de Cendrillon, la citrouille est changée en carrosse.

3. Les enfants se sont perdus dans la forêt.
   – Le Petit Poucet et ses frères ont été perdus dans la forêt par leurs propres parents.

4. Un animal se sacrifie pour protéger sa femelle et ses petits.
   – Dans les contes primitifs, un animal est sacrifié pour obtenir la faveur des puissances surnaturelles.

5. Trop fatigué, il s'est déclaré incapable de faire un pas de plus.
   – Leur mariage a été déclaré nul.

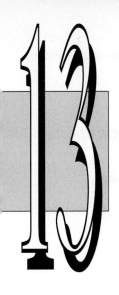

L'INFINITIF

Infinitif présent, infinitif passé .... 1 à 9

Emploi de l'infinitif complément du verbe ...... 10 à 13

Substitutions : groupe nominal, subordonnée
complétive ou relative . ... 14 à 17

Subordonnées ou infinitif .... 18 à 22

Infinitif exprimant les sentiments,
infinitif de narration (texte) 23

1. Pour les verbes suivants : INSPIRER – ABRUTIR – DIRE – BATTRE – ÉMOUVOIR, donner successivement : l'infinitif présent passif et pronominal; l'infinitif passé actif, passif et pronominal.

2. Faire une phrase avec un des verbes ci-dessus, au choix.

3. Compléter les phrases suivantes en employant les verbes à l'infinitif présent actif: FONDER – PARTICIPER – REMETTRE – SIGNALER – PRÉVENIR.

  1. Nous souhaiterions ...... à cette collecte.
  2. Il convient de ...... nos amis au plus tôt.
  3. On a beau ...... le danger, il se trouve toujours des imprudents qui passent outre.
  4. Serais-tu d'accord pour ...... ce voyage à plus tard ?
  5. Travailler pour un autre suffit à certains. Il est plus intéressant mais plus risqué de ...... son entreprise.

4. Même exercice. Employer les verbes à l'infinitif présent passif : DÉCEVOIR – CLASSER – RETENIR – DÉMOLIR – TAILLER.

  1. Ces entrepôts vont ....
  2. Personne n'aime ......
  3. Cette haie a grand besoin d' ....
  4. Pour ...... , une candidature à la Présidence de la République doit recueillir au moins cinq cents signatures d'élus locaux ou parlementaires.
  5. Tout ce pâté de maisons est sur le point d'...... monument historique.

5. Même exercice. Employer les verbes à l'infinitif présent : S'OUVRIR – S'INSCRIRE – S'Y PRENDRE – S'ADJOINDRE – SE METTRE.

  1. Ils aimeraient bien ...... un collaborateur plus expérimenté.
  2. Autrefois, il était interdit aux ouvriers de ...... en grève.

3. Après le 31 décembre, il sera trop tard pour ...... sur les listes électorales.
4. En cas de conflits familiaux, on ne sait pas toujours comment ...... pour apaiser tout le monde.
5. Ce salon de coiffure vient juste de ....

6. *Même exercice – Employer les verbes à l'infinitif présent :*
S'ABSENTER – SE RÉSOUDRE – S'Y METTRE – S'EN SERVIR – S'ENDORMIR.

1. Je sais que tu aimes lire un peu avant de ......
2. Je ne peux pas ...... dix minutes sans que tu te disputes avec tes frères et sœurs.
3. Cet appartement nous coûte trop cher, mais impossible de ...... à déménager.
4. Il reste encore beaucoup à faire. Si vous voulez avoir fini à temps, vous feriez bien de ....
5. L'emploi de cette machine est simple ; ils apprendront vite à ....

7. *Même exercice. Mettre les verbes à l'infinitif passé actif :*
MANQUER – OBTENIR – REMPORTER – ASSISTER – PRENDRE.

1. Jean est tout étonné d' ...... le premier prix à ce concours.
2. Je m'en veux d' ...... cette exposition, que vous m'aviez pourtant signalée.
3. Il est indispensable d' ...... son permis de conduire avant de se lancer sur les routes.
4. On l'a vivement critiqué pour ...... une telle décision.
5. Pour savoir ce qui s'est dit, il faudrait ...... à la réunion.

8. *Même exercice. Mettre les verbes à l'infinitif passé passif :*
CONTRÔLER – RECEVOIR – ACCUEILLIR – REPRENDRE – PUBLIER.

1. Après ...... tout d'abord à compte d'auteur, ses nouvelles lui apportèrent finalement la gloire.
2. Elle était touchée d' ...... avec tant de chaleur.
3. La société connut un nouvel essor après ...... par un groupe industriel lorrain.
4. A qui feras-tu croire que tu passes et repasses la frontière depuis tout ce temps sans ...... une seule fois ?
5. Pour ...... par le dictateur cette unique fois, elle fut plus tard accusée de collaboration.

9. *Même exercice. Mettre les verbes à l'infinitif passé :*
SE DÉMETTRE – SE RENDRE COMPTE – SE LAISSER – S'EXPLIQUER – SE LEVER.

1. Ils n'ont rien voulu entendre et j'ai dû partir sans ....
2. Le matin, elle prend un jus de fruits tout de suite après ....
3. Elle craint de ...... l'épaule dans sa chute.
4. Absorbé par mes mots croisés, je suis arrivé à destination sans ...... de la durée du trajet.
5. Le Père Goriot a fini dans la misère pour ...... dépouiller par ses filles.

*10. *Dans les phrases suivantes, mettre le verbe en italique aux temps suivants : futur simple, imparfait, passé composé, conditionnel passé, subjonctif présent (en faisant précéder la phrase de l'expression indiquée entre parenthèses).*

1. Ils *veulent* s'associer.
   (Je doute que)
2. Vous *oubliez* de téléphoner.
   (Il ne faudrait pas que)

3. Il lui *demande* de se présenter le plus vite possible.
   (Croyez-vous que)
4. Nous *cherchons* à nous faire comprendre.
   (Il est indispensable que)
5. Elle *prétend* l'avoir toujours su.
   (Il est impossible que)

11. Compléter chaque phrase avec l'infinitif qui convient.

A. AVOIR – FAIRE – MÉNAGER – POUVOIR – RIRE
   1. J'aime ......
   2. Je crois ...... vous renseigner.
   3. Il est parti ...... une petite promenade.
   4. Vous devriez vous ...... un peu.
   5. On pense ...... raison et que les autres ont tort.

B. CHANGER – REMPLACER – MONTER – PARLER – RENAÎTRE.
   1. Je me sens ......
   2. Notre fils est en train d'apprendre à ...... à cheval.
   3. Je suis fatigué. J'ai grand besoin de ...... d'air.
   4. Il est assez content de lui et s'écoute volontiers ......
   5. Elle n'a jamais demandé à ...... par une collègue.

C. SE RETIRER – BOIRE – FAIRE – ÊTRE – ACCOMPAGNER.
   1. Nous l'avons enfin convaincu de nous ......
   2. Je t'emmène ...... quelques courses.
   3. On ne peut forcer pesonne à ...... heureux.
   4. Le fermier mène les chevaux ......
   5. Une attitude intransigeante conduirait nos interlocuteurs à ......

D. AVOIR – FAIRE – REMETTRE – CÉDER – ÉCRIRE.
   1. Il leur est impossible de ...... à ce chantage.
   2. Il me faudra ...... vite.
   3. Il lui suffirait de nous ...... trois lignes.
   4. Vous serait-il encore possible de ...... la réunion ?
   5. Ne nous serait-il pas utile d'...... une lettre de recommandation ?

12. Remplacer les pointillés par une préposition si nécessaire.

   1. Il préfère ...... ne pas se coucher trop tard.
   2. Le gouvernement envisage ...... augmenter les impôts.
   3. Nous ne sommes pas arrivés ...... le joindre.
   4. Je ne pense pas ...... le revoir de si tôt.
   5. Ils se sont difficilement accoutumés ...... dormir au milieu de ce bruit.
   6. On nous a suggéré ...... faire une réclamation.
   7. Mes parents s'apprêtent ...... déménager.
   8. L'enfant a été forcé ...... rentrer plus tôt.
   9. Il se force ...... faire de la natation chaque semaine.
   10. Les C.R.S. ont contraint les manifestants ...... reculer.

13. Faire une phrase avec chacun de ces verbes suivi d'un infinitif précédé ou non de la préposition À ou DE.

conseiller	détester
se préparer	croire
être obligé	projeter
obliger	parvenir
s'habituer	redouter

*14. Exprimer la même idée en employant l'infinitif correspondant aux mots en italique. Faire aussi tout changement que cette première transformation rendrait nécessaire.

A. 1. *Le rêve* est indispensable à tous.
   2. *L'essorage* est déconseillé pour ce tissu.
   3. D'ici, nous verrons très bien *le départ des* voiliers.
   4. *Le vol d'*un pain ne devrait pas entraîner de conséquences trop dramatiques.
   5. En été, *les sorties nocturnes* sont loin d'être désagréables.

B. 1. Il faut *que vous mangiez*, voyons !
   2. Je pense *que je retournerai* dans les Alpes.
   3. Tout athlète espère *qu'il obtiendra* la victoire.
   4. Il faut *que nous refassions* le trajet.
   5. Il s'est souvenu *qu'il avait acheté* d'excellentes meringues dans cette pâtisserie.

C. 1. J'entends le volcan *qui gronde*.
   2. Il les a vus *qui couraient*.
   3. Je l'ai entendu *qui se levait*.
   4. Elle regardait les flocons de neige *qui tombaient* silencieusement.
   5. Nous entendions juste au-dessus de nous un homme *qui marchait* de long en large.

15. Remplacer les infinitifs par une proposition subordonnée relative.

1. Viens voir le soleil *se lever*.
2. Au retour du surveillant, on les vit tous *se taire* et *reprendre leur travail* comme si de rien n'était.
3. Les jeunes visiteurs regardaient la fermière *traire* les vaches.
4. Comme les murs sont très minces, on entend les voisins *se chamailler*.
5. Toute la nuit, on a entendu les hélicoptères *faire* la navette entre l'aéroport et la base navale.

16. Remplacer les groupes en italique par un groupe nominal.

1. J'aime entendre les cloches *sonner*.
2. Les promeneurs écoutaient le vent *gémir*.
3. Nous en avons assez d'entendre votre chien *aboyer*.
4. Tout le jour à sa fenêtre, elle regardait les passants *aller et venir*.
5. Muté au service des réclamations, il se fatigua vite d'écouter les clients *se plaindre continuellement*.

17. Remplacer les infinitifs par une proposition subordonnée complétive.

1. En milieu de matinée, j'ai nettement senti l'air *se réchauffer*.
2. Arrivé au sixième étage, il sentit son cœur *battre* violemment.

3. Ayant entendu *grincer* la porte du jardin, il se lève pour voir qui est entré.
4. Voyant l'enfant *s'amuser* tranquillement sur la pelouse, elle se replongea dans sa lecture.
5. Comme ils ont vu leurs voisins *se faire* installer une piscine, il a fallu qu'ils en aient une aussi.

18. Remplacer le groupe en italique par un groupe infinitif.

A. 1. J'espère *que je vous reverrai* bientôt.
2. *Après qu'il a joué* au tennis, il prend un sauna.
3. Il ne faut pas *qu'on arrive* en retard.
4. Nous ne savons pas où *nous coucherons* ce soir.
5. Dites-leur *qu'ils ne nous attendent pas.*

B. 1. Il pense *qu'il est compétent.*
2. Elle est sûre *qu'elle aura du succès.*
3. Ils prétendaient *qu'ils connaissaient* la région.
4. A la douane, les voyageurs affirmèrent tous *qu'ils n'avaient* rien à déclarer.
5. Ils avaient décidé *qu'ils entreprendraient* leur expédition au printemps.

C. 1. Je suis certain *que j'ai déjà lu* ça quelque part.
2. Je pense *que j'aurai fini* ce travail demain.
3. Il jurait *qu'il avait vu* une lumière étrange dans le ciel.
4. Elle a promis *qu'elle serait rentrée* à temps pour le dîner.
5. Dans certains pays, on est citoyen à la seule condition *qu'on soit né* sur le territoire national.

D. 1. *Après qu'ils se sont disputés* un moment, ils se réconcilient.
2. Elles croient *qu'elles se sont trompées* de jour.
3. Ils avaient l'impression *qu'ils s'étaient déjà rencontrés.*
4. Il s'imaginait *qu'il était entouré* d'ennemis.
5. Il se plaignait *qu'on l'avait maltraité.*

*E. 1. *Le temps que vous arriviez à Lyon*, vous aurez pris connaissance du dossier.
2. *Avant qu'ils n'en viennent aux mains*, les adversaires s'étaient copieusement injuriés.
3. *Quoique je ne sache pas exactement* ce qu'ils complotent contre moi, je m'inquiète un peu.
4. *À moins que nous ne trouvions* un passage praticable, nous devrons rebrousser chemin.
5. *Après que vous aurez pris connaissance* de ce rapport, veuillez me le transmettre avec vos commentaires.

*F. 1. *Après que tu t'es si brillamment tiré d'affaire*, crois-tu raisonnable de courir aussitôt de nouveaux risques ?
2. *Si on l'en croit*, il aurait la solution de tous nos problèmes.
3. *Une fois qu'elle avait été examinée* par les membres du jury, chaque rose recevait une note.
4. Ils ont échoué *parce qu'ils s'étaient mal préparés.*
5. Elle se désintéressa de son projet initial *et s'occupa d'un autre*, beaucoup plus rentable.

19. Remplacer les mots en italique par une proposition subordonnée de même sens.

A. 1. *Pour s'être mêlée* de ce qui ne la regardait pas, elle a eu les pires ennuis.
2. *À en juger* par le bruit qu'ils faisaient, ils devaient être une bonne vingtaine.
3. *À condition toutefois de s'y connaître un peu*, on découvre en salle des ventes des occasions intéressantes.
4. *Après avoir pris* sa retraite, il n'a plus su que faire de ses journées.
5. Il s'absorba dans sa lecture *au point de perdre* la notion du temps.

B. 1. *À force de chercher un remède*, nous finirons bien par le découvrir.
   2. *Faute de s'être fait vacciner à temps*, bien des gens se retrouvent grippés.
   3. *Sans être rancuniers pour autant*, il nous serait difficile d'oublier tout à fait leur conduite à notre égard.
   4. *Au moment de partir*, il s'aperçut qu'il avait oublié ses clefs.
   5. Il m'a débité une histoire tellement invraisemblable que j'ai été pris de fou rire, et lui, du coup, *de s'énerver*.

*20. Transformer les phrases suivantes de manière à obtenir une construction infinitive.

1. Le chien ne passera pas par ce trou / Il est trop gros pour ça.
2. Son parrain l'emmènera en hélicoptère / Il le lui a promis.
3. Elles trouveront rapidement une solution à leur problème / Elles l'espèrent.
4. Louez vos places à l'avance / Ce serait plus prudent.
5. Va-t-elle se marier ? / Je crois qu'elle y songe !

21. Même exercice.

1. Il a dit que nous ne l'attendions pas.
2. Pour passer, il suffit que nous obtenions dix sur vingt.
3. Je vais téléphoner à ma mère pour qu'elle soit rassurée à mon sujet.
4. Elle s'imagine que tout le monde l'aime.
5. Je sens que je deviens vieux.

22. Transformer les phrases suivantes de manière à obtenir une construction infinitive en changeant de personne.

Elle a peur qu'il se fasse mal.
→ *Elle a peur de se faire mal.*

1. Pensez-vous qu'ils soient prêts d'ici janvier ?
2. J'ai pris des sandwichs de peur que tu aies faim.
3. Je voudrais t'expliquer quelque chose avant que tu partes.
4. J'éteins la télévision pour que tu puisses travailler tranquillement.
5. Je suis décidé à porter plainte à moins qu'on ne me rembourse immédiatement.

*23. Remplacer les infinitifs en italique par une construction de même sens.

"Pourquoi *m'épuiser* plus longtemps à servir cette femme tyrannique ?", se disait la jeune servante. "Quelle reconnaissance *attendre* de mes services ? Cela ne peut continuer indéfiniment ! *Rester* un jour de plus serait de la folie ! *Quitter* cette maison, voilà la solution ! *Découvrir* de nouveaux horizons...... *Bâtir* peut-être une autre existence .... Mais où *aller* ? A qui *m'adresser* ? Qui *avertir* de mes projets ? Pas de précipitation ...... Bien *réfléchir* d'abord !"
Et la jeune fille d'*échafauder* mille projets.

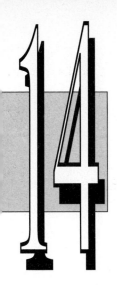

LE PARTICIPE

Participe présent. Adjectif verbal. Gérondif .... 1 à 6

Participe passé sans auxiliaire 7

Participe passé conjugué avec l'auxiliaire *être* ... 8 à 11

Participe passé conjugué avec l'auxiliaire *avoir* 12 à 19

Exercices de substitution, textes .... 20 à 23

1. Compléter les phrases avec le verbe qui convient, au participe présent.

A. AVOIR – APPROCHER – SE FAIRE – PARAÎTRE – PERMETTRE.
   1. La rentrée ...... , les magasins se remplissent d'écoliers.
   2. Il a choisi la carrière lui ...... la moins encombrée.
   3. Cet avion me ...... d'être de retour le soir même, je l'ai préféré au train.
   4. Son idole ...... attendre, le jeune public donnait des signes d'impatience.
   5. ...... beaucoup de temps libre, elle s'occupe de ses petits-enfants.

B. AVOIR – ÊTRE – FREDONNER – HERBORISER – PONCTUER.
   1. ...... un petit air joyeux, il se mit en route.
   2. ...... ses propos de coups de poing sur la table, l'orateur semblait fort en colère.
   3. ...... un jour dans la montagne, je me suis retrouvé nez à nez avec une vipère.
   4. ...... pressé par le temps, il n'aura pas pu se relire.
   5. Ce roman n'...... aucun intérêt, j'en ai abandonné la lecture.

C. SE DEMANDER – SE PRIVER – COURIR – INSISTER – PASSER.
   1. Il est parti en ....
   2. En ...... devant chez elle, j'ai vu les volets ouverts.
   3. En ...... un peu, vous obtiendrez satisfaction.
   4. Il ne s'agit pas de maigrir d'un coup, en ...... brusquement de toute nourriture.
   5. Il souriait, tout en ...... comment il allait riposter.

2. Remplacer les groupes en italique par un participe présent.

   1. Les employés, *qui reviennent* tous du travail à la même heure, envahissent le métro : c'est l'heure de pointe.
   2. On avait surpris un enfant *qui volait* une orange.
   3. *Comme l'automne s'annonçait*, les vendanges commencèrent.
   4. Au loin, on apercevait des bateaux *qui se dirigeaient* vers la côte.
   5. *Quand il a compris* qu'il devait renoncer à son projet, il a été terriblement déçu.

3. Compléter par un participe présent ou un adjectif verbal.

1. (tomber)
   La nuit ...... , il fallut rentrer.
   Nous sommes rentrés à la nuit ....
2. (glisser)
   Il y a du verglas, ce matin. Attention aux trottoirs ...... !
   Bientôt apparut une flotille de barques, ... au fil de l'eau.
3. (errer)
   De nombreux chiens ...... dans les rues, on a créé un refuge pour les recueillir.
   On a créé un refuge pour recueillir les chiens ....
4. (penser)
   ...... bien faire, elle avait simplement dit la vérité : ce fut un scandale !
   Elle n'accepte de fréquenter que des gens bien ...... !
5. (flotter)
   Par cette chaleur, elle portait une robe ...... en crépon blanc.
   Un objet ...... à la dérive attira l'attention des pêcheurs.
6. (surprendre)
   Cette réponse lui parut ....
   ...... une certaine irritation dans sa réponse, elle n'insista pas.
7. (étinceler)
   La nuit, ils contemplaient la mer ...... au clair de lune.
   Il fit un pas vers moi, les poings serrés et les yeux ...... de colère.
8. (haleter)
   Le public, ... d'impatience, attendait l'arrivée du peloton.
   La chasse terminée, les chiens se couchèrent, ...
9. (trembler)
   Ayant découvert un souterrain, ils l'explorèrent à la clarté ...... d'une bougie.
   Surpris par la neige, ils arrivèrent ...... de froid.
10. (grandir)
    Il exagérait toujours, ... l'importance de chaque événement.
    Partout, on sentait une inquiétude ....

4. À partir du verbe indiqué, employer soit le participe présent, soit l'adjectif ou le nom correspondants.

1. (adhérer)
   J'aimerais rencontrer des personnes ...... aux mêmes idées que moi.
   Ce journal compte, parmi ses ...... , un grand nombre de professionnels.
2. (négliger)
   ...... les conseils, il entreprit cette exploration sans la moindre préparation.
   Il a été blâmé pour sa ....
3. (fabriquer)
   Je n'ai pas trouvé ce que je voulais ; je vais aller chez d'autres ......
   ...... lui-même ses meubles, il réalise des économies substantielles.
4. (fatiguer)
   Les routes de montagne ...... le moteur, nous nous arrêtons de temps en temps pour le laisser refroidir.
   Epuisé par des voyages trop ...... , il a dû prendre un mois de repos.
5. (naviguer)
   Les avions restent au sol par suite de la grève du personnel ....
   ...... près du cercle polaire, ils ont failli être pris par les glaces.

5. Remplacer les groupes en italique par un gérondif.

1. *Lorsqu'il arriva* à Paris, il fut surpris par l'intensité de la circulation.
2. *Si vous achetiez* un billet de loterie, vous deviendriez peut-être millionnaire.
3. *Si vous travaillez*, vous ne deviendrez probablement pas millionnaire, mais vous gagnerez votre vie.
4. Tu l'as choqué *parce que tu lui as répondu* avec trop de désinvolture.
5. *Si tu avais pris* cet itinéraire, tu aurais gagné du temps.
6. *À l'auscultation du malade*, le médecin a décelé une anomalie du rythme cardiaque.
7. *Lisez* beaucoup, vous enrichirez votre vocabulaire.
8. Les enfants accouraient vers nous, *ils criaient* de joie.
9. *Pendant le déjeuner*, il m'a mis au courant des dernières nouvelles.
10. Ces deux garçons étaient bons amis ; *cependant ils avaient* des opinions différentes.

6. Remplacer le gérondif par une autre construction.

1. *En m'appelant* entre midi et deux heures, tu seras sûr de me trouver chez moi.
2. *Tout en atteignant* une vitesse élevée, cette voiture conserve une bonne tenue de route.
3. *En descendant* du wagon, il fit un faux pas et manqua de tomber.
4. *Tout en m'amusant*, ce curieux personnage m'intrigue.
5. Ce matin-là, *en se réveillant*, il se sentit particulièrement dispos.
6. *En acceptant* cette mission, j'ai pris une lourde responsabilité.
7. Mal remis de sa chute, il marchait avec difficulté *en s'appuyant* sur une canne.
8. *En voyageant* sans billet, vous risquez d'être pénalisé.
9.-10. Le nettoyage achevé, elle s'assit un moment, *en contemplant* cette chambre bien rangée, plus propre qu'elle ne l'avait trouvée *en arrivant*.

7. Mettre les verbes au participe passé. Préciser leur fonction et justifier les accords.

A. 1. Voici le linge (laver) et (repasser).
   2. Il portait des vêtements (déchirer).
   3. Il faudra changer cette vitre (casser).
   4. Ce sont des maisons (abandonner).
   5. C'est du temps (perdre) et une occasion (manquer).

B. 1. Les coureurs paraissaient (épuiser).
   2. Elles sont très (fatiguer).
   3. Les premiers jours, il se sentit (perdre) dans les couloirs du métro.
   4. Je croyais les enfants (occuper) à faire leurs devoirs ; en fait, ils étaient en train de jouer aux cartes !
   5. Elle a été très (troubler) par cet incident.

8. Mettre les verbes au passé composé et justifier l'accord du participe.

1. Il (rester) un an à Paris.
2. Pierre et toi, vous (arriver) en retard.
3. Ma mère (venir) tout de suite.
4. Mes amies (partir) avant moi.
5. Ils (aller) à Chantilly.

9. Mettre les verbes aux temps indiqués et justifier l'accord du participe.

1. accompagner (*imparfait passif*)
   – Pierre ...... par son ami.
   – Marie ...... par son amie.
2. prévenir (*plus-que-parfait passif*)
   – Ils ne ...... à temps.
   – Elles ne ...... à temps.
3. transmettre (*passé composé passif*)
   – Le message ....
   – La note de service ....
4. finir (*futur passif*)
   – Dans une semaine, l'année ....
   – Dans deux jours, le mois ....
5. prendre (*passé composé passif*)
   – Divers contacts ....
   – Diverses décisions ....

10. Écrire correctement les participes donnés entre parenthèses et justifier les accords.

A. 1. Elle s'est (absenté) quelques instants.
   2. Elle s'est (approché) doucement du berceau.
   3. Nous nous étions (attendu) à cette réaction.
   4. À notre approche, les oiseaux se sont (envolé).
   5. Après s'être (échappé) de leurs cellules, les détenus se sont (enfui) à la faveur de la nuit.

B. 1. Elle s'est (blessé) en tombant dans l'escalier : elle s'est (cassé) le bras.
   2. Les garçons se sont encore (battu) ; ils se sont (frappé) à coups de poing.
   3. Ils s'étaient (rencontré) par hasard et ils s'étaient (promis) de se revoir.
   4. Nous nous sommes toujours (entraidé), nous nous sommes (prêté) nos livres et nos dictionnaires.
   5. Voilà un mois que nous ne nous sommes pas (téléphoné).

C. 1. Cette année-là, les jupes courtes se sont beaucoup (porté).
   2. En raison de la chaleur, les moissons se sont (fait) plus tôt que l'an dernier.
   3. Ces articles se sont bien (vendu).
   4. La réunion s'est (tenu) hier.
   5. La cérémonie s'est (déroulé) à l'Arc de Triomphe.

11. Écrire correctement les participes donnés entre parenthèses et justifier les accords.

A. 1. Les instructions ne leur étant pas (parvenu), les ouvriers ne savaient plus que faire.
   2. Jamais les vacances n'avaient été (attendu) avec une telle impatience !
   3. Je voudrais des gants (assorti) à mes chaussures.
   4. Ils s'arrêtèrent (saisi) de frayeur.
   5. C'est une ville agréable aux rues soigneusement (tracé) et (planté) d'arbres.

B. 1. Tout l'après-midi, elles s'étaient (promené) dans les allées du parc.
   2. Comme la nuit tombait, les enseignes se sont (allumé) dans les rues.
   3. S'étant (arrêté) le soir dans un village pour y passer la nuit, ils y découvrirent une église romane.

4. Alertés par le bruit, tous les lapins s'étaient (enfui).

5. Après quelques heures de marche, nous nous sommes (engagé) sur une passerelle (jeté) au-dessus d'un torrent.

C. 1. Elle s'est toujours (montré) très patiente avec les enfants.

2. Ils ne s'étaient pas (attendu) à recevoir de tels reproches.

3. Pourquoi vous êtes-vous (moqué) d'elle ? Vous êtes méchants !

4. Au moment de partir, ils se sont (ravisé), et finalement, ils sont (resté) un jour de plus.

5. Nous nous sommes (efforcé) de les convaincre, mais ils sont (resté) fermes sur leurs positions.

D. 1. Ils ne s'étaient pas (douté) que j'étais au courant de leurs activités.

2. Cette enfant est incroyablement bavarde : de toute la journée elle ne s'est pas (tu) une minute.

3. Elles se sont (permis) de venir sans avoir été invitées.

4. Elle s'était (promis) de lui dire ses quatre vérités, et elle les lui a (dit) !

5. Pendant une semaine, les examens se sont (succédé) sans le moindre répit.

12. Analyser les phrases suivantes afin de justifier l'accord du participe passé.

1. Je n'ai pas *vu* ce film.
   Ce film, je ne l'ai pas *vu*.
   – Je n'ai pas *vu* cette exposition.
   Cette exposition, je ne l'ai pas *vue*.

2. Je n'avais pas encore *visité* ces musées.
   Ces musées, je ne les avais pas encore *visités*.

3. J'avais *invité* toutes mes amies.
   Mes amies, je les avais toutes *invitées*.

4. J'ai *cueilli* des fleurs pour vous.
   Prenez ces fleurs que j'ai *cueillies* pour vous.

5. Il a *écrit* cette lettre.
   Cette lettre, c'est lui qui l'a *écrite*.

13. Souligner le complément d'objet direct et faire l'accord du participe.

1. Où sont les clés que j'avais (rangé) dans le tiroir ?

2. Les renseignements que j'avais (obtenu) étaient insuffisants.

3. La chambre que j'avais (trouvé) était assez grande.

4. J'ai suivi les conseils que vous m'aviez (donné).

5. On retrouve avec émotion les lieux que l'on a (aimé) dans sa jeunesse.

14. Même exercice.

1. Ces chansons, je les ai déjà (entendu).

2. Les tableaux ? On les a (accroché) aux murs.

3. Cette salle à manger, nous l'avons (acheté) l'an dernier.

4. Regarde tous ces exercices ! Je les ai tous (fait) par écrit !

5. Les documents ? Je les ai soigneusement (rangé) dans votre bureau.

15. Mettre les verbes au passé composé et faire, quand il y a lieu, l'accord du participe passé.

1. La route que nous (prendre) était très tranquille.

2. Nous (éviter) les routes encombrées.

3. Merci pour les bonnes nouvelles que tu me (envoyer).
4. De tous les pays qu'elle (visiter), elle (rapporter) de très beaux souvenirs.
5. Elle me (montrer) les souvenirs qu'elle (rapporter).
6. J'aime beaucoup les dessins que tu (faire).
7. On lui (offrir) tout ce qu'il désirait.
8. Il a été enchanté des cadeaux qu'on lui (offrir).
9. Cette région, je la (parcourir) l'été dernier.
10. Ils nous (parler) des risques qu'ils (courir) pendant cette expédition.

16. Faire, quand il y a lieu, l'accord du participe passé, et le justifier.

1. Elle est plus maligne qu'on ne l'avait (pensé).
2. Finalement, cette secrétaire est moins compétente que je ne l'avais (cru).
3. La vendeuse m'a garanti que ce produit était de bonne qualité ; je l'ai (cru) et j'ai eu bien tort de la croire !
4. Les premières fraises sont arrivées ; j'en ai (acheté) une livre.
5. Elle est arrivée en retard et elle ne s'en est pas (excusé).
6. L'épicier devait me livrer ma commande aujourd'hui ; il me l'avait (promis).
7. Des conseils, nous en avons tous (reçu), mais qu'en avons-nous (fait) ?
8. Le niveau de l'eau continuait à monter, mais les spéléologues ne s'en étaient pas encore (aperçu).
9. Les choses ne se sont pas (passé) comme je l'avais (imaginé).
10. Elle connaissait beaucoup d'histoires ; elle nous en avait (raconté) une très drôle et nous nous en étions beaucoup (amusé).

*17. Écrire correctement les participes passés donnés entre parenthèses et justifier les accords.

A. 1. Je ne connaissais pas encore les deux symphonies que j'ai (entendu) ce soir-là.
2. Je ne connaissais pas encore les deux symphonies que j'ai (entendu) interpréter par cet orchestre.
3. La cantatrice que j'ai (entendu) interpréter Carmen avait une voix admirable.
4. 5. Au cours du festival, tous les acteurs que j'ai (vu) jouer étaient excellents et toutes les pièces que j'ai (vu) jouer par ces acteurs étaient intéressantes.

B. 1. Pour son mariage, elle s'est (fait) habiller par un grand couturier.
2. Elle s'est (fait) faire plusieurs robes du soir.
3. Ils s'étaient installés sans autorisation sur ce terrain ; on les a (fait) partir.
4. Il a violemment bousculé cette jeune fille et il l'a (fait) tomber.
5. La chaleur qu'il a (fait) tout l'été a provoqué une grave sécheresse.

C. 1. Combien de cassettes as-tu (acheté) cette année ?
2. Combien d'exercices vous a-t-on (donné) à préparer pour demain ?
3. Combien de fautes d'accord avez-vous (fait) ?
4. Combien d'erreurs avez-vous (corrigé) ?
5. Combien de questions vous a-t-on (posé) ?

D. 1. Ce bistrot offre un menu à prix fixe, boisson (compris).
2. Ce forfait inclut tous les frais (y compris) les boissons.
3. J'ai lu tous les livres qui sont dans cette bibliothèque, deux romans (excepté).
4. Je vais à pied à mon travail, (excepté) les jours de pluie.
5. (Vu) les conditions atmosphériques, les vols ont été annulés.

*18. Faire, quand il y a lieu, l'accord du participe passé, et le justifier.

1. a) Le cours de l'or n'est plus ce qu'il a été : nos cinquante napoléons ne rapporteraient plus, et de loin, les cinquante mille francs qu'ils ont (valu).
   b) Il était heureux des félicitations que ses recherches lui avaient (valu).
2. a) Ils ont dû emprunter une grande partie des deux millions que la maison leur a (coûté).
   b) Je ne peux pas vous dire la peine et les soucis que cet enfant a (coûté) à sa mère.
3. a) Les soixante-dix ans qu'il a (vécu) ont été marqués par de grands événements.
   b) Dans son dernier livre, il parle beaucoup des événements qu'il a (vécu).
4. a) Elle a beaucoup maigri ; elle est loin maintenant des quatre-vingts kilos qu'elle a (pesé).
   b) Les pêches que le fruitier m'avait (pesé) n'étaient pas mûres ; je lui en ai demandé d'autres.
5. a) Les cinq kilomètres qu'il avait (couru) ne l'avaient pas essoufflé.
   b) On frissonne en imaginant les dangers qu'ils ont (couru).

*19. Même exercice.

A. 1. Reprenons cette explication au point où nous l'avons (laissé) hier.
   2. Ces enfants sont mal élevés : leurs parents les ont toujours (laissé) faire ce qu'ils voulaient.
   3. Ils leur ont (laissé) prendre de mauvaises habitudes.
   4. Comme il était tard, il ne l'avait pas (laissé) rentrer seule mais s'était offert à l'accompagner.
   5. Les chevaux étaient fatigués ; on les a (laissé) souffler un moment.

B. 1. Épuisée, elle s'est (laissé) tomber sur une chaise.
   2. Nous ne nous sommes jamais (laissé) impressionner par des menaces.
   3. Après cette déception, elle s'était (laissé) aller, ne prenant plus soin de sa maison ni d'elle-même.
   4. Nous nous sommes assises au bord de la rivière puis nous nous sommes (laissé) glisser dans l'eau.
   5. Elle a beaucoup de caractère ; elle ne s'est jamais (laissé) faire par qui que ce soit !

*20. En variant les conjonctions, remplacer chacun des groupes soulignés par une subordonnée circonstancielle (de cause ou de temps selon le cas).

1. *La blessure étant cicatrisée*, vous n'avez plus besoin de pansement.
   Sa blessure à peine cicatrisée, il voulut se lever.
2. *Le radiateur étant éteint*, il n'est pas étonnant que nous sentions le froid.
   La lumière éteinte, il s'endormit aussitôt.
3. *Cette lettre n'étant pas signée*, le journal ne l'a pas publiée.
   La lettre signée, il la mit dans l'enveloppe qu'il cacheta.
4. *Le repas étant terminé*, tu peux te lever de table.
   Le repas terminé, ils passèrent au salon.
5. *La porte étant fermée à clef*, comment faire pour entrer ?
   La porte fermée à clef, il se sentit plus en sécurité.

*21. Remplacer les groupes en italique par un participe présent, un participe passé ou un gérondif.

1. *Quand l'orage fut fini*, nous sortîmes pour admirer un splendide arc-en-ciel.
2. Jacques, *qui était resté* seul à la maison, nous attendait patiemment en feuilletant des magazines.
3. *Quand ils furent arrivés* à l'étape, les randonneurs prirent un moment de repos.

4. Une pie, *qui sautillait* de branche en branche, attira mon attention.
5. *Quand il m'aperçut*, il poussa un cri de joie.
6. *Une fois qu'elles sont cueillies*, les figues sont mises à sécher au soleil.
7. *Pendant qu'il prononçait ces mots*, il me regardait avec une insistance étrange.
8. *Une fois que l'on avait atteint le chalet*, il restait encore cinq heures de marche.
9. *Comme il était intimidé*, l'enfant n'osait répondre.
10. *Comme nous mourions de soif*, nous nous sommes assis à l'ombre et nous avons sorti nos gourdes.
11. *Comme elle avait été fort ébranlée par la tornade*, la cabane menaçait de s'écrouler au premier vent.
12. *Etant donné que ce reçu n'est pas daté*, il n'est pas valable.
13. *Si vous demandiez la transformation de votre permis de conduire en permis international*, vous pourriez circuler dans toute l'Europe.
14. *Bien que tu ne te prives de rien*, tu ne prends pas un gramme ! Quel est ton secret ?
15. À quarante ans, cette actrice jouait encore Ophélie, mais *une fois qu'elle était démaquillée*, elle paraissait bien son âge.

22. Remplacer les mots en italique par un participe présent ou un gérondif.

L'hiver fut doux, cette année-là. Les oiseaux de passage, *qui volaient* en groupes successifs, annoncèrent bientôt l'arrivée du printemps.
Un matin, *quand il ouvrit* sa porte, il aperçut les premières hirondelles *qui poursuivaient* des insectes et *sillonnaient* le ciel limpide.
Il appela son chien et il décida de descendre jusqu'au ruisseau. *Comme il traversait* le pré, il découvrit la première primevère.

23. Dans les textes suivants mettre les verbes entre parenthèses au participe présent, au participe passé ou au gérondif.

A. Le père de Julien sentit que (parler) il pourrait commettre quelque imprudence ; il s'emporta contre son fils, qu'il accabla d'injures, le (accuser) de gourmandise, et le quitta pour aller consulter ses autres fils. Julien les vit bientôt après, chacun (appuyer) sur sa hache, et (tenir) conseil. Après les avoir longtemps regardés, Julien (voir) qu'il ne pouvait rien deviner, alla se placer de l'autre côté de la scie, pour éviter d'être surpris. *(d'après Stendhal)*

B. Un peu plus loin, nous apprenions que, (perdre) dans le brouillard, un autre avion ne se dirigeait plus qu'en (suivre) à ras du sol les rails du chemin de fer.
Nous-mêmes, (aspirer) dans les airs, brutalement (lâcher) dans la vide, (bloquer) soudain par un mur invisible, (retenir) par une étreinte qui, (se desserrer) tout à coup, nous précipite en avant pour nous ressaisir de nouveau, (tanguer), (rouler), (cabrer), (virer) d'une aile sur l'autre, (faire) de brusques tête-à-queue, nous sommes le jouet de ces forces puissantes qui ne se révèlent à nous que par les coups qu'elles nous portent. Il serait fou de s'obstiner. Nous décidons d'amerrir.
(Jérôme et Jean Tharaud)

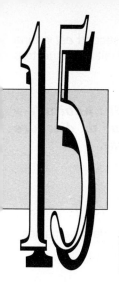

MODES ET TEMPS

Les temps de l'indicatif .... 1 à 19

Transposition au passé 20-21

Indicatif et conditionnel 22-23

Indicatif et subjonctif 24

Impératif 25-26

1. **Dans les phrases suivantes, étudier les emplois du présent de l'indicatif (action en train de se dérouler – description – habitude – valeur de passé récent, de futur ou de futur proche – vérité générale – condition – présent historique).**

A. 1. Je *regarde* souvent la télévision jusqu'à minuit.
   2. Soudain, le téléphone *sonne* ; il *se lève* et il *vient* décrocher l'appareil.
   3. Dans un mois, je *pars* en vacances !
   4. En ce moment, nous *étudions* le présent de l'indicatif.
   5. Vous cherchez Lucien ? Il n'est sûrement pas loin : je le *quitte* à l'instant.
   6. Quand *j'arrive* au lieu du rendez-vous, j'aperçois Marie, qui *regarde* les vitrines en m'attendant.
   7. Attends-moi une minute, je *mets* mon manteau et je *viens* avec toi.
   8. Je *suis* près d'un feu. Un taxi *s'arrête* devant moi. Le chauffeur a emmené son chien. Ils *sont assis* l'un à côté de l'autre. Le chauffeur *caresse* la tête de son chien puis il *lève* les yeux, il *surprend* mon regard. Le chien me *regarde* aussi. Le taxi *repart* mais, pendant un moment, pour moi, il a existé. *(d'après Félicien Marceau)*
   9. Le brouillard, qui *monte* jusqu'à l'hôtel, *recouvre* les prés, *emplit* la vallée, *est* bienfaisant, il *adoucit*, il *rend* moins douloureuse la fin des vacances. *(Nathalie Sarraute)*
   10. La nuit *vient*. Et le froid. Ils *sont* sur le chemin blanc de gel, elle une femme, lui un jeune homme. La maison *est* nue, dedans, dehors. À l'intérieur, rien n'*est* encore allumé. Derrière les vitres, un homme grand et maigre, aux tempes grises, *regarde* dans la direction du chemin. *(Marguerite Duras)*

B. 1. Il allait toujours à pied, ce qui *est* la manière la plus économique de se déplacer.
   2. La Terre *tourne* autour du Soleil.
   3. Vous connaissez le proverbe : " Chat échaudé *craint* l'eau froide. "
   4. Quand on *lâche* une pierre, elle tombe.
   5. Si vous *travaillez* régulièrement, vous ferez des progrès.
   6. Je t'ai déjà demandé de ne pas me traiter de cette manière : fais-le encore une fois, et je ne te *parle* plus !
   7. En 58 avant J.C., Jules César *entreprend* la conquête de la Gaule. En 52, Vercingétorix *est battu*, Alésia *tombe* aux mains des Romains. En 50, la Gaule *est soumise* et César *peut* repasser les Alpes.
   8. En arrivant à la frontière qui *sépare* les deux pays, les voyageurs préparèrent leurs passeports pour le contrôle.
   9. Grâce à sa liberté, le roman *peut* tout peindre, pour peu que l'auteur ait une connaissance réelle du cœur humain. *(d'après Jacques Laurent)*

10. Zadig éprouva que le premier mois du mariage *est* la lune du miel et que le second *est* la lune de l'absinthe. Il fut quelques temps après obligé de répudier Azora, qui était devenue trop difficile à vivre. *(d'après Voltaire)*

2. Dans les phrases suivantes, étudier les emplois de l'imparfait : habitude – action en train de se dérouler – valeur de futur proche – valeur de discours indirect – souhait – valeur conditionnelle – état – forme de politesse.

A. 1. Lorsque j'*étais* à Paris, j'*habitais* dans un foyer.
   2. Quand j'*étais* à Paris, j'*allais* au cours tous les jours.
   3. Quand je suis entré dans le bureau, il *téléphonait*.
   4. Il refusa de répondre : il n'*avait* pas à se justifier.
   5. J'*étais* fatigué, mais je décidai de tenir jusqu'au bout : les vacances *étaient* dans deux semaines.

B. 1. Ah ! si je *pouvais* parler français sans accent !
   2. Si vous *vouliez* bien m'expliquer ce texte, cela me rendrait un grand service.
   3. Excusez-moi de vous déranger : je *voulais* vous demander un renseignement.
   4. Il m'a sauvé la vie : sans lui, je me *noyais* !
   5. Comment, vous n'*étiez* pas satisfait ? Il *fallait* me le dire, voyons ! J'aurais arrangé les choses !

3. Dans les phrases suivantes, étudier les emplois du passé composé : expression d'un fait antérieur à une situation présente ou habituelle – valeur de passé récent – valeur de passé simple (langue courante) – expression de la condition – valeur de futur antérieur ou de présent.

A. 1. Ce matin, je *suis parti* de chez moi à huit heures et j'*ai mis* plus d'une heure pour arriver au bureau.
   2. Quand les vacances se *sont terminées*, chacun *est rentré* chez soi.
   3. Quand on *a fini* une composition, on la relit.
   4. Je n'*ai* pas *achevé* ma phrase qu'il *a déjà compris* : il part en courant.
   5. Je viens de rencontrer Jean, nous *avons parlé* de nos projets.

B. 1. Pouvez-vous m'attendre ? J'*ai fini* dans cinq minutes et je pars avec vous.
   2. Si demain la fièvre *n'est pas tombée*, il faudra lui donner des antibiotiques.
   3. Il court vers sa voiture ; en un instant, il *a embrayé* et il démarre.
   4. Elle *est arrivée* à la dernière minute, elle *a vite trouvé* une place et s'*est assise* au moment où le film commençait.
   5. Louis XIV *est mort* en 1715, laissant le trône à son arrière-petit-fils, qui n'avait que cinq ans.

4. Dans les phrases suivantes, étudier les emplois du plus-que-parfait : passé accompli antérieur à un autre fait passé – expression de la condition (irréel dans le passé).

   1. Quand je suis arrivé, il *avait fini* de dîner.
   2. J'ai voulu l'empêcher de commettre cette erreur mais il m'a répondu qu'il s'*était déjà décidé*.
   3. Quand les enfants *avaient bien travaillé*, je les emmenais au zoo le dimanche.
   4. S'il n'*avait pas eu* la passion du jeu, il ne serait pas maintenant dans cette situation lamentable.
   5. Si vous ne m'*aviez pas aidé*, j'aurais eu bien du mal à comprendre ce problème.

5. Mettre les phrases suivantes au passé (employer l'imparfait, le passé composé ou le plus-que-parfait).

   1. Je *cherche* longtemps, et enfin je *trouve* la solution.
   2. Je *cherche* depuis un bon moment lorsqu'une idée me *vient* à l'esprit.

3. Une ouvreuse nous *conduit* à nos places et nous *offre* le programme.
4. Je ne la *connais* pas beaucoup : je ne *l'ai rencontrée* qu'une seule fois.
5. Je *l'ai invité* à mon anniversaire, mais il *ne vient pas*.
6. Il y *a* au moins un an que nous ne *nous sommes pas rencontrés*.
7. Je *décide* de lui téléphoner, mais quand je *l'appelle*, il *est déjà parti*.
8. Nous *suivons* ce chemin pendant une heure puis nous *arrivons* à un carrefour ; il *n'y a* aucune indication : nous ne *savons* pas quelle direction prendre.
9. Souvent je *me réveille* avant l'aube, je *m'habille* rapidement et je *sors* : je *veux* voir le soleil se lever.
10. Ce soir-là, quand *j'arrive* à la maison, la nuit *est tombée* depuis longtemps mais je *connais* bien la route et je *me dirige* facilement dans l'obscurité.

*6. Dans les phrases suivantes, étudier l'emploi du passé surcomposé (temps accompli antérieur au passé composé).

1. Dès que *j'ai eu fini* ma dissertation, je l'ai remise au surveillant, et j'ai quitté la salle d'examen.
2. Quand nous *avons eu cueilli* un plein panier de fraises, nous sommes rentrés à la maison.
3. Lorsque *j'ai eu réglé* cette somme en liquide, j'ai dû aller à la banque pour reprendre de l'argent.
4. Une fois que *j'ai eu bien compris* la raison de ces constructions, je n'ai plus fait d'erreurs.
5. Elle n'avait pas pensé qu'elle souffrirait de l'absence de son cousin ; c'est quand il *a été parti* qu'elle a senti combien il lui manquait.

7. À partir des phrases données, imiter ces constructions en remplaçant les groupes soulignés par une proposition subordonnée (introduite par APRÈS QUE ou AUSSITÔT QUE), dont le verbe sera au passé surcomposé.

1. *Après avoir planté* les jeunes arbres, nous les avons abondamment arrosés.
2. *Aussitôt arrivé*, il s'est mis à crier.
3. *Après avoir fermé* les fenêtres, elle a baissé les volets roulants.
4. *Après avoir expliqué* la cause de son retard, elle s'est mise au travail.
5. *Ayant économisé* assez d'argent, ils ont pu acheter leur maison.

8. Mettre les verbes entre parenthèses au passé composé ou au passé surcomposé.

1. Dès qu'il a fait froid, je (mettre) mon radiateur en marche. Quand je (mettre) le radiateur en marche, il a tout de suite fait bon.
2. Quand leurs grands-parents (partir), les enfants ont pleuré. Nous les avons accompagnés à la gare et, une fois que le train (partir), nous sommes restés tout tristes sur le quai désert.
3. Nous (faire) quelques kilomètres et c'est alors seulement qu'il s'est souvenu que nous n'avions presque plus d'essence. Quand nous (faire) quelques kilomètres, la voiture s'est arrêtée : nous n'avions plus d'essence.
4. Je (acheter) de la viande et des légumes et j'ai fait un pot-au-feu. Dès que je (acheter) la viande et les légumes, je suis rentrée pour mettre mon pot-au-feu à cuire.
5. Il est parti ; elle (fermer) la porte et elle (pleurer). Quand il (partir) et qu'elle (fermer) la porte, elle s'est mise à pleurer.

*9. Dans les phrases suivantes, étudier les emplois du passé simple : fait achevé et limité sans contact avec le présent – temps historique en langue soutenue ou littéraire.

1. Quelques jours *se passèrent* pendant lesquels je *n'observai* rien. *(Colette)*
2. Olivier *monta* jusqu'à la rue Bachelet pour s'asseoir sur les marches. Il *croisa* ses jambes en tailleur et *sortit* de sa poche cinq osselets jaunis. Il *commença* à jouer dans la poussière qui salissait ses doigts. *(d'après Robert Sabatier)*

3. Candide, chassé du paradis terrestre, *marcha* longtemps sans savoir où, pleurant, levant les yeux au ciel ; il *se coucha* sans souper au milieu des champs entre deux sillons ; la neige tombait à gros flocons. *(d'après Voltaire)*
4. Hier, sur le coup de midi, je revenais du village, et, pour éviter le soleil, je longeais les murs de la ferme. Le portail était resté ouvert. Je *jetai* un regard en passant et je *vis* au fond de la cour un grand vieux tout blanc. Je m'*arrêtai*. *(d'après Alphonse Daudet)*
5. Henri IV *mourut* assassiné en 1610.

10. Dans les phrases suivantes étudier l'emploi du passé antérieur (aspect accompli d'une action ou action antérieure au passé simple).

1. Quand elle *eut tiré* les provisions du panier, Stéphanette se mit à regarder curieusement autour d'elle. *(Alphonse Daudet)*
2. Quand la nuit *fut venue*, quatre mille gros flambeaux éclairèrent l'espace où se donnaient les fêtes. *(d'après Voltaire)*
3. Dès qu'il *eut compris* ce que je désirais, il s'empressa de me satisfaire.
4. Après qu'il *eut découvert* Cuba et Haïti, Christophe Colomb revint en Espagne d'où il repartit en 1493 pour un second voyage.
5. C'est avec une certaine angoisse qu'il avait quitté sa petite école pour le grand collège ; cependant la gentillesse de ses camarades et l'intérêt que lui portaient ses professeurs *l'eurent bientôt rassuré*.

11. Dans les phrases suivantes, étudier les emplois du futur simple (fait à venir considéré comme réel – discours indirect / conjecture – valeur d'impératif).

1. Nous *passerons* le mois de juillet sur la côte normande.
2. Maintenant que l'homme a réussi à se poser sur la Lune, on peut penser qu'un jour il *ira* plus loin.
3. Tu *iras* à la teinturerie pour donner ta robe à nettoyer, ensuite tu *passeras* chez le photographe pour déposer ce film à développer, et, en revenant, pense à prendre le journal.
4. Sa colère passée, l'enfant retrouve toute sa bonne volonté : il *sera* bien sage, c'est promis !
5. Je vous *demanderai* de penser désormais à me transmettre les instructions qui nous sont envoyées.

12. Dans les phrases suivantes, étudier les emplois du futur proche (action proche dans le temps – disposition, intention proche ou lointaine dans le temps).

1. Tu ne comprends pas ton problème ? Viens, je *vais te l'expliquer*.
2. Vous *allez suivre* un cours de français ? – Oui, je *vais commencer* demain.
3. Finalement, vous le faites, ce tour du monde ? – Oui, c'est décidé : Je *vais le faire*.
4. Pierre m'a prié de te téléphoner : il est parti, il *va arriver* chez toi d'un instant à l'autre.
5. Surtout n'*allez pas croire* ce qu'il vous a dit !

13. Dans les phrases suivantes, étudier l'emploi du futur antérieur (fait à venir antérieur au futur simple – action accomplie dans le futur – probabilité).

1. L'année prochaine, mon fils *aura achevé* ses études.
2. Quand vous *aurez fini* ce roman, je vous en prêterai un autre.
3. Il est étrange qu'ils ne soient pas encore arrivés : ils *auront eu* un ennui en route.
4. Pourquoi le chien se cache-t-il sous le canapé ? Il *aura fait* quelque sottise !
5. Si je lui dis la vérité, que va-t-elle faire ? Elle se fâchera, elle criera, et puis, quand elle *aura bien crié*, elle se calmera !

14. Mettre les verbes entre parenthèses au mode et au temps qui conviennent.

1. Je vois que les clients sont satisfaits de nos produits.
   Je voyais que nos clients (être) satisfaits de nos produits.
2. Je pense que nous partirons demain.
   Je pensais que nous (partir) le lendemain.
3. Il sait que ses parents ont fait beaucoup de sacrifices pour lui.
   Il savait que ses parents (faire) beaucoup de sacrifices pour lui mais qu'à présent, ce n'était plus nécessaire.
4. Je crois que mon frère vient d'arriver.
   Je croyais que mon frère (venir) d'arriver.
5. Le présentateur a annoncé que ce récital sera retransmis en différé.
   Le présentateur avait annoncé que ce récital (être retransmis) en différé.
6. Je suis sûr qu'il va venir immédiatement.
   J'étais sûr qu'il (aller) venir immédiatement.
7. Son entraîneur estime que les épreuves ont été trop difficiles pour lui.
   Son entraîneur estimait que les épreuves (être) trop difficiles pour lui.
8. Il s'imagine qu'on peut réussir sans effort.
   Il s'était imaginé qu'on (pouvoir) réussir sans effort.
9. Mon avocat m'affirme que j'ai toutes les chances de gagner mon procès.
   Mon avocat m'a affirmé que je (avoir) toutes les chances de gagner mon procès.
10. Je suis persuadé que nous trouverons la solution de ce problème.
    J'ai toujours été persuadé que nous (trouver) la solution de ce problème.

15. Mettre les verbes entre parenthèses au mode et au temps qui conviennent.

1. Les spectateurs pensent que la pièce (se terminer) sur ce monologue.
   Les spectateurs pensaient que la pièce (se terminer) sur ce monologue.
2. Avez-vous compris ce qu'il (venir de) dire ?
   Aviez-vous compris ce qu'il (venir de) dire ?
3. Il fait toujours ce qu'il (décider) de faire.
   Il a toujours fait ce qu'il (décider) de faire.
4. Le jeune homme se rend compte qu'on lui (voler) sa voiture.
   Le jeune homme s'était rendu compte qu'on lui (voler) sa voiture.
5. Je me demande s'il (pouvoir) emprunter l'argent qui lui (être) nécessaire pour réaliser son projet.
   Je me demandais s'il (pouvoir) emprunter l'argent qui lui (être) nécessaire pour réaliser son projet.

16. Mettre le verbe de la proposition principale : à l'imparfait, au passé composé, au passé simple, au futur. (Apporter les modifications nécessaires au verbe de la proposition subordonnée.)

1. Quand j'ai une journée libre, je visite un musée.
2. A peine l'enfant aperçoit-il sa mère qu'il court vers elle.
3. Après qu'il a exposé son point de vue, il écoute et n'intervient plus.
4. A mesure que les négociations progressent, l'espoir de trouver un compromis devient une réalité.
5. Lorsque les membres de la commission ont rendu leur rapport, on peut en faire la critique.

17. Mettre les verbes entre parenthèses au mode et au temps qui conviennent.

1. Ma sœur était tellement absorbée par sa lecture qu'elle (ne pas entendre) ma question.
2. Le gardien boitait depuis qu'il (avoir) la jambe cassée par un coup de pied de cheval.
3. Hier soir, il y avait un bon film à la télévision ; nous (décider) de le regarder.

4. Quand le film (être terminé) nous sommes allés nous coucher.
5. Licencier une partie du personnel ! Je me demande comment le directeur y (parvenir) !
6. Dès que la pluie s'arrêtera, nous (aller) faire un tour.
7. Comme il se sentait seul, il (s'inscrire) à un club de sport.
8. Une fois que vous (payer) ce billet d'avion, vous ne pourrez plus changer votre date de départ.
9. Il a prétendu que ma lettre (s'égarer).
10. Quand je lui ai proposé de passer à table, il me (répondre) qu'il (ne pas avoir) faim.

18. Même exercice.

1. Je ne vois plus la voiture de Monsieur Durand, donc il (rentrer) déjà chez lui.
2. Tous les ans, dès que Noël approchait, les enfants (faire) la liste de leurs souhaits.
3. Il a réussi le concours qu'il (préparer).
4. Il a terminé le travail qu'il (entreprendre).
5. Monsieur Martin a acheté un tableau. Quelques jours avant, il le (faire) estimer.
6. Mon frère avait visité un appartement qui lui (plaire) beaucoup.
7. Quand vous aurez pris ce médicament, votre fièvre (tomber).
8. Quand ce peintre (devenir) célèbre, je revendrai les tableaux que je lui ai achetés.
9. Depuis qu'il (être) malade, tout le monde l'entoure de prévenances.
10. Dès qu'il (payer), il a regretté son achat.

*19. Mettre les verbes entre parenthèses au mode et au temps qui conviennent (langue soutenue).

1. Il travailla une fois que tout le monde (s'endormir).
2. Le public resta silencieux tout le temps que (durer) la plaidoirie.
3. Ce soir-là, leur conciliabule (se prolonger) jusqu'à minuit.
4. Il insista. Je (répéter) alors que cela m'était impossible.
5. L'hôtel était bon mais elle n'y (séjourner) qu'une nuit.
6. Après que les acteurs (quitter) la scène, le public continua longtemps à applaudir.
7. Voici une maison où (demeurer) successivement un banquier, un député et un académicien.
8. Le roi (conserver) jusqu'à sa mort la coupe que sa belle lui avait donnée.
9. A peine le cycliste (tomber) qu'il se releva.
10. On m'avait répondu qu'il ne pourrait probablement pas me recevoir. Je (décider) de l'attendre quand même.

20. Mettre le texte suivant au passé : a) langue courante, b) langue littéraire. Imaginer la suite en employant le passé simple.

Comme l'enfant s'en va droit devant lui sans regarder son chemin, il arrive bientôt à bonne distance de la ville, dans la banlieue. La gare est proche. Il tombe de fatigue. La nuit sera longue encore. Que faire ? Il cherche un coin où reprendre haleine. Il franchit la voie ferrée et s'appuie contre un mur.

Il entend soudain une voix qui lui demande ce qu'il fait là. Dans l'obscurité quelqu'un le dévisage : enfin il va pouvoir obtenir de l'aide, avouer ce qu'il a fait et pourquoi il se retrouve seul, ainsi, au milieu de la nuit. On va prévenir ses parents et ils téléphoneront au pensionnat dont il s'est enfui et qu'il regrette déjà.

La personne s'approche. A la lueur du réverbère, il peut la voir. C'est une jeune femme, elle sourit : "Alors, tu t'es sauvé de chez toi ?" Il s'essuie les yeux et il s'entend lui assurer fièrement qu'il n'a pas peur du tout, qu'il n'a jamais eu peur et que tout ça, c'est pour rire. Pourtant, comme sa voix sonne faux ! Pour la première fois depuis son escapade, il se sent vraiment misérable. Gentiment elle lui tend la main......

104 / MODES ET TEMPS

21. Mettre le texte suivant au passé : a) langue courante, b) langue littéraire.

Je viens d'entrer à l'exposition où un monde fou se presse pour contempler les œuvres que l'on présente. J'ai peur que la foule ne m'empêche d'examiner à mon aise les objets qui me plaisent. Cependant, peu à peu, les visiteurs se dispersent et finalement je regarde en toute tranquillité ce que je veux.

Cette exposition est consacrée à l'art de la Renaissance. On peut y admirer de magnifiques tapisseries que je ne connais pas encore, représentant l'histoire d'Alexandre qui a conquis une grande partie de l'Asie. On le voit par exemple alors qu'il conduit ses troupes vers l'ennemi qu'il va combattre ou quand il va visiter le sanctuaire d'un dieu égyptien.

Dans d'autres salles, on a accroché des tableaux. Les artistes français de cette époque-là peignent souvent des scènes mythologiques et des portraits. Enfin, j'arrive dans la dernière salle où l'on a exposé des bijoux qui luisent sur un fond de velours sombre.

Mais je dois me dépêcher car il se fait tard et je crains de ne pas avoir le temps de terminer la visite. De toute façon, je me promets que je reviendrai. Je pense que cela en vaut la peine.

22. Mettre les verbes entre parenthèses soit à l'indicatif soit au conditionnel, selon le sens et la syntaxe.

A. 1. Je veux être certain que cette dépense me (être) remboursée.
   Je voulais être certain que cette dépense me (être) remboursée.
2. Tout le monde pense que le maire (organiser) prochainement un référendum municipal sur cette question de l'autoroute.
   Tout le monde a pensé que le maire (organiser) prochainement un référendum municipal sur cette question de l'autoroute.
3. Vous savez bien qu'ils (faire) tout ce qu'ils pourront.
   Vous saviez bien qu'ils (faire) tout ce qu'ils pourraient.
4. Il dit qu'il ne (s'en aller) pas tant que nous ne le (payer) pas intégralement.
   Il a dit qu'il ne (s'en aller) pas tant que nous ne le (payer) pas intégralement.
5. Je vous annonce que lundi nous (réexaminer) ensemble au bureau les dossiers que nous (étudier) à tête reposée pendant le week-end.
   Il a annoncé que lundi nous (réexaminer) ensemble au bureau les dossiers que nous (étudier) à tête reposée pendant le week-end.

B. 1. Je lui ai prêté un peu d'argent parce qu'on (venir) de lui voler toute sa pension à la sortie de la poste.
   Attendons son retour pour nous décider parce qu'autrement cela (pouvoir) le vexer.
2. Il a très bien réussi, d'accord, mais lui, il préparait ses examens alors que ses camarades (préférer) jouer au football.
   Moi, je resterais à travailler alors que tu (aller) au théâtre ? Et puis quoi encore ?
3. Elle est inquiète au point qu'elle me (téléphoner) trois fois par jour pour avoir de vos nouvelles.
   Ne la laissez pas sans nouvelles, votre silence l'inquiéterait au point qu'elle me (téléphoner) à moi, trois fois par jour !
4. Ne vous en faites pas ! Nous prendrons bien soin de votre chat pendant que vous (être) absente.
   Il m'est impossible de laisser les enfants seuls pour aller faire des courses : pendant que je ne (être) pas là, je suis sûre qu'ils feraient des sottises.
5. C'est effrayant, on (dire) que j'oublie à mesure que j'(apprendre).
   Pour le plan final, à mesure que le cavalier (s'éloigner), la caméra reculerait pour revenir sur le porche de la maison, puis à l'intérieur, et enfin derrière la fenêtre du salon d'où on le (voir) une dernière fois. Alors, qu'en pensez-vous ?

*23. Mettre les verbes entre parenthèses au mode et au temps qui conviennent.

1. L'ingénieur a dit que le tunnel (être achevé) en juin ; nous sommes en novembre et rien n'est terminé.
   En janvier de cette année, l'ingénieur en chef nous a dit que l'ouvrage (être terminé) avant la fin de l'année prochaine.
2. En 1786, Fontenelle estimait que l'homme (aller) un jour jusqu'à la lune.
   Vaugelas, grammairien français du XVIIᵉ siècle, estimait que la plupart des gens (continuer) à parler mal, quoi qu'on fasse.
3. Le conseil des ministres a décidé hier qu'une nouvelle chaîne de télévision (avoir) l'autorisation d'émettre à partir du premier septembre prochain.
   Le maire lui avait promis que si elle léguait à la commune ses terrains du bord de la mer, ils (rester) sauvages.
4. On m'a répondu que l'antenne (pouvoir) être réparée dès demain.
   On m'a répondu que l'antenne (pouvoir) être réparée dès qu'on aurait reçu les pièces manquantes.
5. J'ai lu dans le journal que le musée (rester) ouvert pendant les travaux.
   J'avais lu dans le journal que le musée (rester) ouvert pendant les travaux.

*24. Mettre les verbes entre parenthèses soit à l'indicatif soit au subjonctif selon le sens et la syntaxe.

A. 1. L'âge venant, il est probable que vous (changer) d'avis sur ce point.
   L'âge venant, il est possible que vous (changer) d'avis sur ce point.
2. Il est passé sans me saluer. J'imagine qu'il (ne pas me reconnaître).
   Nous ne nous sommes pas revus depuis huit ans : imaginez que nous (ne pas se reconnaître) !
3. Nous n'ignorons pas que la majeure partie de cet héritage vous (revenir).
   Que la majeure partie de cet héritage vous (revenir), nous ne l'ignorons pas.
4. Je cherche quelque chose qui (se trouver) encore dans ce tiroir hier matin et que je n'y vois plus.
   Je voudrais faire un joli cadeau. Je cherche quelque chose qui (sortir) vraiment de l'ordinaire.
5. Y a-t-il ici quelqu'un qui (s'y connaître) en botanique ?
   Au collège, il y a sûrement quelqu'un qui (s'y connaître) en botanique.
6. Regarde ! Je crois que j'ai trouvé un chapeau qui (aller) très bien avec mon ensemble beige.
   Aide-moi, je ne trouve aucun chapeau qui (aller) avec cet ensemble.
7. Il n'y a personne ici qui (savoir) où ils sont allés.
   L'auteur a recueilli les souvenirs de quelqu'un qui, dans son enfance, (rencontrer) Rimbaud en Ethiopie.
8. Condorcet est l'un des premiers philosophes qui (réclamer) l'égalité des droits pour les femmes.
   C'est la première fois qu'elle (venir) ici. Faites-lui tout visiter.
9. À ma connaissance, "créée" est le seul mot français où il y (avoir) trois fois de suite la même voyelle.
   La seule montre qui (être) dans ses prix ne lui plaisait pas.
10. C'est l'histoire d'une petite orpheline qui (être) très malheureuse.
    Pour faire un bon mélodrame, il faut un méchant qui (être) bien haïssable.

B. 1. À la belle saison, après qu'il (déjeuner), il allait toujours fumer son cigare sur la terrasse.
   Avant que je ne (répondre), il faudra que vous me promettiez de m'écouter jusqu'au bout sans m'interrompre.
2. Jusqu'à ce que je (lire) Elie Faure, je croyais ne pas aimer les écrits sur l'art.
   Depuis que je (lire) ses œuvres, je comprends mieux l'histoire de l'art.
3. Les acteurs sont entraînés à parler très distinctement, si bien que nous les (comprendre) sans difficulté.
   Parlez un peu moins vite, s'il vous plaît, afin que nous (comprendre) tout ce que vous dites.

4. Il a été condamné parce qu'il (commettre) un crime.
   Il a été condamné, non qu'il (commettre) un crime mais parce qu'il était sans défense et qu'on avait besoin de trouver un coupable.
5. Tout racé que (être) ce cheval, il manque trop d'entraînement pour gagner la course.
   Toute célèbre que (être) une actrice un jour, on l'aura peut-être oubliée le lendemain : rien ne dure dans ce métier !
6. C'était une nuit de pleine lune, de sorte qu'on (voir) très bien le chemin.
   Allumons un feu sur le haut de la colline, de sorte qu'il (se voir) de loin.
7. Contrairement à la plupart des gens, nous ne pensons pas qu'il (falloir) négocier.
   La plupart des gens pensent qu'il (falloir) négocier.
8. Aujourd'hui, je crois que je (avoir envie) de ne rien faire !
   Crois-tu qu'on (avoir envie) de s'enfermer quand il fait si beau dehors ?
9. Je souhaite que nous (avoir l'occasion) de nous revoir bientôt.
   Au revoir ! J'espère que nous (se revoir) un de ces jours !
10. Quand tout va mal, on doit se dire que les beaux jours (revenir).
    Dites-lui qu'il nous (revenir) bien vite !

25. Adapter logiquement les phrases suivantes de façon à produire des impératifs avec les verbes en italique.

A. 1. Tu *arrives* à l'heure !
   2. Vous *achevez* ce que vous êtes en train de faire.
   3. Tu *passes* nous voir un de ces jours ?
   4. Tu *es* fort ! Tu *as* du courage !
   5. Vous *savez* que je ne suis pas du tout d'accord.

B. 1. Je suis fatigué ! Tu les *reçois* à ma place ?
   2. Tu *te réveilles* ; nous sommes arrivés.
   3. Maintenant, tu ne *traînasses* pas, tu *te dépêches* !
   4. Il faut m'écouter. Vous ne *vous levez* pas. Vous *restez* assis.
   5. Il y a sûrement du lilas chez le fleuriste. Tu y *vas* et tu en *achètes*.

C. 1. Tu *sortiras* d'ici !
   2. Tu *t'amuseras* mais tu ne *feras* pas de bêtises.
   3. Tu ne *te dérangeras* pas pour si peu. Ce serait bien inutile.
   4. Nous *nous arrêterons* un moment et nous *nous dégourdirons* les jambes.
   5. Vous ne *vous retournerez* pas tout de suite mais dans un moment *vous regarderez* : quelqu'un nous suit.

D. 1. Vous pouvez sortir mais il faut que vous *soyez* de retour avant le dîner.
   2. Avant de les rencontrer, vous devez *avoir parlé* de l'affaire avec votre avocat.
   3. Le client part à dix heures. Il faut que vous *ayez préparé* sa note pour cette heure-là.
   4. Quand je viendrai vous chercher, faites en sorte d'*avoir terminé* vos préparatifs.
   5. Avant le début de la réunion, il nous faut *avoir défini* une position et *choisi* un porte-parole.

26. Transformer les phrases suivantes de façon à produire des subjonctifs à valeur d'impératifs.

1. Si elle veut me voir, il vaudrait mieux qu'elle *vienne* demain matin.
2. Il faut qu'il *prenne* une décision. Le temps presse.
3. Pas question d'aller jouer pour le moment : il *finira* son travail d'abord.
4. Je me calmerai mais je veux qu'il *s'en aille*.
5. Il se trouve trop gros ? Il n'a qu'à moins *manger, faire* un peu d'exercice.

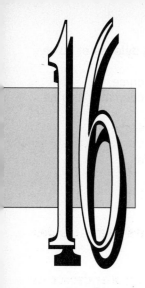

LA COORDINATION

Emploi de *et* .... 1 à 3

Emploi des conjonctions, adverbes
et locutions adverbiales .... 4 à 6

1. Indiquer la nature et la fonction des éléments reliés par la conjonction de coordination ET.

1. Louis *et* Julien viennent dîner ce soir.
2. J'ai invité Louis *et* Julien.
3. La nuit, les rues étaient sombres *et* désertes.
4. Sept heures ! Je me lève *et* je fais ma toilette.
5. Il m'avait promis qu'il viendrait *et* qu'il resterait quelques jours.

2. Imiter l'emploi de la conjonction ET dans les phrases suivantes :

1. Ils ont une maison confortable *et* avec vue sur mer.
2. Un peu de goût, quelques heures de travail, *et* voilà une robe ravissante.
3. Pour chaque voisine venue aux nouvelles, elle recommençait le récit de l'accident. *Et* elle tournait, désemparée, dans la cuisine, prenant et reposant des objets, ne sachant plus ce qu'elle faisait.
4. Voilà votre sandwich, Monsieur, *et* bien garni !
5. Il est entré dans le salon *et* il s'est assis dans un fauteuil.

3. Remplacer ET par MAIS – PUIS – ALORS QUE – DE SORTE QUE – APRÈS QUOI.

1. Voilà plusieurs mois qu'il a fini ses études *et* maintenant il cherche du travail.
2. Voilà plusieurs mois qu'il cherche du travail, *et* il n'en trouve toujours pas.
3. Il a fait ses valises *et* il est parti.
4. Il a fait ses valises, *et* il est parti sans dire un mot.
5. Ses œuvres sont maintenant célèbres. *Et dire qu'*il a vécu dans la misère !

4. Compléter les phrases en employant les mots de liaison indiqués (conjonctions de coordination – adverbes ou locutions adverbiales employés comme conjonctions).

A. ET - NI - PUIS - ENFIN - MÊME.
1. Il m'a donné tous les renseignements qu'il a pu ...... il m'a encouragé à continuer mes recherches.
2. Elle a eu tort d'agir ainsi ; tout le monde la désapprouve ; ...... ses meilleurs amis.
3. À cette époque, il avait déjà sa voiture ...... sa maison.

4. À cette époque, il n'avait pas encore sa voiture ...... sa maison.

5. J'ai fait toutes les courses : je suis allé à la boulangerie, à la boucherie, à l'épicerie et ...... chez le fruitier.

B. OU - OU PEUT-ÊTRE - OU AU CONTRAIRE - OU BIEN - OU ALORS.

1. Préférez-vous une glace au café ...... au chocolat ?

2. Il a des réactions inattendues : il peut être très aimable ...... absolument détestable.

3. Pour la dernière fois, je vous demande de respecter le règlement ...... je vais être obligé de prendre des sanctions.

4. Je ne sais pas où j'irai cet été : sur la Côte d'Azur ...... dans les Alpes.

5. Il va bien falloir prendre une décision : ...... la mer, ... la montagne, mais pas les deux !

C. NI ...... NI - TANTÔT ...... TANTÔT - SOIT ...... SOIT - OU ENCORE - ENSUITE.

1. Il ne venait jamais la voir sans lui apporter un petit cadeau : un livre ou des fleurs, ... des confiseries dont elle était gourmande.

2. Ce jour-là, il ne lui apporta ...... fleurs ...... bonbons, ce qui la surprit.

3. Nous avons dîné dans un petit restaurant du Quartier Latin, ... nous sommes allés danser, et nous avons passé une bonne soirée !

4. Elle est ...... aimable ...... agressive sans que l'on sache pourquoi.

5. ...... mauvaise volonté, ... étourderie, elle oublie toujours de faire ce qu'on lui demande.

5. *Même exercice en mettant la ponctuation qui convient.*

1. *et*
   Pense à acheter des fruits ...... du pain.
   Pense à acheter des fruits ...... du pain ...... le journal.
2. *ou*
   Veux-tu une pomme ...... une poire ?
   Veux-tu une pomme ...... une poire ...... une orange ?
3. *ni*
   Il ne prend ...... vin ...... café.
   Il ne prend ...... vin ...... café ...... alcool.
4. *soit*
   Nous buvions ...... du vin ...... du cidre.
   Nous buvions ...... du vin ...... du cidre ...... de la bière.
5. *tantôt*
   Nous allions ...... au restaurant ...... au théâtre.
   Nous allions ...... au restaurant ...... au théâtre ...... au cinéma.

6. *Compléter les phrases en employant les formes données :*

A. MAIS - CEPENDANT - POURTANT - TOUTEFOIS - AU CONTRAIRE.

1. Vous ne comprenez pas ? ...... ce n'est pas difficile !

2. Je suis d'accord sur les termes du bail, ... je voudrais une dernière précision sur la répartition des charges.

3. Elle ne cherche pas à se faire remarquer, ..., elle est très discrète.

4. Ce n'est pas un chef-d'œuvre, ... c'est un roman agréable à lire.

5. Il y a sûrement des avantages à habiter au dernier étage d'un immeuble, ... il y a aussi des inconvénients, en particulier quand l'ascenseur est en panne !

B. CAR (2 fois) - EN EFFET - EFFECTIVEMENT - EN FAIT.

1. On avait promis de respecter certaines zones vertes ; ...... elles ont été déclassées et on a bétonné là comme ailleurs !

2. Elle commençait à s'inquiéter ...... elle ne recevait pas de nouvelles de ses enfants.

3. Il a donné sa démission : ...... ce travail ne lui convenait pas.

4. Il m'a téléphoné pour déplacer notre rendez-vous ...... il devait partir d'urgence pour Strasbourg.

5. Je craignais qu'il n'ait commis cette erreur, et ......, il l'avait commise.

C. DONC - PAR CONSÉQUENT - ALORS - AINSI - C'EST POURQUOI.

1. Votre fils n'a pas travaillé sérieusement cette année, ... nous nous voyons obligés de lui faire redoubler sa classe.

2. Vous avez tous réussi ? ...... vous êtes contents !

3. Il fallait préparer notre départ, faire les derniers achats, retenir les places, penser à tout, ... pendant plusieurs jours, je n'ai pas eu une minute à moi !

4. J'ai fait exactement tout ce que tu voulais et comme tu voulais, ... tu n'as plus aucune raison de te plaindre !

5. Vous ne pouvez pas partir ? ...... il faut vite annuler vos réservations, il en est encore temps !

D. OR - D'AILLEURS - PAR AILLEURS - DE PLUS - DU RESTE.

1. J'aime la franchise ...... Robert était franc et parlait net ; nous sommes vite devenus amis.

2. Non, je n'ai pas envie de sortir ce soir : je suis fatiguée, et ...... il fait un temps affreux. Nous serons mieux à la maison.

3. Mais pourquoi perdez-vous votre temps à faire cette recherche ?
   Nous n'en avons pas besoin ! ...... personne ne vous a jamais demandé de la faire !

4. Il avait passé brillamment ses examens. ......, c'était un fort bel homme. Il fit un riche mariage.

5. Ce voyage serait très coûteux, ... la région n'est pas sûre en ce moment : allons ailleurs !

*E. DÉSORMAIS - DORÉNAVANT - DE PLUS - BREF - TOUT COMPTE FAIT.

1. Cette comédie n'est pas drôle, ... les acteurs la jouent sans conviction, ce qui a pour résultat un spectacle bien médiocre.

2. J'ai longuement réfléchi à leurs propositions ; ......, je crois que je vais accepter.

3. Notez bien que ...... les réunions se tiendront le lundi au lieu du vendredi, dans la même salle et à la même heure.

4. Je me suis perdu dans le métro, je me suis trompé d'adresse, j'ai erré deux heures dans les rues, ..., quand je suis arrivé, tout le monde était parti !

5. Je n'arrive pas à joindre les deux bouts ! ...... je vais faire mes comptes toutes les semaines.

*F. EN REVANCHE - PAR CONTRE - DU MOINS - AU MOINS - SINON.

1. Bien des chercheurs d'or n'ont trouvé que la misère et la mort ; mais ......, lui, il a fait fortune.

2. On ne peut pas dire qu'elle soit vraiment belle ; ...... elle a un charme indéfinissable, qui vaut bien mieux.

3. Il ne désire plus rien ...... que sa solitude soit respectée.

4. Il ne fait que des sottises. Si ...... il voulait m'écouter ! Mais non ! Il n'en fait qu'à sa tête !

5. Il paraît qu'elle parle six langues ? - Oui, c'est ...... ce qu'elle prétend, mais je ne l'ai jamais entendue les parler !

*G. SEULEMENT - NON SEULEMENT ...... MAIS - NÉANMOINS - QUOIQUE - ET ENCORE.

1. J'envisage de rester ici pour le semestre prochain, ... je n'ai pas encore pris ma décision.

2. Ce tableau n'est qu'une médiocre copie. Vous n'en tirerez guère que quelques centaines de francs, ... si vous trouvez un acquéreur !

3. Oui, j'aimerais bien retourner à Saint-Tropez, ..., au fond, ce n'est pas la plage que je préfère.

4. Cette maison, c'est mon rêve ! ...... elle est au-dessus de mes moyens !

5. Les cambrioleurs ont agi avec une rapidité diabolique : ...... ils ont réussi à forcer la porte, ... en un rien de temps l'appartement a été mis au pillage !

*H. C'EST-À-DIRE - POUR AINSI DIRE - AUTREMENT DIT - DISONS QUE - DISONS.

1. Désormais il est des nôtres ; son vote nous est ...... acquis.

2. Je ne suis pas tellement ravi d'avoir à le faire ; ...... je m'en passerais volontiers.

3. Je serai libre le 8 et le 9, ... dans une semaine.

4. Tu ne viens plus aux réunions, tu ne réponds pas aux lettres, ... tu ne veux plus être des nôtres !

5. Affirmer qu'il est nul, ce serait méchant, il est, ..., très inexpérimenté.

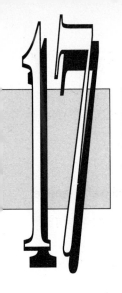

LA PROPOSITION SUBORDONNÉE COMPLÉTIVE

Proposition subordonnée complétive objet ...... 1 à 5

Il est + adjectif / verbes impersonnels .... 6 à 12

Exercices de substitution .... 13 à 18

Verbes suivis de l'indicatif ou du subjonctif 19

Constructions interrogative
et interro-négative .... 20 à 22

Proposition complétive inversée .... 23 à 26

Constructions diverses et synthèse .... 27 à 31

1. Combiner les éléments fournis de manière à créer une phrase comprenant une proposition subordonnée complétive.

A. *Proposition subordonnée conjonctive objet.*
   1. Je suis malade / je le sens.
   2. Ils n'ont pas toujours été riches / tu le sais bien !
   3. A-t-il choisi la bonne méthode ? / j'en doute.
   4. Expliquez-nous cette règle / il le faudrait.
   5. Viens passer les vacances avec moi / je le voudrais bien.

B. *Groupe infinitif.*
   1. Je suis prêt / je le crois.
   2. Il a fait tout ce qu'il pouvait / il le pense.
   3. Nous nous sommes fait comprendre / nous l'espérons.
   4. Dans le train, je voyage dans le sens de la marche / j'y tiens.
   5. Au restaurant, il ne fume pas / il s'en abstient.

C. *Proposition subordonnée infinitive.*
   1. Le réveil a sonné / je ne l'ai pas entendu.
   2. Les acteurs déclament ce beau texte / nous les écoutons avec admiration.
   3. La paix règnera un jour sur le monde / le verrons-nous ?
   4. Les skieurs filaient sur la neige / du balcon de son hôtel, il les regardait.
   5. L'impatience me gagnait / je le sentais.

2. Mettre le verbe entre parenthèses au mode et au temps qui conviennent.

A. 1. On dit que la nuit, tous les chats (être) gris.
   2. On considère généralement que les jeunes enfants (ne pas avoir) assez de loisirs.
   3. Regarde bien ! Je parie qu'il (aller) lui baiser la main !
   4. Espérons que les salaires (suivre) la hausse du coût de la vie.
   5. Avoue-lui simplement la vérité ; je suis sûre qu'il te (pardonner).

B. 1. On vient d'annoncer que le président (mourir).
2. Nous pensions que tout (ne pas être fait) pour retrouver le navigateur perdu.
3. Elle a reconnu qu'elle (se tromper) dans ses calculs.
4. A mon réveil, je constatai que la brume (envahir) la campagne.
5. Nous l'avions prévenu que nous lui (rendre) visite.

C. 1. S'il quitte le pays, tout le monde pensera qu'il (craindre) la justice.
2. Si quelqu'un te demande ce que tu fais là, tu prétendras que tu (attendre) un ami.
3. On dirait que cette nouvelle ne vous (surprendre) pas.
4. Si je changeais encore d'avis maintenant, on dirait que je (être) une girouette.
5. Au cas où vous n'auriez pas compris que vous (être surveillé), regardez un peu par la fenêtre.

D. 1. Je crois qu'il (être) temps de changer l'eau des fleurs.
2. J'estime que nous (devoir) nous montrer patients.
3. Nous étions pourtant convenus que nous (n'en parler) plus jamais.
4. Personne n'avait prévu que les choses (tourner) aussi mal.
5. Si vous aviez insisté, je pense qu'elle se (mettre) en colère.

E. 1. Je pense que tout (se passer) réellement comme il le dit.
2. On s'apercevra vite que les documents (être falsifié).
3. Il me semblait que je (lire) déjà cette phrase quelque part.
4. J'espère pour toi que tu (finir) de bouder quand ton père rentrera.
5. Le peintre m'a garanti qu'il (terminer) les travaux vendredi prochain.

3. Mettre le verbe entre parenthèses au mode et au temps qui conviennent.

A. 1. Offrez-lui ce disque si vous voulez, mais je doute que cette musique lui (plaire).
2. Je souhaite que vous lui (remettre) le dossier en mains propres.
3. Il exige que nous lui (obéir) aveuglément ; or nous aimerions tout de même savoir où nous allons.
4. Elle propose que vous (modifier) un peu la préface.
5. On redoute que ces mesures tardives (ne pas parvenir) à calmer les esprits.

B. 1. Nous sommes désolés que vous (ne pas venir) dimanche dernier.
2. Je trouve agaçant qu'elle nous (promettre) vingt fois de venir sans jamais l'avoir fait.
3. C'est vous qui aviez tort ! Réjouissez-vous qu'il (partir) sans porter plainte.
4. Supposons que tout le monde (répondre) à notre invitation : nous aurions été plus de cent.
5. C'est une chance que je (rater) ce train : j'ai échappé à l'accident.

C. 1. Je ne pense pas que vous (se nourrir) de manière équilibrée.
2. Je voudrais que tu (se tenir) tranquille cinq minutes ; en es-tu capable ?
3. Ne vous fiez pas trop à ses promesses : je crains qu'elle ne (se dédire).
4. Admettons qu'il (se tromper) quand il nous a donné ce conseil. Est-ce une raison pour lui en vouloir ?
5. Je suis touché que vous (s'occuper) de mon jardin pendant que je n'étais pas en état de le faire.

D. 1. Nous allons demander que cet arbre mort (être abattu).
2. Nous sommes désolés que ces arbres qui étaient si beaux (être abattu) en notre absence.
3. Imaginez que ce dossier (être communiqué) à un journaliste : cela ferait un beau scandale !
4. Imaginez que ce dossier (être communiqué) à un journaliste : cela aurait fait un beau scandale !
5. Ce peintre déplore que ses toiles (être exposé) dans un endroit mal éclairé.

E. 1. Je souhaiterais qu'il m'(écrire) souvent.
2. Nous aimerions que tu (entreprendre) ces démarches dès demain.
3. Il voudrait que vous lui (présenter) votre projet le plus tôt possible.

4. Après un tel échec, on comprendrait mal qu'il (se réjouir).
5. Je serais heureux non seulement que tu (venir) à mon mariage, mais que tu (vouloir) bien être mon témoin.

F. 1. Il avait peur que son voisin ne lui (faire) un procès.
2. Elle a été très touchée que tu lui (faire) envoyer des fleurs pour son anniversaire.
3. Le directeur désirait que tous les employés (revenir) de vacances pour le quinze septembre.
4. Le propriétaire avait exigé que le gérant lui (rendre) des comptes.
5. Je voulais qu'on (repeindre) seulement l'entrée, mais je craignais qu'ensuite les autres pièces ne (paraître) bien ternes.

G. 1. Je n'aime pas qu'on me (prendre) pour un imbécile !
2. Je ne comprends pas que le gendarme (refuser) de nous accompagner.
3. Il habite loin du bureau : je ne pense pas qu'il (pouvoir) être chez lui avant huit heures.
4. Attendez encore pour lui téléphoner : je ne pense pas qu'il (arriver) déjà chez lui.
5. Sans accusé de réception, rien ne prouve que la lettre lui (être) remise.

H. 1. Pensez-vous que les gens (être) aujourd'hui plus heureux qu'il y a cent ans ?
2. Jugez-vous bon qu'une telle information (être diffusé) ?
3. Croyez-vous vraiment que nous (ne pas prévoir) ce qui a fini par arriver ?
4. Estimez-vous qu'ils (accomplir) tout ce qu'ils s'étaient proposé de faire ?
5. La première est dans trois jours ; trouvez-vous que nos acteurs (répéter) suffisamment leurs rôles ?

I. 1. Croyez-vous qu'il (répondre) ?
Est-ce que vous croyez qu'il (répondre) ?
2. Trouvez-vous qu'un livre (convenir) comme cadeau pour lui ?
Est-ce que vous trouvez qu'un livre (convenir) comme cadeau pour lui ?
3. Estimez-vous qu'il (remplir) son contrat ?
Est-ce que vous estimez qu'il (remplir) son contrat ?
4. Pensez-vous que cette somme (suffire) ?
Ne pensez-vous pas que cette somme (suffire) ?
5. Crois-tu qu'il (pleuvoir) cet après-midi ?
Ne crois-tu pas qu'il (pleuvoir) cet après-midi ?

*4. Transposer les phrases suivantes en langue courante.

1. Je doutais que cette proposition *pût* lui plaire.
2. Nous aurions aimé qu'il nous *écrivît* un peu plus souvent.
3. Etait-il normal qu'avec ses revenus il *fît* de pareilles dépenses ?
4. Pendant quelques jours on *craignit* que son état ne *s'aggravât*.
5. Le promeneur *trouva* étrange que cet enfant *voulût* absolument l'accompagner.

*5. Mettre les verbes au mode et au temps qui conviennent : a) en langue courante, b) en langue soutenue.

1. Les habitants de l'île ignoraient que le cyclone (être) déjà si proche.
2. Je n'imaginais pas qu'elle (commettre) une telle sottise.
3. Avec ses fréquentations, on pouvait craindre qu'il ne (devenir) un véritable voyou.
4. En de telles circonstances, nous aurions souhaité qu'il (prendre) ses responsabilités.
5. Nous attendions que l'avion (disparaître) complètement à l'horizon.

6. Mettre les verbes entre parenthèses au mode et au temps qui conviennent.

1. Il est évident que ce problème (être) insoluble.
2. Il est évident qu'ils (finir) par se marier.
3. Il est très probable que ce roman (rencontrer) un grand succès auprès du public.
4. Il est prévisible que le temps (ne pas s'améliorer) avant quelques jours.
5. Il est certain que la situation (ne pas s'améliorer) depuis le début de l'année.

7. Dans les phrases de l'exercice précédent, mettre l'expression impersonnelle à l'imparfait et modifier en conséquence le verbe subordonné.

8. Mettre les verbes entre parenthèses au mode et au temps qui conviennent.

1. Comme elle avait de la ténacité, il était vraisemblable que cet échec (ne pas suffire) à la décourager.
2. Cette petite ville se dépeuple. Il est probable que l'implantation d'une ou deux usines (retenir) les habitants ; il n'est peut-être pas trop tard.
3. Cette petite ville s'est dépeuplée. Il est probable que l'implantation d'une ou deux usines (retenir) les habitants. Mais rien n'a été fait.
4. Il est certain qu'une diminution des impôts (satisfaire) tout le monde, mais on n'en prend pas le chemin !
5. Il est certain qu'une diminution des impôts (satisfaire) tout le monde, mais le gouvernement n'a pas eu le courage de limiter les dépenses.

9. Même exercice.

A. 1. Il est très possible qu'elle (garder) les clés sur elle.
   2. Il est encore possible qu'elle nous (rejoindre).
   3. Il n'est plus possible qu'elle nous (rejoindre).
   4. Il est impossible qu'elle vous (recevoir).
   5. Il n'est pas impossible qu'elle vous (recevoir) demain.

B. 1. Il est nécessaire que le Premier ministre (obtenir) la confiance de l'Assemblée.
   2. Il leur paraît normal qu'on leur (fournir) toutes les informations dont ils ont besoin.
   3. Il n'est pas urgent qu'elle me (rendre) la somme que je lui ai prêtée.
   4. Il est inadmissible qu'elle me (répondre) sur ce ton.
   5. A en juger par le désordre extrême dans lequel se trouve l'appartement, il est à craindre qu'un malheur ne (arriver).

10. Dans l'exercice précédent, mettre l'expression impersonnelle à l'imparfait et modifier en conséquence le verbe subordonné : 1) en langue courante, 2) en langue soutenue.

11. Mettre les verbes entre parenthèses au mode et au temps qui conviennent.

1. Il serait bon que vous (faire) un peu d'exercice.
2. Il faudrait que tu (recoudre) cet ourlet.
3. Il serait intolérable que l'on (poursuivre) des expériences qui mettent en danger la région tout entière.
4. Il aurait été miraculeux qu'elle (reconnaître) ses torts.
5. Il aurait été dommage que l'on (interrompre) les travaux alors qu'ils étaient déjà tellement avancés.

12. Même exercice.

1. Il est regrettable que votre article (ne pas être déposé) avant midi.
2. Il faut que tous les spectateurs de la première séance (évacuer) la salle pour qu'on ouvre les portes aux nouveaux spectateurs.
3. Tout le monde s'amusait beaucoup et il est douteux qu'au milieu de cette cohue notre départ (être remarqué).
4. Est-il vraisemblable que pendant trois ans elle (ignorer) tout ?
5. Est-il vrai qu'elle (divorcer) cinq fois ?

13. Remplacer le groupe nominal en italique par une proposition subordonnée complétive.

1. Elle accepte mal *le départ de son fils*.
2. Tout à l'heure, la télévision annonçait *le retour du froid*.
3. En février 1794, la Convention décréta *l'abolition de l'esclavage*.
4. Je souhaite *le succès de votre expérience*.
5. L'huissier a constaté *l'occupation illégale des bâtiments*.

14. Remplacer la subordonnée complétive en italique par un groupe nominal.

1. À la suite de cette campagne publicitaire, le gérant espère *que les ventes s'amélioreront nettement*.
2. On pouvait prévoir *que les pourparlers allaient échouer*.
3. Il nous reste à convaincre les actionnaires *qu'il est absolument nécessaire d'investir*.
4. Il faut déplorer *qu'on utilise de pareilles méthodes !*
5. Le conservateur du musée ne croit pas *que les objets volés seront restitués*.

15. Remplacer la construction à l'infinitif par une proposition subordonnée complétive ayant un sujet différent de celui de la proposition principale.

On est heureux de voir le printemps revenir.
→ *On est heureux que le printemps revienne.*

1. Jean-Pierre aimerait *faire connaître sa région à tous ses amis*.
2. Nous étions étonnés *d'avoir pris un tel retard dans notre travail*.
3. Elle craint *de ne pas se voir accorder la promotion qu'elle mérite*.
4. Ce jeune homme est fier *d'avoir été engagé tout de suite dans une grande entreprise*.
5. Ils refusent *de nous laisser consulter leurs archives*.

16. Remplacer le groupe infinitif par une proposition subordonnée complétive.

1. Le chef de l'expédition pensait *atteindre le pôle* avant le printemps.
2. Si tu crois *pouvoir m'influencer*, tu te trompes.
3. Dès qu'ils ont décroché un diplôme, certains s'imaginent *tout savoir*.
4. Le candidat a déclaré *résider dans la ville depuis plus de deux ans*.
5. Connaissez-vous quelqu'un qui refuserait *d'être augmenté ?*

17. Remplacer la proposition subordonnée complétive par un infinitif passif.

1. Il a demandé *qu'on le conduise d'urgence à l'hôpital*.
2. L'acteur était ému *que le public l'applaudisse aussi longuement*.

3. Je crains *qu'on ne m'ait mal comprise*.
4. Ce pauvre petit aurait bien besoin *qu'on le console*.
5. Un romancier souhaite *qu'on le traduise dans toutes les langues*.

18. Transformer l'infinitif passif en subordonnée complétive en faisant les modifications nécessaires.

1. Chacun désire *être traité* avec politesse.
2. Personne n'aime *être réveillé* en pleine nuit.
3. Une petite entreprise risque souvent d'*être absorbée* par un concurrent trop puissant.
4. Je ferai tout pour éviter à mon entreprise d'*être rachetée* par cette grande société.
5. Prenez garde, dans ces hautes herbes, *de ne pas être mordu* par un serpent.

19. Mettre le verbe entre parenthèses au mode et au temps qui conviennent.

A. 1. Elle m'a répondu que son mari (ne pas rentrer) avant huit heures.
J'ai besoin de le voir : répondez-lui qu'il (se mettre) en route immédiatement.
2. Je lui ai écrit que nous (arriver) dès que possible.
Je lui écris qu'elle (s'inscrire) dès que possible.
3. Le guide prétend que nous (ne pas parvenir) à destination avant demain soir.
Il était hors de lui, il prétendait que nous (exécuter) ses ordres sans tarder.
4. Le président leur a fait dire que la réunion (se tenir) le soir même.
Le président leur a fait dire qu'ils (venir) le soir même.
5. En prêtant l'oreille, vous entendrez que le moteur (faire) de temps à autre un bruit anormal.
Quand on a payé le prix convenu, on entend que le travail (être fait) comme convenu.

B. 1. Il est tard : allez dire à Juliette qu'elle (éteindre).
Dites à cette dame que nous (essayer) de lui donner satisfaction.
2. Ecris-lui que nous (ne pas trouver) le renseignement qu'il nous a demandé.
Ecrivez-lui qu'il (revenir) dès que possible.
3. Je suis d'avis que nous (partir) le plus vite possible.
Je suis d'avis que vous (commettre) une grave erreur.
4. Prévenez-le qu'il (prendre) bien garde ! C'est le dernier avertissement.
Vous étiez prévenu qu'aucun spectateur ne (être admis) dans la salle après le lever du rideau.
5. Quelqu'un a crié qu'il (apercevoir) les coureurs.
Quelqu'un a crié qu'on (sortir) immédiatement.

C. 1. J'avais compris qu'il (être) naïf, mais à ce point ! ......
Je comprends qu'on (vouloir) se débarrasser de ce qui encombre, mais on ne peut quand même pas tout jeter !
2. Quand je donne un ordre, je prétends que vous m'(obéir).
Il prétend qu'il (connaître) le ministre, mais ce n'est pas vrai.
3. J'entends que nos adversaires (savoir) bien que nous sommes prêts à les affronter.
Vous avez beau parler bas, j'entends tout ce que vous (dire).
4. Réponds-lui que nous (arriver) le douze et qu'il nous (retenir) deux chambres pour dix jours.
5. Il a bien répété qu'il (craindre) d'être en retard et que nous (commencer) sans lui.

D. 1. Prévenez-le que je (être) au bureau jusqu'à sept heures et qu'il (venir) sans plus tarder.
2. Il lui murmura qu'il (se sentir) très mal et qu'elle (prévenir) le médecin.
3. Il cria que je (prendre) patience et que les secours n'(aller) pas tarder.
4. Avertissez-le qu'il (se rendre) directement sur le chantier et que je l'y (retrouver).
5. Dites-leur qu'ils ne m'(attendre) pas pour dîner et que je les (rejoindre) au dessert.

20. Mettre les verbes entre parenthèses au mode et au temps qui conviennent.

1. Ils nous garantissent que ce tissu (être) lavable.
2. Tu crois qu'il (tenir) à rester ici ?
3. Il est probable qu'elle (atteindre) son but un jour ou l'autre.
4. Elle espère encore que sa fille la (rejoindre).
5. Il affirme que son coffre (être ouvert) pendant son absence.

21. Même exercice. Plusieurs réponses sont possibles.

1. Les policiers sont certains que le suspect leur (mentir).
2. Il croit qu'une seule bouteille de champagne (suffire).
3. La plupart des gens s'imaginent que la prospérité (pouvoir) durer toujours.
4. Les experts estiment qu'il (falloir) généraliser l'usage de l'essence sans plomb.
5. En somme, vous pensez que nous (devoir) patienter ?

22. Dans les exercices 20 et 21, mettre le verbe principal :

– à la forme interrogative avec "est-ce que",
– à la forme interrogative avec inversion du pronom sujet,
– à la forme négative.

*23. Transformer les phrases suivantes selon l'exemple donné.

Que tu *sois* mécontent, je *le* regrette.
➡ *Je regrette que tu sois mécontent.*

1. Que tu veuilles t'amuser, je le comprends.
2. Que tu te sois bien amusé, j'en suis ravi.
3. Que vous preniez conscience de vos lacunes, c'est urgent.
4. Qu'il s'en aille, c'est tout ce que je veux.
5. Que vous sachiez tous ce que vous avez à faire, voilà l'important.

*24. Même exercice (avec changement de mode).

1. Qu'il écrive avec naturel, on le constate aussitôt.
2. Qu'un mauvais arrangement vaille mieux qu'un bon procès, la plupart des gens le savent.
3. Que tout flatteur vive aux dépens de celui qui l'écoute, maître Renard l'enseigna au corbeau.
4. Qu'il nous faille patienter, c'est évident.
5. Qu'elle se prenne pour un génie, cela saute aux yeux.

*25. Même exercice (indicatif ou subjonctif).

1. Que tu te sois trompé, je peux le comprendre.
2. Qu'il ait encore menti, je m'en doutais.
3. Que nous finissions par céder, ils semblent en être sûrs.
4. Que vous veniez avec moi, j'y tiens absolument.
5. Que le contrat prenne effet dès le premier janvier, ils y consentent mais ils font des objections sur d'autres points.

*26. Transformation inverse.

1. Je crois que tu as dit la vérité.
2. Je doute que tu aies dit toute la vérité.
3. Vous me permettrez de douter qu'il ait été de bonne foi.
4. Nous ne nous opposons pas à ce que vous repreniez la direction de la société.
5. Il est probable qu'il se mettra un peu en colère sur le moment.

27. Mettre les verbes entre parenthèses au mode et au temps qui conviennent.

1. Il paraît que des dauphins (être vu) au large de Nice.
2. Il était clair qu'elle ne (comprendre) rien.
3. On supposait que le navire (disparaître) corps et biens au cours de la tempête.
4. On craignait que le navire (disparaître) corps et biens au cours de la tempête.
5. Il est courant qu'un garçon (atteindre) sa taille d'adulte vers l'âge de seize ans.
6. Il semble que cette église (subir) de nombreuses transformations au XIXe siècle.
7. Il me semble que vous (se méprendre) sur le sens de leurs paroles.
8. Tu as une mine superbe : on dirait que tu (revenir) de vacances.
9. Je compris que ma présence la (gêner), je me retirai donc immédiatement.
10. Qu'elle (avoir) de nombreuses aventures, tout le monde le sait.
11. Il se peut qu'on ne nous (reconnaître) pas sous ce déguisement.
12. Je n'ai pas l'impression qu'en donnant cet ordre, le sous-directeur (outrepasser) ses pouvoirs.
13. Est-il indispensable que nous les (attendre) ici ?
14. Le soleil avait disparu mais on aurait dit qu'un vaste incendie (ravager) la plaine à l'horizon.
15. On eût dit que cette voix (venir) d'outre-tombe.

*28. À partir des éléments fournis, construire des phrases comprenant une subordonnée complétive.

A. 1. Le colis ne correspond pas à la commande / c'est évident.
   2. S'il y a une hausse de loyer, il voudra déménager / c'est probable.
   3. Il n'a pas gagné la course / je suis bien forcé de l'admettre.
   4. Le directeur donnera une suite favorable à votre demande / je l'espère.
   5. Le temps allait s'améliorer / nous l'avions supposé.

B. 1. Vous ne vous êtes pas décidé assez vite / c'est dommage.
   2. Vous auriez dû avertir personnellement tous les candidats / cela aurait été préférable.
   3. Ils nous ont décrit la situation / ils ont exagéré / c'est regrettable.
   4. Il a été absent / il ne s'en est pas excusé / je trouve cela bizarre.
   5. Elle fera ce voyage avec nous / on le lui a permis / quelle chance !

C. 1. Il n'arrivera pas à se faire entendre / je le crains.
   2. Nous achèverons les préparatifs avant votre arrivée / le souhaitez-vous ?
   3. Il m'a menti lorsqu'il m'a répondu / je ne le prétends pas.
   4. Il l'a fait exprès / le croyez-vous vraiment ?
   5. Nous nous sommes trompés d'heure / ne le penses-tu pas ?

29. À partir des éléments soulignés, construire deux phrases selon l'exemple suivant :

Elle viendra / croire

➡ *Est-ce que tu crois qu'elle viendra ? / Crois-tu qu'elle vienne ?*

1. C'est raisonnable / trouver
2. Cela nous fait plaisir / penser
3. Elle est partie / croire
4. Il est nécessaire de lui répondre / juger
5. Nous devrions contester ce procès-verbal / estimer

30. À partir des éléments suivants, construire des phrases en employant :
QUE - À CE QUE - DE CE QUE.

1. Ce n'était plus le moment de plaisanter / tout le monde l'a senti.
2. Sa fille ne vient pas le voir / il s'en plaint.
3. Elle a été blessée de tes moqueries / il n'y a rien de surprenant à cela.
4. Son rapport n'était pas terminé au jour dit / il s'en excusa.
5. La maison est toujours fleurie / ma mère y veille.
6. Réponds sans tarder à cette lettre / cela vaudrait mieux.
7. Vous prendrez quelques jours de congé / rien ne s'y oppose.
8. Vous vous rencontrerez / je n'y vois aucun inconvénient.
9. Le gouvernement allait faire des réformes / c'était urgent.
10. Nous nous réunirons chez mes parents pour les fêtes / ils y tiennent.

31. Compléter les phrases suivantes.

A. 1. Nous savons que ......
   2. Notez que ......
   3. Permets-tu que ......
   4. Vous allez vous rendre compte que ......
   5. On nous communique à l'instant que ......

B. 1. Saviez-vous que ......
   2. Elle trouvait que ......
   3. On a prouvé que ......
   4. Elle m'avait prédit que ......
   5. Je venais d'apprendre que ......

C. 1. On a souvent tendance à croire que ..
   2. Bien des gens se figurent que ......
   3. Ce journaliste est persuadé que ......
   4. Chacun espère que ......
   5. Les gens bien informés estiment que ......

D. 1. Trouveriez-vous normal que ......
   2. Faudra-t-il que ......
   3. Aujourd'hui, peut-on encore penser que ......
   4. Auriez-vous pensé que ......
   5. N'est-il pas certain que ......

E. 1. Il est évident que ......
   2. Il est probable que ......
   3. Il est peu probable que ......
   4. Il semble que ......
   5. Il me semble que ......

F. 1. Il est souhaitable que ......
   2. Il serait regrettable que ......
   3. Parfois, il n'est pas mauvais que ......
   4. Il est très possible que ......
   5. Il n'est pas impossible que ......

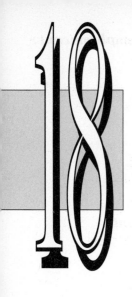

L'EXPRESSION DU TEMPS

Modes et temps .... 1 à 8

Choix de la conjonction 9

Exercices de substitution .... 10 à 15

À peine ...... que 16-17

Doubles subordonnées 18

Passé surcomposé / passé antérieur .... 19 à 24

Exercices de synthèse 25-26

1. Mettre les verbes entre parenthèses au mode et au temps qui conviennent.

A. 1. Quand on le (empêcher) de sortir, le chien aboyait.
   2. Chaque fois que je (parcourir) la ville, je découvre quelque chose de nouveau.
   3. Quand elle (s'élancer) vers lui, il lui a ouvert les bras.
   4. J'irai à la poste pendant que les enfants (dormir).
   5. Quand je (recevoir) un télégramme, je suis toujours un peu inquiet.
   6. Lorsqu'il (marquer) un but, ses amis ont crié de joie.
   7. Chaque fois qu'une rafale de pluie (frapper) le pare-brise, le chauffeur se penchait pour mieux distinguer la route.
   8. Je te téléphonerai dès que je (être) à Paris.
   9. Pendant qu'il (essayer) de se justifier, elle l'observait avec détachement.
   10. Lorsqu'il en avait le temps, il (aimer) jouer aux échecs.

B. 1. Pendant que les enfants (courir) dans la prairie, leur mère les surveille en tricotant.
   2. J'ai travaillé aussi longtemps que la législation sur le travail me le (permettre).
   3. Toutes les fois qu'on lui (donner) un ordre, il trouve une bonne raison pour ne pas l'exécuter.
   4. A mesure que les alpinistes (gravir) les pentes abruptes, l'air devenait plus léger.
   5. Pendant qu'il (parler), observez son expression : vous verrez bien s'il dit la vérité.
   6. Chaque fois que je (traverser) ce jardin, le même souvenir me revenait : l'enfant que j'avais été, l'enfant qui avait joué là si souvent.
   7. Au fur et à mesure que le réseau routier (se développer), la circulation s'intensifie et tout est à recommencer.
   8. Dès que l'athlète (être rétabli) de sa chute, il reprendra peu à peu l'entraînement.
   9. Jadis, lorsque les bœufs (être attelé) à la charrue, le laboureur commençait à tracer les sillons.
   10. Quand le cortège (déboucher) sur la place, les premiers manifestants se heurtèrent à un barrage de police.

2. Mettre les verbes entre parenthèses au mode et au temps qui conviennent.

A. 1. Maintenant que nous (aller) aussi loin, nous ne pouvons plus reculer.
   2. Nous inviterons tous nos amis une fois que nous (aménager) notre nouvel appartement.

3. Après que vous (passer) vos examens, pensez à vous inscrire pour la prochaine année universitaire.
4. Lorsque nous (marcher) deux heures, nous prenions un moment de repos.
5. Aussitôt que les visiteurs (sortir) du musée, les gardiens ferment les portes et mettent le dispositif de sécurité.

B. 1. Une fois que je (quitter) Paris, j'oublie tous mes soucis.
2. Aussitôt qu'on (publier) la date d'un récital, elle allait vite retenir des places.
3. Dès que vous (recevoir) les résultats de votre analyse de sang, avertissez-moi.
4. Dès qu'il (jeter) un coup d'œil sur cette toile, l'expert se douta qu'il s'agissait d'un faux.
5. Quand il (comprendre) que je ne lui céderais pas, il cessa d'insister.

3. Mettre les verbes entre parenthèses au mode et au temps qui conviennent.

1. Maintenant que les enfants (s'endormir), la maison est plus tranquille.
2. Dès que les enfants (voir) le marchand de glaces, ils se précipitaient vers lui.
3. Aussitôt que l'oiseau (apercevoir) le chat, il s'envola à tire d'aile.
4. Maintenant que nous (s'installer) à la campagne, nous devons apprendre à cultiver notre jardin.
5. Après que divers ennuis l'(empêcher) de suivre ses cours, cet étudiant revient enfin à l'université.
6. Après que je (lire) trop, j'ai parfois mal à la tête.
7. Tant que ma santé (se maintenir), je m'occuperai du jardin moi-même.
8. Sitôt que les habitants (connaître) la nouvelle, de joyeux cortèges se formèrent.
9. Une fois que vous (arriver) sur le quai, prenez à droite.
10. Lorsque le gardien (constater) les dégâts, il appela immédiatement le syndic.

4. Mettre les verbes entre parenthèses au mode et au temps qui conviennent.

1. Un jour, comme je (travailler) assis à mon bureau, une idée bizarre me vint à l'esprit.
2. Alors que nous (passer) au pied des remparts, une pierre s'est détachée du mur.
3. Comme nous (arriver) au palais de Chaillot, une première fusée éclate dans le ciel : le feu d'artifice commence !
4. Naguère encore, tandis que le père (travailler) à l'extérieur, la mère restait à la maison et s'occupait des enfants.
5. La nouvelle loi a été annoncée au moment où l'on s'y (attendre) le moins.
6. À l'instant où, quittant l'embarcation, le pêcheur (mettre) le pied à terre, il fit un faux pas et tomba à l'eau.
7. Au moment où je (commencer) à m'impatienter, mon tour est arrivé.
8. Vous m'avez appelé juste comme je (partir) : une minute plus tard, vous m'auriez manqué !
9. Alors qu'elle (dormir) tranquillement, elle fut réveillée en sursaut par un bruit étrange.
10. Au moment où je (arriver) devant la porte de l'immeuble, j'ai été bousculé par un homme qui sortait en courant.

5. Mettre les verbes entre parenthèses au mode et au temps qui conviennent.

A. 1. Dès que le chef d'orchestre (monter) au pupitre, le silence se fait dans la salle.
2. A mesure que nous (se rapprocher) de la rivière, le brouillard s'épaississait.
3. Alors que nous (longer) le lac, nous nous sommes aperçus que le ciel se couvrait.
4. Lorsqu'un des escrimeurs (marquer) un point, le voyant lumineux s'allumera.
5. Pendant que les uns (travailler), les autres regardaient les mouches voler.
6. Chaque fois qu'il (entendre) le tonnerre, mon chien se réfugiait sous le lit.
7. Désormais, lorsque ce monsieur me (demander), tu lui répondras que je n'y suis pas.
8. Comme je (se diriger) vers ma chambre, on m'a appelé pour le déjeuner.

9. Aussi longtemps que le petit Pierre (être) malade, sa mère se tint à son chevet.
10. Quand le petit Pierre (être) malade, sa mère se tenait toujours à son chevet.

B. 1. J'ai raté mon train de peu : je (arriver) sur le quai au moment où il partait.
2. Toutes les fois que j'essayais de dire un mot, il me (couper) la parole.
3. Toutes les fois que j'ai joué au tennis avec lui, il me (battre).
4. Maintenant que j'ai des lentilles de contact, je (ne plus porter) mes lunettes.
5. Une fois que vous aurez compris le texte, vous le (résumer) en quinze lignes.
6. Il était affamé : aussitôt qu'il arriva chez lui, il (se précipiter) sur le réfrigérateur.
7. Après que vous aurez essayé ce café, vous (n'en plus vouloir) d'autre.
8. Mon amie achète beaucoup de romans, et, au fur et à mesure qu'elle les a lus, elle me les (prêter).
9. Tant qu'il ne m'aura pas présenté ses excuses, je ne le (revoir) plus.
10. Comme les acrobates terminaient leur numéro, l'un d'eux (perdre) l'équilibre et (tomber) dans le filet.

6. Mettre les verbes entre parenthèses au mode et au temps qui conviennent.

A. 1. Depuis que je (être) ici, je me baigne tous les jours.
2. Il n'y a pas eu un seul jour de soleil depuis que je (arriver) ici.
3. Depuis qu'elle (avoir) un enfant, c'est une femme différente.
4. Depuis qu'il (habiter) à Marseille, il se croyait obligé de prendre l'accent du Midi.
5. Depuis qu'on lui (donner) cette poupée, la fillette ne s'en séparait plus.

B. 1. Du jour où il (découvrir) la vérité, son caractère s'est assombri.
2. Depuis le jour où ce champion (remporter) sa première victoire, il n'a plus jamais perdu un match.
3. A partir du moment où l'on (prendre) une décision, il faut s'y tenir.
4. Depuis le moment où il (entreprendre) ce travail, il ne s'est pas accordé une journée de repos.
5. Depuis le temps que je te (prévenir), tu aurais dû te méfier de lui !

7. Mettre les verbes entre parenthèses au mode et au temps qui conviennent.

1. Ils se sont éclipsés avant que les journalistes n'(arriver).
2. L'employé pianote sur le clavier de l'ordinateur jusqu'à ce que la réservation (apparaître) sur l'écran.
3. Le contrôle des passeports a lieu juste avant que le train ne (franchir) la frontière.
4. En attendant que les premières neiges (faire) leur apparition, les skieurs se promènent dans la montagne.
5. D'ici à ce que le vernis (être) parfaitement sec, il faudra un bon moment.
6. Entraîne-toi jusqu'à ce que ton jeu (devenir) meilleur.
7. Nous nous sommes assoupis sur des chaises longues en attendant que nos amis nous (rejoindre).
8. Il m'a offert une seconde tranche de rôti et me l'a servie sans attendre que je lui (répondre).
9. Il faudra encore un certain temps d'ici à ce qu'il vous (remettre) son dossier complet.
10. Je recommencerai ce portrait jusqu'à ce que je (rendre) l'expression exacte du visage.

8. Mettre les verbes entre parenthèses au mode et au temps qui conviennent.

A. 1. Chaque fois qu'ils (discuter), leur conversation dégénérait en dispute.
2. Depuis qu'elle (se mettre) à travailler régulièrement son piano, elle a fait des progrès remarquables.
3. Tant que vous (ne pas atteindre) le niveau requis, vous ne pourrez pas faire partie de notre équipe.

4. À mesure que la situation économique (se détériorer), le nombre de chômeurs augmentait.
5. Toutes les fois que l'on (franchir) le seuil de cette porte, on trébuchait.
6. Quand l'actrice (entrer) en scène, les applaudissements éclatèrent.
7. Au moment même où le conducteur (être ébloui) par les phares d'une autre voiture, un homme traversa la route.
8. Je ne m'étais pas rendu compte de l'étendue de la catastrophe avant que nous (apercevoir) les ruines du village.
9. Nous avons posé un enduit sur les murs de la chambre en attendant qu'on les (repeindre) entièrement.
10. Lorsque nous (partir) en voiture, ma mère s'inquiétait toujours jusqu'à ce qu'elle nous (entendre) rentrer.

B. 1. Depuis que cette nouvelle voiture (être) en vente, tout le monde veut l'essayer.
2. Tant qu'il (faire) une telle chaleur, je resterai à l'ombre.
3. Une fois que nous (rassembler) toutes les données du problème, nous pourrons y réfléchir efficacement.
4. Dès qu'elle (revenir), je lui raconterai ce qui s'est passé.
5. J'ai pris cette décision sans attendre son retour : d'ici à ce qu'il (revenir), cela aurait été trop tard.
6. Avant que nous (obtenir) une réponse de sa part, il faudra certainement le relancer plusieurs fois.
7. Après que nous (obtenir) une réponse de sa part, nous aurons encore dix jours pour prendre notre propre décision.
8. Depuis qu'il (finir) son service militaire, il a répondu à plusieurs offres d'emploi.
9. J'ai dû attendre jusqu'à ce qu'il (vouloir) bien s'occuper de moi.
10. En attendant que je (finir) de traduire ce passage, va faire un tour dans le jardin.

9. Trouver la conjonction qui convient.

1. ...... le printemps s'annonce, nous allons passer les fins de semaine à la campagne.
2. ...... la décision aura été prise, il faudra aussitôt passer à l'exécution.
3. ...... vous lisez, vous enrichissez votre vocabulaire.
4. Asseyons-nous un moment ...... le train soit formé.
5. ...... le prototype fut-il mis au point ...... on lança la fabrication en grande série.
6. ...... j'entrais dans le hall de l'aéroport, on annonça que l'avion en provenance de Marseille allait atterrir.
7. C'est une femme très énergique, mais parfois trop volontaire : ...... elle s'est mis quelque chose en tête, vous ne l'en faites plus démordre.
8. Nous venions de nous engager sur l'autoroute ...... le moteur donna ses premiers signes de faiblesse.
9. Juste ...... nous atteignions le sommet de la colline, le soleil se leva.
10. Pour obtenir ce qu'ils désirent, ces enfants insisteront ...... leurs parents aient cédé.
11. Pour obtenir ce qu'ils désirent, ces enfants insisteront ...... leurs parents n'auront pas cédé.
12. Nous avons pu traverser le passage à niveau juste ...... la barrière ne s'abaisse.
13. Marchez dans cette direction ...... vous atteigniez le fleuve.
14. Marchez dans cette direction ...... vous n'aurez pas atteint le fleuve.
15. ...... l'on avance, l'horizon semble reculer.

10. Transformer en proposition subordonnée temporelle le groupe nominal en italique.

1. *Dès l'arrivée du ministre*, les journalistes l'ont assailli de questions.
2. *À l'entrée du colonel*, les hommes se mirent au garde à vous.
3. *Dès l'ouverture des portes*, les clientes s'engouffreront dans le magasin.
4. À Cannes, *pendant la délibération du jury*, les candidats attendent impatiemment les noms des heureux élus.

5. En attendant *le retour de Jacques*, faisons une partie de cartes.
6. Autrefois, *jusqu'à leur mariage*, les jeunes filles vivaient chez leurs parents.
7. Nous en avions déjà parlé *lors de notre dernière rencontre*.
8. *Depuis son veuvage*, elle ne sortait plus qu'en noir.
9. *Dès la clôture du festival*, je rentrerai à Paris.
10. *Après tant de malhonnêteté de sa part*, vous ne voudriez tout de même pas que je lui confie mes intérêts.

11. Transformer en groupe nominal la proposition subordonnée en italique.

1. *Depuis que l'année est commencée*, je n'ai pas eu un seul jour de loisir.
2. *Pendant qu'on le baptisait*, le nouveau-né s'est mis à hurler.
3. *Dès que l'office fut terminé*, les fidèles sortirent de l'église.
4. *Lorsque ce navigateur a traversé l'Atlantique*, il a été retardé par une avarie.
5. *Chaque fois qu'il nous rend visite*, il nous apporte un petit cadeau.
6. *Après qu'ils auront longuement discuté*, les spécialistes se mettront peut-être d'accord.
7. *Avant que nous choisissions définitivement*, je voudrais voir encore d'autres modèles.
8. Ta tenue laisse beaucoup à désirer : change-toi et coiffe-toi *avant que nos invités n'arrivent*.
9. *Au fur et à mesure que l'on répétait*, le jeu des acteurs s'améliorait.
10. Mon petit-fils pesait trois kilos deux cents *au moment où il est né*.

12. Transformer en groupe nominal la construction infinitive en italique.

1. Je t'écrirai *après être rentré dans mon pays*.
2. *Au moment de partir*, l'enfant s'est mis à pleurer.
3. *Avant de conclure*, je voudrais souligner un dernier point.
4. *Au moment de signer le contrat*, il a demandé une dernière précision.
5. *Après avoir été grièvement blessé à la jambe*, ce soldat a été réformé.

13. Transformer le groupe nominal en construction infinitive.

1. *Au moment de son entrée en scène*, l'actrice inspira profondément.
2. *Après sa défaite*, il a renoncé à la boxe.
3. *Avant son élection*, ce député s'était engagé à défendre les intérêts des agriculteurs.
4. *Avant sa victoire dans cette course*, il était tout à fait inconnu.
5. *Après le constat du meurtre*, le commissaire a interrogé les premiers témoins.

14. Transformer les propositions subordonnées en groupes comprenant un gérondif ou un participe passé.

A. 1. *Alors que je débarrassais le grenier*, j'ai retrouvé un jouet de mon enfance.
2. *Quand le dernier client est parti*, les employés remettent tout en place dans le magasin.
3. *Pendant que je flânais dans les rues*, je ne cessais de penser à ce qui venait de se produire.
4. *Lorsque j'ai traversé cette province*, j'ai eu l'occasion de visiter des grottes préhistoriques.
5. *Après qu'il se fut évadé en hélicoptère*, il passa aussitôt la frontière.
6. *A peine était-il sorti du bureau qu*'il devenait un autre homme.
7. *Une fois que les photos ont été développées*, j'ai choisi celles que je désirais faire agrandir.
8. *Après qu'il eut comparu devant le juge d'instruction*, il put regagner son domicile.
9. *Une fois que la forêt aura été débroussaillée*, les risques d'incendie seront moindres.
10. *Après qu'elle eut rangé la maison*, elle rejoignit ses enfants à la plage.

B. 1. *Pendant qu'il feignait d'écouter l'orateur*, le député révisait discrètement ses notes.
   2. *Lorsqu'il naviguait dans les mers du Sud*, il trouva le thème de plusieurs romans.
   3. *Au moment où il s'aperçut que la porte avait été forcée*, il poussa un cri de colère.
   4. *Alors que je traversais la forêt*, j'ai vu un cerf et des biches.
   5. *Une fois qu'il fut douché, rasé, changé*, il se sentit de nouveau présentable.
   6. *Quand le pêcheur revient bredouille*, il n'y a plus qu'à aller chez le poissonnier !
   7. *Lorsque l'automne arrivera*, les hirondelles s'envoleront vers le sud.
   8. *Sitôt que sa colère a été calmée*, nous avons repris la discussion.
   9. *Aussitôt qu'il a senti le froid*, il est rentré à la maison.
  10. *Une fois que cette horloge est remontée*, elle marche une semaine.

15. *Transformer en propositions subordonnées temporelles les groupes en italique.*

A. 1. Ils ont cassé leur belle glace ancienne *en déménageant*.
   2. Elle envisage de travailler à mi-temps *tout en poursuivant ses études*.
   3. *En se baignant sur cette côte dangereuse*, Pierre a été emporté au large, et il a failli se noyer.
   4. *En parcourant cette région*, j'aimerais parler à des gens de la campagne et mieux connaître leur genre de vie.
   5. *En fouillant ce site*, les archéologues ont découvert les vestiges d'un village disparu.
   6. *Apercevant l'île*, les naufragés poussèrent des cris de joie.
   7. *Arrivant en fin de carrière*, il cherchera probablement d'autres activités pour occuper sa retraite.
   8. *Apprenant la vérité*, elle comprit qu'elle s'était trompée sur le compte de son interlocuteur.
   9. *Nous rencontrant vingt ans plus tard*, nous avons constaté que notre amitié était toujours la même.
  10. *En longeant le glacier*, nous avons admiré les sommets qui se dressaient autour de nous.

B. 1. *Ayant mis pied à terre*, le cavalier fit rentrer son cheval à l'écurie.
   2. *S'étant reposés un moment*, les promeneurs reprirent leur marche.
   3. *Les passagers étant tous embarqués*, on a enlevé la passerelle.
   4. *Ayant choisi une nouvelle orientation*, il se sent maintenant plus à son aise.
   5. *L'ennemi ayant fait sauter les voies ferrées*, le ravitaillement devint difficile.
   6. *Arrivée au troisième étage*, elle s'arrêta pour souffler un peu.
   7. *Mes dettes une fois réglées*, j'aurai moins de soucis.
   8. *Ses recherches à peine achevées*, il en a communiqué les résultats à l'Académie des Sciences.
   9. *La barrière levée*, les chevaux se sont élancés.
  10. *L'équipe dirigeante remplacée*, l'entreprise a vu s'accroître son chiffre d'affaires.

*16. *Mettre les verbes entre parenthèses au mode et au temps qui conviennent.*

   1. Elle était à peine mariée qu'elle (regretter) déjà sa liberté.
   2. Paul avait à peine dix ans lorsqu'il (perdre) ses parents.
   3. Il avait à peine terminé ses études qu'il (chercher) déjà une situation.
   4. Le jour se levait à peine quand nous (arriver) au sommet du coteau.
   5. Il avait à peine accepté qu'il (avoir) l'impression d'être tombé dans un piège.

*17. *Transformer les phrases selon l'exemple suivant :*

Nous avions à peine trouvé nos places que le train a démarré.
   → *À peine avions-nous trouvé nos places que le train a démarré.*

   1. Vous étiez à peine parti que j'ai retrouvé ce que je voulais vous dire.
   2. Elle était à peine arrivée quelque part qu'elle commençait à se plaindre et à vouloir repartir.
   3. J'avais à peine retrouvé mes lunettes que je les égarais de nouveau.
   4. Je n'ai pas pu placer un mot : j'avais à peine ouvert la bouche qu'ils se sont tous mis à crier.
   5. Le bébé fut à peine réveillé qu'il se mit à gazouiller.

*18. Mettre les verbes entre parenthèses au mode et au temps qui conviennent et remplacer les points par le mot correct.

1. Même lorsque les portes (être fermé) et ...... les volets (être clos), on entendait le vent mugir.
2. Quand le soleil (se lever) et ...... le signal (être donné), les randonneurs se mettront en route.
3. En attendant que vous (être guéri) de votre grippe et ...... vous (pouvoir) sortir, prenez votre mal en patience.
4. Elle regardait s'éloigner la péniche tandis que la nuit (tomber) et ...... la brume (envahir) les rives du fleuve.
5. Pendant que l'un de ses complices (surveiller) la maison et ...... un autre (faire) le guet sur la route, il parvint à escalader le mur.

*19. Mettre les verbes entre parenthèses au temps qui convient.

1. Quand ils ont visité ce musée, les touristes (quitter) la ville.
   Quand ils ont eu visité ce musée, les touristes (quitter) la ville.
2. Elle (se sentir) beaucoup mieux après qu'elle a pris ses médicaments.
   Elle (se sentir) beaucoup mieux après qu'elle a eu pris ses médicaments.
3. Quand elle a fait la vaisselle, elle la (ranger).
   Quand elle a eu fait la vaisselle, elle la (ranger).
4. Jean (se lever) aussitôt que son réveil a sonné.
   Jean (se lever) aussitôt que son réveil a eu sonné.
5. Quand il a compris une plaisanterie, il (éclater) de rire.
   Quand il a eu compris la plaisanterie, il (éclater) de rire.

*20. Même exercice.

1. Aussitôt qu'elle (finir) de regarder la télévision, elle se couche.
   Aussitôt qu'elle (finir) de regarder la télévision, elle s'est couchée.
2. Quand on (vérifier) leur carte, on les a laissé entrer.
   Quand on (vérifier) leur carte, on les laisse entrer.
3. Une fois qu'on (dîner), il faut payer l'addition.
   Une fois qu'on (dîner), il a fallu payer l'addition.
4. Ils se sont reposés après qu'ils (terminer) leur travail.
   Ils se reposent après qu'ils (terminer) leur travail.
5. Quand elle (cueillir) les fleurs, elle les arrange avec goût pour composer un splendide bouquet.
   Quand elle (cueillir) les fleurs, elle les a arrangées avec goût pour composer un splendide bouquet.

*21. Mettre les verbes entre parenthèses au passé surcomposé.

1. Dès que je (écrire) ma lettre, je suis allé la poster.
2. Lorsque tout le monde (arriver), le président a déclaré la séance ouverte.
3. Quand chacun (dire) ce qu'il avait à dire, on a voté.
4. Une fois qu'il (vendre) sa vieille moto, il a eu des regrets.
5. Après qu'il nous (exposer) son point de vue, nous avons changé d'avis.

*22. Mettre les verbes entre parenthèses au temps qui convient.

1. Quand ils eurent visité ce musée, les touristes (quitter) la ville.
2. Elle (se sentir) beaucoup mieux après qu'elle eut pris ses médicaments.
3. Quand il eut compris la plaisanterie, il (éclater) de rire.

4. Lorsqu'ils se furent reposés, ils (terminer) leur travail.
5. Lorsqu'elle eut cueilli les fleurs, elle les (arranger) avec goût et en (composer) un splendide bouquet.

*23. Mettre les verbes entre parenthèses au passé antérieur.

1. Dès que je (écrire) ma lettre, j'allai la poster.
2. Lorsque tout le monde (arriver), le président déclara la séance ouverte.
3. Quand chacun (dire) ce qu'il avait à dire, on vota.
4. Une fois qu'il (vendre) sa vieille moto, il eut des regrets.
5. Après qu'il nous (exposer) son point de vue, nous changeâmes d'avis.

*24. Transformer les passés simples en passés composés et les passés antérieurs en passés surcomposés.

1. Lorsque la petite fille eut assez pleuré, elle retourna jouer.
2. Dès que le pauvre homme fut parti, chacun se mit à dire du mal de lui.
3. Quand il eut touché son argent, il s'en alla sans un mot.
4. Sitôt que le danger fut passé, chacun reprit son calme.
5. Dès qu'on eut ouvert le flacon, une vapeur légère s'en échappa.

*25. À partir des éléments donnés, construire des phrases complexes comprenant des propositions subordonnées temporelles.

1. L'éclair luit / le tonnerre gronde.
2. Je range mon bureau / pendant ce temps, ma sœur prépare le dîner.
3. Je passerai vous rendre votre article / auparavant, j'en ferai une photocopie.
4. Nous allons souvent au concert / nous achetons toujours le programme.
5. Je ferai mes achats de Noël en novembre / plus tard, il y aura un monde fou.
6. La piste va être dégagée / ensuite, la compétition pourra reprendre.
7. Les jours diminuent de plus en plus / je ferme les volets plus tôt chaque soir.
8. Il continue à lire les petites annonces / il n'a pas trouvé d'emploi.
9. Elle attendait qu'on proclame les résultats / elle marchait de long en large.
10. Le feu va reprendre / jusque-là, mets du petit bois et souffle.

*26. Mettre les verbes entre parenthèses au mode et au temps qui conviennent.

A. 1. Au fur et à mesure que les congressistes (arriver), une hôtesse les conduira à leur place et leur remettra un dossier.
2. Chaque fois qu'il (venir) à une réunion, c'était pour se plaindre : rien ne lui convenait jamais.
3. Personne ne le crut quand il (affirmer) qu'il avait fait ce travail tout seul.
4. Je l'ai rencontré alors que je (se promener) aux Champs-Elysées.
5. Hier soir, comme il (descendre) l'escalier en courant, il a manqué une marche et s'est foulé la cheville.

B. 1. Depuis qu'il (être) ici, il ne cesse de courir les expositions, les musées et les théâtres.
2. Depuis qu'il (arriver) ici, il n'a pas pris une minute de repos.
3. Nous prendrons une décision après que vous nous (donner) votre avis.
4. Après qu'il (exprimer) son point de vue, il s'assit et ne dit plus un mot.
5. Emma ne vivait plus que dans un monde imaginaire : à peine elle (terminer) un roman qu'elle (se plonger) dans la lecture d'un autre.

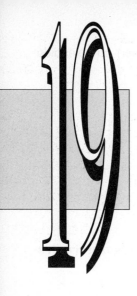

L'EXPRESSION DE LA CAUSE

Conjonctions exprimant la cause .... 1 à 6

Car, en effet 7-8

Prépositions et locutions prépositives 9-10

Exercices de substitution .... 11 à 13

1. a) Etudier l'emploi des conjonctions PARCE QUE – COMME – PUISQUE dans les phrases suivantes. b) Imiter ce texte en employant ces trois conjonctions.

1. Pourquoi êtes-vous en retard ?
2. *Parce qu*'il y a eu une interruption de service sur la ligne du RER en raison d'un accident ; et *comme*, par malchance, ma voiture est en panne, j'ai dû venir à pied.
3. *Puisque* ce n'est pas une négligence de votre part, ce retard est évidemment excusé.

2. Compléter les phrases par : QUE – PARCE QUE – COMME – PUISQUE.

1. ...... vous êtes sujet au mal de mer, ne sortez pas aujourd'hui : il y a trop de vent.
2. ...... il y avait trop de monde sur la côte, nous sommes allés nous promener en forêt.
3. Je ne vais pas souvent au cinéma ...... je préfère lire tranquillement chez moi.
4. ...... vous êtes si fatigué, vous devriez aller vous coucher.
5. ...... certains conducteurs ne tiennent pas compte de la réglementation et ...... le nombre d'accidents s'accroît, le gouvernement a décidé de multiplier les contrôles.
6. ...... les contraventions vont coûter très cher, cette mesure incitera peut-être les automobilistes à se montrer plus disciplinés.
7. L'alcoolisme au volant peut être considéré comme un crime, ... il a souvent des conséquences tragiques.
8. ...... ce délit était, jusqu'à maintenant, insuffisamment sanctionné, une nouvelle loi est à l'étude.
9. ...... je suis passionné de lecture et ...... je ne peux pas acheter tous les livres, je me suis abonné à la bibliothèque municipale.
10. Nous avons passé une excellente soirée ; malheureusement ...... le dernier métro passe dans quinze minutes et ...... nous habitons trop loin pour rentrer à pied, nous devons partir.

3. Mettre le verbe entre parenthèses au mode et au temps qui conviennent.

1. Comme mon compagnon de route ne (parler) presque pas le français, la conversation était difficile.
2. La plante poussait mieux parce que je la (rapprocher) de la fenêtre.
3. Hier soir, un incendie s'est déclaré dans une vieille maison parce qu'il (se produire) une fuite de gaz.
4. Comme les voisins (intervenir) rapidement, les conséquences du sinistre n'ont heureusement pas été trop graves.

5. Puisque nous (tomber) d'accord sur le prix, les travaux peuvent commencer.
6. Comme il (s'agir) d'une région que je connais bien, j'ai pu fournir des renseignements utiles.
7. Puisque tu (entreprendre) ce travail, tu dois aller jusqu'au bout.
8. Les enfants sont ravis parce qu'ils (découvrir) de vieux jouets dans le grenier.
9. Elle était heureuse parce qu'elle (réussir) à perdre quelques kilos.
10. Comme nous (déménager) dans quinze jours, je commence à emballer la vaisselle.

4. Compléter les phrases suivantes.

1. ...... parce que c'était trop cher.
2. ...... parce qu'il avait de la chance.
3. ...... parce que je ne voulais pas qu'on me dérange.
4. ...... parce que tout sera fermé ce jour-là.
5. Puisqu'il reste encore quelques jours ....
6. Puisque vous insistez ....
7. Puisqu'il fait un temps agréable ....
8. Puisque tout le monde est là ....
9. Comme il n'avait rien compris ....
10. Comme il est jeune ....

5. Mettre le verbe entre parenthèses au mode et au temps qui conviennent.

1. Puisqu'ils vous (accueillir) si gentiment, il faudra leur envoyer un mot de remerciement.
2. Etant donné que le temps (se rafraîchir), je n'ai pas rangé mes vêtements d'hiver.
3. Il est rentré chez lui sous prétexte qu'il (attendre) un coup de téléphone important.
4. Du moment que vous (posséder) la carte de l'association, vous pouvez participer à toutes les activités.
5. Etant donné qu'il (être) sujet au vertige, il refusa de venir en montagne avec nous.
6. Elle nous a servi un repas très simple, non qu'elle (ne pas savoir) cuisiner, mais, ce jour-là, elle (ne pas avoir) beaucoup de temps à nous consacrer.
7. Attendu qu'il y (avoir) des circonstances atténuantes, le tribunal s'est montré indulgent.
8. Nous ne l'avons pas cru, non que nous (se méfier) de lui mais parce que son histoire (être) incohérente.
9. Cet enfant m'inquiète : ce n'est pas qu'il (être) inintelligent, mais il (ne pas arriver) à suivre sa classe.
10. Si je ne vous ai pas écrit depuis un mois, ce n'est pas que je vous (oublier), mais je (être débordé) de travail.

6. Mettre la conjonction qui convient (éviter PARCE QUE)

1. ...... vous avez fait tout ce qui est en votre pouvoir, vous n'avez rien à vous reprocher.
2. ...... elle ne supportait pas l'un des médicaments, le médecin le lui a supprimé.
3. Nous ne pouvons pas faire repeindre les plafonds ...... le couvreur n'a pas encore réparé le toit.
4. ...... il est le dernier à s'en être servi, c'est lui qui a dû abîmer l'aspirateur.
5. Il te connaît sûrement ...... il m'a parlé de toi.
6. ...... nous passons par la Bourgogne, nous pourrons faire un détour pour visiter Vézelay.
7. ...... plusieurs personnes ont aperçu cet individu sur les lieux du crime, de fortes présomptions pèsent sur lui.
8. ...... c'est vous qui avez trouvé cet objet, gardez-le.
9. Nous retenons votre candidature ...... elle correspond à ce que nous cherchons.
10. Il n'écoute jamais de disques, ... il ne soit pas mélomane, mais il préfère aller au concert.

7. Compléter les phrases suivantes en utilisant CAR ou EN EFFET.

1. Il a fallu annuler l'excursion ...... il pleuvait à verse.
2. Nous avons apporté du champagne et un gâteau ; ...... c'était l'anniversaire de Caroline.
3. John s'ennuierait au théâtre ...... il ne comprend pas le français.
4. Nous ne faisons plus de calculs fastidieux ; ...... les ordinateurs s'en chargent à notre place.
5. Il peut se permettre de faire le tour du monde : il a ...... une fortune considérable.

*8. À partir des deux propositions indépendantes, former : a) deux propositions coordonnées (employer : CAR - EN EFFET) ; b) une principale et une subordonnée (éviter PARCE QUE) ; Ne pas changer le sens de la phrase.

1. On ne peut pas écrire cela : ce serait un contresens.
2. Il ne viendra plus : il est retourné dans son pays.
3. Ne roulez pas trop vite sur le verglas : vous risqueriez de déraper.
4. L'électricité a été coupée : la dernière facture n'avait pas été réglée.
5. Oublions le passé : maintenant tout le monde est d'accord.
6. Je suis arrivé en retard : des amis m'ont téléphoné juste au moment où je partais.
7. Sa voiture est tombée en panne : il n'a pas pu aller en Normandie.
8. Mieux vaut ne pas employer ce mot : il est vulgaire.
9. Les banques étaient fermées : je n'ai pas pu déposer mon chèque.
10. Ce nageur a déjà battu plusieurs records : il remportera probablement une médaille aux Jeux Olympiques.

*9. Transformer le groupe nominal en italique en proposition subordonnée, sans changer le sens de la phrase (si nécessaire, ajouter ÊTRE ou AVOIR).

1. *Avec sa lucarne*, cette mansarde est habitable.
2. *Etant donné l'excellent état de la maison*, nous aurons peu de frais à envisager.
3. Ce chansonnier nous a tous fait rire *par son réel talent d'imitateur*.
4. *A cause de l'humidité*, la grille est toute rouillée.
5. *Par suite d'une préparation insuffisante*, ton exposé est superficiel.
6. Elle s'est esquivée avant la fin du vernissage *sous prétexte d'autres obligations*.
7. Du jour au lendemain, cet entrepreneur a été connu dans le monde entier *grâce à la réalisation de cette ville modèle*.
8. *À la suite des avalanches*, la circulation a été interrompue.
9. Le visage de l'employé était rouge *de colère*.
10. Je n'irai pas voir ce combat, *non à cause du prix, mais par manque d'intérêt pour ce genre de sport*.

*10. Remplacer les points par l'une des prépositions ou locutions prépositives suivantes : DE – VU – PAR – AVEC – À CAUSE DE – FAUTE DE – GRÂCE À – ÉTANT DONNÉ – PAR SUITE DE – EN RAISON DE.

1. L'enfant sautait ...... joie.
2. C'est à mourir ...... rire.
3. ...... patience, il ne termine jamais ses puzzles.
4. ...... le succès de ce livre, l'éditeur a dû en faire un nouveau tirage.
5. ...... une panne de courant, nous avons interrompu notre travail.
6. ...... ses qualités professionnelles, cet employé accèdera à un poste très élevé.
7. ...... quelques recherches complémentaires, vous mènerez à bien votre thèse.

8. ...... une brusque saute de vent, le voilier s'est couché.
9. ...... pure bêtise, il s'est brouillé avec son meilleur ami.
10. ...... la mauvaise qualité du matériel, cette réparation ne tiendra pas longtemps.

*11. Transformer la proposition subordonnée en un groupe nominal introduit par l'une des prépositions ou des locutions prépositives suivantes : DE – VU – POUR – GRÂCE À – FAUTE DE – EN RAISON DE – DU FAIT DE – POUR CAUSE DE – SOUS PRÉTEXTE DE – NON POUR ... MAIS POUR.

1. Le chien tremblait *parce qu'il avait froid.*
2. Tout le vieux quartier fut saccagé *sous prétexte qu'on devait le rénover.*
3. Marie Curie a reçu le prix Nobel *parce qu'elle avait découvert le radium.*
4. Le magasin est fermé *parce qu'on fait l'inventaire.*
5. *Comme le choc a été très violent,* la voiture n'a pas pu repartir.
6. Le système bancaire est menacé *parce que de nombreux pays sont surendettés.*
7. *Comme on manque de crédits,* la construction de la nouvelle salle des fêtes est remise à plus tard.
8. Il a pu terminer ses études *parce qu'il a obtenu un prêt.*
9. *Comme ils ont des difficultés financières,* ils réduisent leurs dépenses.
10. Le projet de cet architecte a été écarté, *non que sa conception soit trop hardie, mais parce que le coût en était excessif.*

12. Remplacer les groupes en italique par une proposition subordonnée (varier les conjonctions).

1. *Pour avoir longtemps joué aux échecs,* elle y est devenue imbattable.
2. Cécile, *qui était retenue par sa timidité,* n'osait s'avancer.
3. *Etant vacciné,* tu peux partir en toute tranquillité.
4. *Ne sachant que répondre,* il préféra se taire.
5. *S'étant aperçu* que la porte de la petite chapelle était ouverte, il eut l'idée d'y entrer.

*13. Remplacer les groupes en italique par les constructions indiquées.

1. *Comme elle a beaucoup d'expérience,* ma collègue vous conseillera utilement. (proposition relative)
2. *Etant donné qu'il est habitué à son quartier,* il refuse de déménager. (participe)
3. *Comme il voyait les enfants l'applaudir,* le singe les imita. (participe)
4. Je me suis fait mal au dos *parce que j'ai porté* une valise trop lourde. (gérondif)
5. Le commandant Cousteau est devenu célèbre *parce qu'il a exploré les océans.* (pour + infinitif)

L'EXPRESSION DE LA CONSÉQUENCE

Conjonctions de conséquence .... 1 à 4

Exercice de synthèse 5

Assez ...... pour que/trop ...... pour que 6-7

Coordination 8-9

Constructions avec l'infinitif 10

Exercices de synthèse .... 11 à 14

1. Mettre les verbes entre parenthèses au mode et au temps qui conviennent.

1. Elle a attendu si longtemps qu'elle (finir) par s'endormir.
2. Il avait tellement changé que je ne le (reconnaître) pas.
3. J'ai tant aimé cette exposition que j'y (retourner).
4. Nous avons visité tellement de musées au cours de ce voyage que je les (confondre) tous.
5. Il est si sûr de lui qu'il (prétendre) réussir tout ce qu'il entreprend.
6. Le tapis était tellement usé qu'on en (voir) la trame.
7. Il y eut une telle tempête que plusieurs chalutiers (se trouver) en difficulté.
8. Il y a souvent de telles queues devant les cinémas que je (renoncer) à y aller.
9. Cette personne a accumulé chez elle tant d'objets inutiles qu'on (se croire) dans la boutique d'un brocanteur.
10. Nous avions tellement faim en rentrant de promenade que nous (se précipiter) sur le fromage et que nous ne (laisser) rien.

2. Employer la locution conjonctive qui convient :
SI ...... QUE – TANT ...... QUE – TANT DE ...... QUE – TEL ...... QUE – TELLEMENT ...... QUE.

1. Les voyageurs sont ...... pressés ...... ils vous bousculent en entrant dans la gare.
2. Le guide marche à une ...... cadence ...... il m'est impossible de le suivre.
3. Cet ami dispose de ...... peu de temps ...... nous ne nous voyons que très rarement.
4. J'avais ...... rêvé de ce pays ...... j'avais peur d'être déçu en y arrivant.
5. Nous avons ...... courrier à écrire ...... nous avons dû engager une intérimaire.
6. Ils ont fait de ...... économies ...... ils vont s'offrir un magnétoscope.
7. Il a ...... dossiers à classer ...... il ne sait par où commencer.
8. On m'a ...... parlé de cette aventure ...... il me semble l'avoir vécue moi-même.
9. Elle a ...... peur de sortir seule le soir ...... elle ne va plus jamais au théâtre.
10. Cette entreprise a fait de ...... bénéfices ...... elle envisage de moderniser ses installations.
11. Elle a reçu ...... fleurs ...... ne sait plus où les mettre.
12. Il avait ...... aimé cette île ...... il désirait y retourner.
13. Ce dessert est ...... bon ...... je vais en reprendre.
14. J'ai ...... besoin de silence ...... je voudrais passer mes vacances dans un coin perdu.
15. Ces femmes ont ...... pleuré, ... protesté ...... on a fini par s'occuper d'elles.

3. Mettre les verbes entre parenthèses au mode et au temps qui conviennent.

1. Il est distrait, si bien qu'il (oublier) ses rendez-vous.
2. Les loyers ont augmenté au point qu'il (devenir) difficile de bien se loger.
3. Quand il y a un pont, les Parisiens partent tous à la fois, si bien que les autoroutes (être saturé).
4. Notre photocopieuse était déréglée, de sorte que nous (devoir) faire venir le réparateur plusieurs fois par mois.
5. Depuis peu, il est devenu agressif, au point que bientôt personne n'(oser) plus lui parler.
6. Nous étions passionnés par le jeu, au point que nous (négliger) notre travail.
7. Le distributeur de boissons fonctionne mal, de sorte qu'il (falloir) le remplacer.
8. Ce travail est fastidieux au point que les employés (somnoler).
9. Il est économe au point que, s'il (acheter) un imperméable, c'est pour dix ans.
10. Tu as trop bon cœur, si bien que, parfois, tu (se faire) exploiter.

4. Employer la locution conjonctive qui convient :
   ## DE SORTE QUE – SI BIEN ...... QUE – AU POINT QUE.

1. J'aime beaucoup la moto, ... j'ai décidé de m'y remettre cette année.
2. Le temps s'est radouci ...... on ne trouve plus une seule place de libre aux terrasses des cafés.
3. Je suis sûr qu'il progressera ......, d'ici deux mois, son accent sera parfait.
4. La voix de cet enfant était suraiguë ......, quand il criait, elle nous perçait les tympans.
5. Mes amis sont arrivés en avance, ... je leur ai demandé de mettre la main à la pâte.
6. Cet architecte nous a conquis par son sérieux, ... nous allons lui confier notre projet.
7. C'est une mauvaise langue ...... personne ne veut plus la fréquenter.
8. J'avais attrapé une mauvaise bronchite, ... je toussais sans arrêt.
9. Sa bonne humeur est contagieuse, ... on recherche sa compagnie.
10. L'opposition a violemment critiqué le gouvernement, ... le Premier ministre se trouve obligé de réagir.

5. Terminer les phrases suivantes.

1. Vous n'êtes pas inscrit sur la liste, si bien que ......
2. Nous avons marché si vite que ......
3. Il avait perdu son carnet d'adresses, si bien que ......
4. Il est arrivé si tard que ......
5. Le maire a gaspillé tellement d'argent que ......
6. Les touristes souffraient tant de la chaleur que ......
7. Il a tant parlé que ......
8. Sa santé s'affaiblissait, au point que ......
9. Ce produit est si dangereux que ......
10. Il m'a répondu avec une telle insolence que ......

6. Mettre les verbes entre parenthèses au mode et au temps qui conviennent.

1. La terre est encore trop humide pour que l'on (avoir) besoin d'arroser.
2. Le problème est trop complexe pour que nous (prétendre) le résoudre à nous seuls.
3. Cette petite fille est assez raisonnable pour qu'on lui (permettre) d'aller seule à l'école.
4. Il n'y a plus assez de clients pour que cela (valoir) la peine de garder l'hôtel ouvert.
5. Il est trop négligent pour que vous lui (confier) votre bateau.

*7. À partir des éléments donnés, composer des phrases complexes.

1. Ce bijou est trop voyant ; elle ne voudra pas le porter.
2. L'ordinateur n'est pas assez puissant ; nous n'arriverons pas à traiter ces données.

3. Cette étoile est très éloignée ; on ne peut pas l'observer à l'œil nu.
4. Ce sac en plastique n'est pas assez solide ; on n'y met pas de bouteilles.
5. Ce chien est trop jeune ; son maître n'entreprend pas encore de le dresser.

*8. **Compléter les phrases en employant :**
AUSSI – AINSI – ALORS – C'EST POURQUOI – PAR CONSÉQUENT – DONC.

1. Personne n'était au rendez-vous ; j'ai ...... fini par m'en aller.
2. J'ai laissé dépérir mes plantes l'année dernière, ... cette année, j'en prends particulièrement soin.
3. Il a présenté ses excuses, ... l'incident est clos.
4. Paul n'était pas chez lui quand j'y suis passé, j'ai...... laissé un mot.
5. Cette pièce est très ensoleillée, ... je n'y ai pas mis mes meubles anciens.
6. Je ne t'ai rien dit de mal, ... pourquoi me réponds-tu sur ce ton ?
7. C'est l'industrie qui produit les déchets, ... c'est elle qui doit se charger de les éliminer.
8. L'ourson avait perdu sa mère, ... l'a-t-on nourri au biberon.
9. J'ai enfermé le chat dans la cuisine ; ...... il me laissera tranquille.
10. Eric vient d'être décoré, ... allons-nous organiser un vin d'honneur.

*9. **Relier les deux indépendantes en employant AUSSI – AINSI – ALORS – C'EST POURQUOI – PAR CONSÉQUENT – DONC – ASSEZ/TROP ...... POUR QUE.**

1. Notre chef de service est très nerveux / il crée autour de lui une tension pénible.
2. Le patron a de gros ennuis / il n'en dort plus.
3. Le Président a expliqué clairement quelle est la situation économique du pays / nous avons parfaitement compris la nécessité de l'effort demandé.
4. Il m'a souvent trompé / je n'ai plus confiance en lui.
5. Vous n'avez pas respecté le règlement / des sanctions vont être prises à votre encontre.
6. Nous avons fait faire des travaux d'isolation thermique / nos frais de chauffage ont sensiblement diminué.
7. Elle doit faire face aux charges d'une famille nombreuse / elle n'a pas beaucoup de loisirs.
8. L'hôtel que nous avons trouvé est assez grand / on pourra y loger tout le groupe.
9. Le vent est beaucoup trop violent / nous ne prendrons pas le risque de passer sur le pont.
10. L'orateur parlait trop vite / nous ne pouvions pas le suivre.

*10. **Compléter les phrases en employant ASSEZ ...... POUR – TROP ...... POUR – AU POINT DE.**

1. Je n'ai pas ...... dormi ...... avoir les idées claires.
2. Il n'est pas naïf ...... croire tout ce qu'on lui raconte.
3. Ton fils est ...... grand ...... savoir ce qu'il a à faire.
4. Il n'est jamais ...... tard ...... bien faire.
5. Le bruit des avions devint gênant ...... nous obliger à fermer la fenêtre.

*11. **Imaginer une conséquence à ces phrases ou, le cas échéant, une cause dont elles puissent être la conséquence.**

1. Il a beaucoup d'amis.
2. L'hiver se prolonge cette année.
3. Il est toujours de très mauvaise humeur.
4. Notre voyage a été annulé au dernier moment.
5. Les phares de sa voiture n'éclairaient pas assez loin.
6. Les vendanges ont été mauvaises cette année.

7. Nous avons longtemps attendu.
8. La fenêtre était restée grande ouverte.
9. La rumeur s'est répandue trop vite.
10. Il avait été généreux toute sa vie.

*12. **À partir des éléments donnés, créer des phrases complexes dans lesquelles apparaîtront une subordination et une coordination. Employer : a) subordination : TELLEMENT ...... QUE – SI ...... QUE – TANT ...... QUE – TANT DE ...... QUE ; b) coordination : DONC – C'EST POURQUOI – ALORS – PAR CONSÉQUENT.**

Cet appartement est en trop mauvais état / je ne peux pas le louer / je vais en chercher un autre.
→ *Cet appartement est en si mauvais état que je ne peux pas le louer, donc, je vais en chercher un autre (je vais donc en chercher un autre).*

1. L'autobus était bondé / je n'ai pas pu monter / je suis rentré à pied.
2. Le brouillard était très épais / je distinguais à peine la voiture qui me précédait / je conduisais avec la plus grande prudence.
3. Philippe a de très bonnes idées / on peut toujours lui demander conseil / il est très apprécié de ses collègues.
4. Nous avons énormément travaillé / le contrat sera signé dès demain / je rentrerai plus tôt que prévu.
5. La pièce a beaucoup de succès / il est difficile de trouver des places / il faut s'y prendre un mois à l'avance.

*13. **Transformer les phrases en employant une subordonnée de conséquence introduite par : SI ...... QUE – TANT ...... QUE – TANT DE ...... QUE – TEL ...... QUE.**

Il est tout rouge, tellement il a couru.
→ *Il a tant couru qu'il est tout rouge.*

1. Le camionneur a perdu deux heures sur l'autoroute, tellement la circulation était dense.
2. Le petit garçon n'est pas resté longtemps dehors, tellement il avait froid.
3. J'ai repris deux fois du jus d'orange, tellement il était bon.
4. Elle s'allongea sur son lit, tellement elle se sentait lasse.
5. Il va à la campagne le plus souvent possible, tellement il a besoin d'air pur.
6. Nous avons dû nous arrêter toutes les dix minutes, tellement le moteur chauffait.
7. Il ne s'est endormi qu'à huit heures, tellement le vacarme était assourdissant.
8. Je lui ai offert de l'accompagner, tellement il semblait désorienté.
9. Nous ne parviendrons pas à lire tout ce qui a paru, tellement on a publié d'articles sur le sujet.
10. On lui a fait sauter une classe, tellement il avait progressé.

*14. **Expliquer oralement les expressions en italique.**

1. Ce film est bête *à pleurer*.
2. Il est fou *à lier* !
3. Leur chat est maigre *à faire peur*.
4. C'est une histoire *à mourir de rire*.
5. J'avais honte *à ne plus savoir où me mettre*.
6. Avec sa petite robe blanche, ta fille est mignonne *à croquer*.
7. Je ne peux pas garder une plante, c'est *à désespérer*.
8. Les embouteillages ? C'est *à vous dégoûter* de prendre la voiture !
9. Le problème était insoluble ; c'était *à se casser la tête contre les murs* !
10. Ces informations se contredisent ; c'est *à n'y rien comprendre* !

L'EXPRESSION DU BUT

Recherche du mode 1-2

Emploi de l'infinitif 3-4

Exercice de synthèse 5

Infinitif et groupe nominal 6-7

1. Mettre les verbes entre parenthèses au mode et au temps qui conviennent.

1. J'ai appelé mon fils pour qu'il (venir) m'aider à vider la cave.
2. J'insiste pour que vous (régulariser) votre situation au plus vite.
3. La commune a placé des panneaux sur les routes afin que les endroits dangereux (être signalé).
4. Si nous te donnons ces conseils, c'est pour que tu les (suivre).
5. Si je te prête la voiture, c'est bien pour que tu (s'en servir).
6. Je ne savais plus que faire pour qu'elle (vouloir) bien me pardonner.
7. Avant de partir, pense à remplir le congélateur, que je (avoir) de quoi me nourrir pendant ton absence.
8. La crue s'aggravant, la police a fait enlever les véhicules garés sur les berges, de peur que l'eau ne les (atteindre).
9. Viens, que je te (dire) ce que j'ai découvert.
10. Et il a fallu tout ce temps-là pour que vous (admettre) vos erreurs et que vous (reconnaître) que nous avions raison !

2. Construire des phrases complexes à partir des éléments donnés. Employer : POUR QUE – AFIN QUE – QUE – DE PEUR QUE – DE CRAINTE QUE.

1. L'instituteur emmène les enfants au zoo / ils observeront les animaux.
2. Il prend beaucoup de médicaments / il craint que son état ne s'aggrave.
3. Je vous donne ces précisions / vous comprendrez mieux ce qui se passe.
4. Laisse cette lettre sur le bureau / je la relirai.
5. Ne raconte pas cette histoire à ton ami / elle pourrait le choquer.
6. Il se taisait / il craignait les moqueries.
7. Parlez plus fort / tout le monde vous entendra.
8. Mon banquier refuse de m'accorder ce prêt / je risque de ne pas pouvoir rembourser.
9. Nous allons restaurer ce tableau / les couleurs s'éclairciront et les détails ressortiront mieux.
10. Il faut faire venir le maçon / il abattra ce mur et il le reconstruira plus loin.

3. À partir des éléments donnés, construire des phrases dont le verbe sera à l'infinitif ou au subjonctif. Expliquer l'emploi de ces modes :

1. Je me suis inscrit à un club / j'ai l'intention de faire des randonnées.
2. J'ai inscrit mon fils à un club / il fera des randonnées.

3. Lucien m'a téléphoné / il m'a annoncé la naissance de son fils.

4. J'ai confié mon manteau au teinturier / il le nettoiera.

5. Il sortait parfois le soir, un grand chapeau rabattu sur les yeux / il ne voulait pas être reconnu.

4. En supprimant au besoin les verbes de désir ou de crainte, relier les éléments donnés en employant l'infinitif précédé de : – POUR – AFIN DE – EN VUE DE – NON POUR...... MAIS POUR – DE PEUR DE – DE CRAINTE DE.

1. On travaille / on veut réussir.

2. Le matin, je pars une demi-heure plus tôt / je désire éviter la cohue.

3. Il n'a demandé l'avis de personne / il avait peur d'être contredit.

4. Elle ne sort jamais seule / elle a peur d'être agressée.

5. Le chirurgien passera demain / il examinera le malade.

6. Le professeur écoutait attentivement ses élèves / il voulait corriger leur prononciation.

7. Dans l'obscurité, l'enfant chantait à tue-tête / il ne voulait pas avoir peur.

8. Je vous téléphonerai / j'aimerais que nous prenions rendez-vous.

9. Nous récoltons des signatures / nous souhaitons empêcher la démolition de notre vieille fontaine.

10. Nous avons fini par prendre cette sanction / nous ne jouons pas les moralistes, mais nous voulons faire respecter les statuts du club.

5. Compléter les phrases suivantes de façon à exprimer le but :

1. Il a couru très vite......

2. Il a installé un répondeur ......

3. J'ai préféré ne pas voir ce film ......

4. Il faut prévenir un agent ......

5. Avant de partir, vérifiez bien votre passeport ......

6. L'automobiliste a freiné brutalement ......

7. Elle interdit à ses enfants de se baigner ......

8. Je n'utilise jamais ce type d'appareil ......

9. Elle ne reste pas trop longtemps au soleil ......

10. J'ai préféré ne pas répondre ......

*6. Remplacer le verbe en italique par un groupe nominal. Faire éventuellement les autres transformations nécessaires.

1. Pour *déclarer* vos revenus, utilisez ce formulaire.

2. Quelles sont les formalités requises pour *obtenir* une carte de séjour ?

3. Après son divorce, elle évite de s'engager : elle craint *d'être à nouveau déçue*.

4. Il est en train de faire des démarches en vue de *partir prochainement pour l'étranger*.

5. Pour *lancer* ce nouveau produit, une importante campagne publicitaire a été organisée.

*7. Compléter les phrases en employant : (le) DESSEIN – (le) BUT – (l') INTENTION – (la) FIN – (la) CRAINTE – (la) PEUR.

1. Le ...... de cette émission est de vous distraire.

2. Ce n'est pas par hasard que j'ai employé ce mot, c'est à ....

3. Il aura recours à n'importe quel moyen pour parvenir à ses ....

4. J'ai l'...... de m'absenter quelques jours.

5. Arrêter l'inflation ? D'autres, avant lui, ont poursuivi ce ...... sans jamais l'atteindre.

6. Dans la ...... de perdre l'estime de ses amis, il refuse tout contact avec ses adversaires.

7. Il n'a pas agi dans le ...... de vous nuire, j'en suis persuadé.

8. A toutes ...... utiles, nous vous adressons une documentation sur nos activités.

9. C'est votre dernier examen : vous touchez au ....

10. Il ne sortait jamais de chez lui et restait enfermé dans la ...... des microbes et des virus.

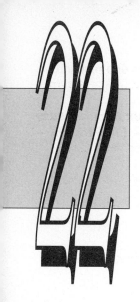

L'EXPRESSION DE L'HYPOTHÈSE ET DE LA CONDITION

Si .... 1 à 4

Autres conjonctions .... 5 à 11

Exercices de synthèse 12-13

Si et *que* 14-15

Exercice de liaison 16

Emploi des formes littéraires 17-18

Autres moyens d'expression de l'hypothèse
et de la condition .... 19 à 23

Exercices de substitution .... 24 à 26

1. Mettre les verbes entre parenthèses au mode et au temps qui conviennent.

1. Si vous (parler) plusieurs langues, vous trouverez du travail.
2. Si vous (parler) plusieurs langues, vous trouveriez du travail.
3. Si vous (parler) plusieurs langues, vous auriez trouvé du travail.
4. Si on (parler) plusieurs langues, on trouve plus facilement du travail.
5. Si tu es très bon skieur, tu (pouvoir) participer à la randonnée qui aura lieu demain.
6. Si le candidat (obtenir) plus de cinquante pour cent des voix, il sera élu au premier tour.
7. On pourrait améliorer la qualité des vins de cette région si on (planter) de nouvelles vignes.
8. Le ministre aurait pu faire passer cette loi si un grand nombre de députés (ne pas s'abstenir).
9. Si vous voulez bien me rendre ce service, je (apprécier) beaucoup votre aide.
10. Si nous (s'asseoir), nous serions plus à l'aise pour bavarder.

2. Même exercice.

1. Si j'étais sûr que tu sois à la maison demain, je te (appeler).
2. Si elle (manger) trop de pain, elle prendrait du poids.
3. Nous (se préparer) à partir si nous en recevons l'ordre.
4. Vous (devoir) vous couvrir si le temps se refroidissait.
5. Mes amis (venir) me voir à l'hôpital si vous les prévenez de mon accident.
6. Dans le métro, les voyageurs se précipitent s'ils (apercevoir) une place.
7. Si je (vivre) au Moyen Age, j'aurais peut-être participé à l'édification d'une cathédrale.
8. Si vous aviez économisé plus longtemps, vous (pouvoir) aujourd'hui acquérir un appartement.
9. S'il avait regardé la carte, il (s'orienter) plus facilement. (*deux possibilités*)
10. S'il avait échoué à l'examen, il (se représenter). (*deux possibilités*)

3. Mettre les verbes entre parenthèses au mode et au temps qui conviennent.

1. Si nous le (joindre) à temps, nous partirons avec lui.
2. Si je vous le demandais gentiment, me (recoudre)-vous ce bouton ?

3. Elle (peindre) avec plaisir si elle avait un bon modèle.
4. Si nous avions eu un peu plus de patience, nous (éviter) cette dispute ridicule.
5. Nous réussirions sans doute si nous (étudier) avec zèle.
6. Si ce parti (atteindre) la majorité des voix à l'Assemblée, il pourrait entreprendre les réformes qu'il a promises.
7. Si Napoléon (vaincre) les Anglais à Waterloo, il aurait quand même été battu à plus ou moins longue échéance.
8. Si l'expédition avait été mieux préparée, les alpinistes (conquérir) ce sommet sans difficulté.
9. Il aurait accepté ce travail ingrat uniquement si son directeur l'y (contraindre).
10. Si le bureau d'études (résoudre) ce problème à temps, nous aurions entrepris la construction avant nos concurrents.

4. Répondre aux questions suivantes :

1. Que feriez-vous avec trois mois de vacances et beaucoup d'argent ?
2. Qu'auriez-vous fait si vous n'étiez pas venu à Paris ?
3. Si vous étiez cinéaste, quel genre de films aimeriez-vous tourner ?
4. Si vous aviez pu choisir une époque, quand auriez-vous désiré vivre ?
5. Quel personnage aimeriez-vous jouer si vous étiez acteur (actrice) ? et pourquoi ?

5. Mettre les verbes entre parenthèses au mode et au temps qui conviennent.

1. Le juge poursuivra l'enquête même si les témoins (se refuser) à déposer.
2. Le directeur n'accorderait pas de congé supplémentaire à ses employés même s'ils (se mettre) en grève.
3. Les manifestations dureraient encore plusieurs jours, sauf si le gouvernement (consentir) à négocier.
4. Ne laissez entrer aucune personne extérieure au service excepté si elle (être muni) d'une autorisation.
5. Il courait droit devant lui, comme si le diable (être) à ses trousses.
6. Il restait impassible comme s'il (ne pas être concerné) par ce que je disais.
7. Même si tu (obtenir) le permis, je ne te prêterais pas ma voiture.
8. Grâce aux équipements électroniques, la sécurité des passagers n'est pas compromise même si les avions (atterrir) par temps de brouillard.
9. En cas d'annulation d'un voyage, l'assurance ne vous remboursera pas, excepté s'il (s'agir) d'une raison grave.
10. Le chien tressaillit comme s'il (percevoir) une présence derrière la porte.

6. Compléter ces phrases en employant l'une des locutions suivantes : MÊME SI – COMME SI – SAUF SI – EXCEPTÉ SI.

1. ...... tu me promettais d'être fidèle, je ne te croirais pas.
2. Elle ne réussira pas l'examen ...... elle fournit un sérieux effort.
3. Ce chien est bien dressé : il n'attaquera pas, ... son maître lui en donne l'ordre.
4. Elle dépensait sans compter ...... elle disposait d'une fortune considérable.
5. Il a continué son chemin ...... il ne m'avait pas vu.
6. Un commerçant doit garder le sourire ...... le client est désagréable.
7. Il faut venir au cours ...... l'on n'en a guère envie.
8. Une fois endormi, ... le monde croulait, il ne se réveillerait pas.
9. Quand je lui ai demandé ce renseignement, l'employée a eu un petit sourire ...... elle se moquait de moi.
10. L'impôt est obligatoire ...... les ressources des contribuables sont insuffisantes.

7. Mettre les verbes entre parenthèses au mode et au temps qui conviennent.

1. Il emprunterait de l'argent à la banque à condition que le taux d'intérêt (ne pas être) trop élevé.
2. Lui ? Il n'est pas ambitieux. Pourvu qu'il (avoir) la sécurité et qu'il (pouvoir) vivoter tranquillement, il sera satisfait.
3. Au cas où un bolide (déraper), ces barrières de sécurité seraient-elles suffisantes ?
4. Moi, je peux travailler avec l'un et avec l'autre à condition qu'ils (se mettre) d'accord entre eux.
5. Je serais incapable de recevoir correctement six personnes à moins que vous ne me (avertir) au moins la veille.
6. En admettant que nous (se rendre) à Marseille en voiture, quel trajet nous conseillez-vous ?
7. Au cas où des concurrents (vouloir) s'entraîner, faites préparer la piste.
8. En principe, elle sera des nôtres pourvu toutefois qu'elle (vouloir) bien se déplacer par un temps pareil.
9. Pour peu que le gaspillage (se poursuivre), le budget sera bientôt épuisé.
10. Soit qu'il (peindre), soit qu'il (écrire), cet artiste illustre les mêmes thèmes.

8. Remplacer les tournures en italique par une subordonnée introduite par SI.

1. Les rosiers donneraient des fleurs superbes *à condition qu'ils soient bien exposés*.
2. *Au cas où tu refuserais*, nous n'en ferions pas un drame.
3. *En admettant que tout cela soit vrai*, qu'allons-nous faire ?
4. *Quand je n'ai pas d'argent sur moi*, je paie par chèque.
5. Loin du village et sans téléphone, *qu'un accident arrive*, vous seriez bien ennuyé.

9. Remplacer si par une des conjonctions suivantes : À CONDITION QUE, AU CAS OÙ, EN ADMETTANT QUE, QUAND.

1. Si j'ai le temps, je vais le voir.
2. Si j'ai le temps, j'irai le voir.
3. Si j'avais le temps, j'irais le voir.
4. Je vous appellerai en rentrant, s'il n'est pas trop tard.
5. S'il passait par ici, prévenez-moi.

10. Mettre les verbes entre parenthèses au mode et au temps qui conviennent.

1. Cette tâche est faisable pourvu que chacun s'y (atteler).
2. Je te prête mes notes à condition que tu me les (rendre) à la fin de la semaine.
3. Le paiement s'effectue à la commande. Au cas où vous (contester) la qualité de nos produits, vous seriez remboursé.
4. Le médiateur consentait à se charger de cette affaire à condition qu'on lui (laisser) toute liberté d'action.
5. Pour peu que vous l'en (prier), il vous fera visiter son château.
6. Notre public ne comprendra pas votre conférence à moins que vous ne (s'en tenir) à un vocabulaire accessible à tous.
7. Le personnel accepte la reprise du travail à condition que les avantages obtenus (prendre) effet dès la semaine prochaine.
8. Que ce candidat aux élections (être) évincé par son rival ou qu'il (conclure) un accord avec lui, son prestige en souffrira.
9. Il n'acceptera pas ce travail supplémentaire à moins que nous ne lui (offrir) une indemnité.
10. Quand bien même ils (faire) appel, nos adversaires perdraient probablement le procès.

*11. Pour chacune des phrases suivantes, faire dans l'ordre les cinq transforma tions indiquées par l'exemple.

Même s'il pleuvait à verse, il ferait sa promenade quotidienne.
→ 1. Quand bien même *il pleuvrait à verse*, il ferait sa promenade quotidienne.
→ 2. Quand *il pleuvrait à verse*, il ferait sa promenade quotidienne.
→ 3. *Il pleuvrait à verse*, il ferait sa promenade quotidienne.
→ 4. *Il pleuvrait à verse* qu'*il ferait sa promenade quotidienne*.
→ 5. Pleuvrait-il à verse qu'*il ferait sa promenade quotidienne*.

1. Même si je voulais encore les aider, je ne serais plus en mesure de le faire.
2. Même si nous avions tous approuvé cette solution, il y aurait opposé son veto.
3. C'est un véritable optimiste : même si le ciel lui tombait sur la tête, il garderait de l'espoir.
4. Même si nous avions payé cet appartement vingt pour cent de plus, ç'aurait été une bonne affaire.
5. Même si la sécheresse avait persisté, cette source n'aurait pas tari : l'eau vient d'une nappe souterraine.

*12. Compléter ces phrases en employant :
QUE...... OU QUE, POURVU QUE, SI, EN ADMETTANT QUE, MÊME SI, SAUF (EXCEPTÉ) SI, À CONDITION QUE, AU CAS OÙ, À MOINS QUE, POUR PEU QUE.

1. Je viendrai ...... il y a une grève des transports.
2. ...... il y avait une grève, je ne viendrais pas.
3. ...... il y aurait une grève, je ne viendrais pas.
4. Il est encore temps de réserver la salle ...... vous répondiez immédiatement.
5. ...... il s'entraîne plusieurs heures par jour, cet athlète devrait obtenir une médaille.
6. Il reprendra ses activités le mois prochain ...... il a de nouveaux ennuis de santé.
7. ...... vous lui résistiez, il se met en colère.
8. ...... on lui accorde des subventions, cette entreprise ne se rétablira pas.
9. Nous pensons nous inscrire pour cette croisière ...... il n'y ait déjà plus de place.
10. ...... cette maison soit chère ...... elle soit bon marché, peu importe ; je ne suis pas acquéreur.

*13. Transformer ces phrases en employant :
POURVU QUE, À MOINS QUE, POUR PEU QUE, QUE......QUE, EN ADMETTANT QUE.

1. *S'il faisait un petit effort*, il pourrait encore gagner le match.
2. Nous ferons un pique-nique *sauf s'il pleut*.
3. *Il peut pleuvoir, neiger, venter*, tous les jours on le voit au Luxembourg.
4. Je veux bien te pardonner, *mais ne recommence jamais* !
5. *D'accord, il est malade* ! Ça ne le dispense pas de me prévenir quand il s'absente !

*14. Mettre les verbes entre parenthèses au mode et au temps qui conviennent selon le modèle suivant :

J'irais volontiers dans ce magasin si les prix étaient plus intéressants et
→ *si les vendeurs étaient plus aimables.*
→ *que les vendeurs soient plus aimables.*

1. S'il revenait et s'il (faire) du scandale, mettez-le à la porte.
   S'il revenait et qu'il (faire) du scandale, mettez-le à la porte.
2. Le malade aurait guéri plus rapidement si on le (transporter) à l'hôpital et s'il (subir) aussitôt les examens nécessaires.
   Le malade aurait guéri plus rapidement si on le (transporter) à l'hôpital et qu'il (subir) aussitôt les examens nécessaires.

3. Si le signal d'alarme (fonctionner) et si les pompiers (arriver) plus tôt, on aurait sauvé cette famille.
   Si le signal d'alarme (fonctionner) et que les pompiers (arriver) plus tôt, on aurait sauvé cette famille.
4. Il poursuivrait ses études s'il (recevoir) une bourse et si sa santé (s'améliorer).
   Il poursuivrait ses études s'il (recevoir) une bourse et que sa santé (s'améliorer).
5. La réunion aura lieu si tous les membres (être convoqué) à temps et s'ils (pouvoir) se libérer.
   La réunion aura lieu si tous les membres (être convoqué) à temps et qu'ils (pouvoir) se libérer.

*15. Mettre les verbes entre parenthèses au mode et au temps qui conviennent.

1. Habituellement, si je (partir) assez tôt et qu'il (ne pas pleuvoir), je vais à pied à mon travail.
2. Si tu (aller) chez le boucher et que tu (voir) un beau poulet fermier, prends-le moi.
3. Je ne pourrai pas mettre cette robe sauf si tu me la (retoucher) et que tu le (faire) tout de suite.
4. Si l'excursion (être annulé) et que nous (ne pas être averti) à temps, nous pourrions exiger un remboursement intégral.
5. Si vous (être) libre et que vous (pouvoir) vous joindre à nous, cela nous ferait plaisir.
6. Si tu nous (conduire) à la gare ou que nous (trouver) un taxi, nous aurons notre train.
7. Même s'il (suivre) la prescription du médecin et qu'il (se reposer), il n'aurait pas été remis pour la rentrée.
8. Si cette jeune actrice le (vouloir) et qu'elle en (prendre) la peine, elle aurait appris son rôle convenablement.
9. Pour peu que les grèves (se prolonger) et qu'aucun accord ne (intervenir), la situation deviendrait critique.
10. À supposer que les mesures prises pour maîtriser l'inflation (ne pas donner) de bons résultats et qu'une nouvelle hausse des prix (se produire), on pourrait craindre des troubles.

*16. Construire des phrases complexes à partir des éléments suivants en employant SI – SI et QUE – MÊME SI – SAUF SI – COMME SI – À SUPPOSER QUE – AU CAS OÙ – QUAND BIEN MÊME – À CONDITION DE.

J'aurais du temps / j'en aurais les moyens / je ne ferais quand même pas le tour du monde.
  → *Même si j'avais du temps et que j'en aie les moyens, je ne ferais pas le tour du monde.*

1. Même en creusant très profond / vous ne trouverez pas d'eau ici.
2. Vous désirez voyager / vous n'avez pas d'argent / comment vous y prendrez-vous ?
3. Demandons conseil au notaire / il nous fournira peut-être une solution.
4. Il se peut que notre proposition ne vous convienne pas / vous avez une meilleure idée / nous sommes prêts à l'étudier.
5. Vous pouvez encore finir à temps / vous commencez tout de suite / vous ne perdez plus une seule minute.
6. Il me téléphonerait / je ne manquerais pas de vous en informer.
7. Le samedi soir / quand il y a un bon film / quand je n'ai pas trop de travail / j'aime bien aller au cinéma.
8. Il aurait tout l'or du monde / il ne serait pas satisfait.
9. En m'apercevant, il blêmit / on aurait cru que je lui faisais peur.
10. Je ne viendrai pas à cette réunion / ou bien garantissez-moi que Jacques n'y sera pas.

*17. Étudier l'emploi des formes littéraires et donner la forme courante qui leur correspond.

1. Qu'aurais-je fait si ce que j'attendais fût arrivé ? Je ne le demandais pas. *(Mirbeau)*
2. Il eût été le plus heureux des hommes de pouvoir la tuer. *(Stendhal)*
3. Ils se battaient contre la nature et, Jacques se l'avouait devant les hésitations du guide, il eût été incapable, seul, de s'y retrouver. *(Vialar)*

4. Jacques s'apercevait enfin que Daniel n'était pas tout à fait comme avant, mais il n'eût su dire en quoi. *(Martin du Gard)*
5. "Il eût mieux valu revenir à la même heure, dit le renard. Si tu viens, par exemple, à quatre heures de l'après-midi, dès trois heures je commencerai d'être heureux." *(Saint-Exupéry)*

*18. Remplacer les verbes en italique par des formes littéraires.

1. Il se précipita sur moi comme s'il *avait voulu* me frapper.
2. Même souffrant, il *n'aurait pas manqué* de se joindre à vous.
3. Si on lui avait imposé de telles conditions de vie, elle *se serait révoltée*.
4. Avec de tels dons, cet acteur *aurait mérité* de meilleurs rôles.
5. Quelle aurait été notre joie si cette faveur nous *avait été accordée* !

19. Compléter les phrases suivantes par :
SI AU MOINS – SI ENCORE – SI SEULEMENT – SI JAMAIS – SI TOUTEFOIS.

1. Dans ce texte, il y a de nombreux mots que j'ignore. Ah ! ...... j'avais mon dictionnaire !
2. Un compromis ne me paraît pas impossible ...... vous consentez à modifier légèrement votre projet initial.
3. Vous n'allez pas repartir tout de suite ? ...... vous restiez ce soir ? Vous reprendriez la route demain matin.
4. Je l'ai attendu pendant deux heures. ...... il m'avait téléphoné, je ne serais pas fâchée. Mais rien ! Pas un mot d'excuse !
5. N'en parlons plus pour cette fois ; mais te voilà prévenu : ...... tu recommences, tu seras puni.

20. Remplacer les tournures en italique par une subordonnée introduite par SI.

1. Nous les emmènerions volontiers avec nous *au cas où ils participeraient aux frais*.
2. *En cas de neige abondante*, le col serait fermé à la circulation.
3. *Au cas où les deux pays ne parviendraient pas à signer un accord*, on pourrrait craindre un conflit armé.
4. *En cas de refus de sa part*, nous serions bien embarrassés !
5. *Faute de réponse dans les quarante-huit heures*, envoyez-leur une lettre recommandée.

21. Compléter ces phrases en employant AVEC – EN CAS DE – FAUTE DE – SANS – SAUF.

1. Venez demain ...... contre-ordre.
2. Prévoyez une autre solution ...... refus de sa part.
3. ...... un miracle, ce bilan ne sera pas prêt en temps voulu.
4. ...... de telles ambitions professionnelles, il faudrait se préparer plus sérieusement.
5. ...... soleil, cette plante va dépérir.

*22. Transformer les constructions suivantes en employant :
SI CE N'EST – SOUS PEINE DE – SINON – SINON QUE.

1. Vous pouvez régler en espèces ou, si vous n'en avez pas, utilisez votre carte de crédit.
2. Je ne demande rien ; laissez-moi seulement tranquille.
3. Nous n'avons plus besoin de rien, sauf d'obtenir une confirmation écrite de votre décision.
4. Il voulait la justice et rien d'autre.
5. Pour chaque épreuve, il faut que vous rendiez une copie, même blanche, sans quoi vous serez éliminé.

*23. Transformer les constructions suivantes en employant :
SINON – OU – OU BIEN – OU ALORS – AUTREMENT.

1. Si vous ne cessez pas votre tapage, j'appelle la police.
2. Si vous ne lui écrivez pas pour son anniversaire, elle aura de la peine.
3. Si vous ne faites pas correctement votre travail, vous serez congédiés.
4. Si tu n'obéis pas, tu vas avoir affaire à moi.
5. Si tu ne te fais pas aimer, tu seras obligé de te faire craindre.

*24. Sans modifier le sens de la phrase, remplacer les expressions en italique par une subordonnée avec SI ou MÊME SI.

1. Tu ferais plaisir à ta grand-mère *en lui écrivant*.
2. *Même prise au dépourvu*, elle ne se serait pas troublée.
3. *En mon absence*, il faudra évidemment faire suivre le courrier.
4. *Moins moqueur*, ce jeune homme arriverait quand même à se faire des ennemis par son arrogance.
5. *Mère de famille*, je ne voyagerais pas si souvent.
6. *En votant contre ce projet*, ils mettront le gouvernement en difficulté.
7. *Même harcelé par les journalistes*, ce ministre serait resté très discret.
8. *Même avec une population réduite de moitié*, la ville serait encore surpeuplée.
9. *Même fatigué*, il passera leur dire un petit bonsoir.
10. Certaines amitiés sont fragiles : *à la suite d'un malentendu*, on se brouille !

*25. Sans modifier le sens de la phrase, remplacer les expressions en italique par une subordonnée avec SI, MÊME SI ou SAUF SI.

1. *Avec une augmentation de salaire*, ils s'offriraient facilement un voyage en Chine.
2. *Sans votre intervention*, cette démarche n'aurait pas abouti.
3. *Sauf erreur de ma part*, notre rendez-vous tient toujours.
4. N'allez pas voir ce film *à moins d'avoir les nerfs solides*.
5. J'aime passer la soirée chez moi *à condition d'avoir un bon livre*.
6. *Une voiture qui ne servirait jamais* finirait par s'abîmer.
7. *Il n'aurait pas fait cette chute*, il gagnait la course.
8. *Il se vanterait un peu moins*, on aurait confiance en lui.
9. Cet enfant devrait se reposer, *ne serait-ce que huit jours*.
10. *Désirez-vous perdre vos amis ?* Prêtez-leur de l'argent.

*26. Sans modifier le sens de la phrase, transformer la proposition subordonnée avec SI en choisissant une ou plusieurs des solutions suivantes : proposition interrogative, deux indépendantes au conditionnel, participe, adjectif, groupe nominal, proposition relative au conditionnel, impératif, gérondif, ou "ne serait-ce que".

1. Si je criais très fort, j'arriverais peut-être à me faire entendre.
2. Si ces médicaments étaient périmés, ils seraient dangereux.
3. S'il n'avait pas été aussi maître de lui-même, il se serait mis en colère.
4. Si vous étiez riche, seriez-vous plus heureux ?
5. Si ton projet n'aboutissait pas, qu'envisagerais-tu ?
6. J'engagerais tout de suite une secrétaire si elle savait le suédois et le russe.
7. Même si j'y risquais ma vie, je tenterais cette ascension.
8. Même si ce n'était que pour me plaire, mets cette robe.
9. Si j'avais su qu'il était malade, je serais allé le voir.
10. Si vous jurez que vous n'étiez au courant de rien, personne ne vous croira.

L'EXPRESSION DE L'OPPOSITION ET DE LA CONCESSION

Termes et locutions exprimant l'opposition
et la concession .... 1 à 5

Exercice d'application 6

Emploi des modes et des temps 7

Conjonctions exprimant l'opposition
et la concession .... 8 à 21

Exercices de substitution .... 22 à 24

Avoir beau 25-26

Tout + gérondif 27-28

Autres moyens d'exprimer l'opposition
et la concession .... 29 à 31

1. Compléter les phrases en employant : MAIS – CEPENDANT – POURTANT – TOUTEFOIS – NÉANMOINS.
1. J'avais invité Jacqueline à dîner ...... elle n'était pas libre.
2. Il ne travaille guère, et ...... il arrive à gagner sa vie !
3. Vous ne comprenez pas le sens de cette phrase ? ...... je vous l'ai déjà expliqué !
4. Cette foulure n'a pas été bien grave, ... j'ai évité de marcher pendant deux jours.
5. Nous avons établi le plan de l'ouvrage, ... il n'est pas encore définitif.

2. Compléter les phrases en employant :QUAND MÊME – TOUT DE MÊME – AU CONTRAIRE.
1. Votre prononciation n'est pas encore parfaite, mais il y a ...... de nets progrès.
2. Ce film n'a pas eu le succès escompté, mais il a ...... couvert les frais de production.
3. Pierre est économe, mais il n'est pas avare ; ......, il est souvent très généreux.
4. Cet enfant est infernal ! Je lui ai défendu d'aller patauger dans la boue, et il y est allé...... !
5. Ce n'est pas une remarque inutile ; c'est, ..., une très bonne idée.

3. Compléter les phrases en employant : SAUF – EXCEPTÉ – MALGRÉ – EN DÉPIT DE – AU LIEU DE.
1. On m'a fait des reproches ...... des félicitations auxquelles je m'attendais.
2. Je ferai ce qui me plaît, ... toutes les critiques.
3. Au supermarché, j'ai trouvé tout ce que je voulais ...... de la farine : justement, ils en manquaient.
4. Je comprends tout, ... ce mot-là.
5. ...... vous décourager, vous feriez mieux d'essayer encore une fois.
6. Nous sommes décidés à entreprendre cette expédition ...... les risques qu'elle présente.
7. Tous mes cousins pourront venir pour mon anniversaire, Paul ....
8. On a aménagé cette maison ...... (le) bon sens !
9. ...... les pressions de son entourage, il a refusé de vendre l'entreprise.
10. Je n'ai pas pu me retenir : ...... moi, il a fallu que je dise ce que je pensais !

4. Compléter les phrases en employant AU CONTRAIRE ou CONTRAIREMENT À.

1. ...... toi, je fais confiance à cet avocat.
2. Tu ne jures que par cet avocat ! Moi, ..., je n'ai pas du tout confiance en lui.
3. ...... à tous les pronostics, c'est mon cheval qui a gagné la course !
4. La télévision n'est pas indispensable. ......, on peut très bien s'en passer !
5. ...... à ce que je pensais, c'est bien l'Elysée qui a donné cette information.

5. Compléter les phrases en employant MAIS – POURTANT – CEPENDANT – TOUTEFOIS – NÉANMOINS – QUAND MÊME – TOUT DE MÊME.

1. Tout semblait perdu, ... ils espéraient encore.
2. La maison paraissait vide ; ...... on entendait la radio dans une chambre du premier étage.
3. Ce qu'il a raconté semblait cohérent ; ...... quelque chose m'a intrigué.
4. Je viendrais avec plaisir ; ...... je crains de ne pas pouvoir me libérer ce jour-là.
5. Cet homme a de nombreux amis ; ...... aucun ne peut dire qu'il le connaisse vraiment.
6. Il avait quelques difficultés à s'exprimer ; ...... il a fini par devenir avocat.
7. On m'a beaucoup déconseillé cette démarche. Tout bien pesé, je l'entreprendrai ....
8. Je sais que tu n'attrapes jamais froid. Prends ...... un chandail.
9. Tout lui réussit, et ...... elle est mécontente !
10. Il est interdit de conduire en état d'ivresse, mais certains automobilistes le font ....

6. Compléter les phrases suivantes.

1. Je ne prends pas ces bottes : elles me plaisent bien ...... elles sont trop chères pour moi.
2. Les trottoirs sont nettoyés régulièrement, et ...... ils sont souvent sales.
3. Le magasin est ouvert tous les jours, ... le lundi.
4. Cet homme était pauvre, et ...... il paraissait toujours joyeux.
5. Il est interdit de se baigner dans la rivière, mais les imprudents le font ....
6. Cette émission est bien médiocre, et ...... elle a du succès.
7. ...... les risques et les difficultés, il a entrepris de traverser l'Europe à cheval.
8. ...... placer cette gravure en face de la fenêtre, mets-la plutôt à contre-jour.
9. Il est parti seul, ... tous les conseils qui lui ont été donnés.
10. Le médecin pense que ce n'est pas grave ; ...... il tient à faire une radiographie : on ne sait jamais !
11. A la température ordinaire, tous les métaux sont solides, le mercure ....
12. Vous ne nous dérangerez pas en venant passer quelques jours chez nous ; ...... , vous nous ferez plaisir.
13. Il est probable qu'ils se marieront sous peu ; ...... la date n'est pas encore fixée.
14. Pour moi, vivre en banlieue est loin d'être un inconvénient ; ...... j'y trouve de nombreux avantages.
15. Lire une comédie, c'est bien joli ; mais ...... , cela ne remplace pas une représentation.

7. Mettre les verbes entre parenthèses au mode et au temps qui conviennent.

A. 1. Marc s'intéressait beaucoup à la musique classique tandis que son frère, lui, ne (écouter) que du jazz.
2. Bien qu'on (faire) signe, l'autobus est passé sans s'arrêter.
3. Ce petit artisan est parvenu à réparer ma chaîne stéréo, alors que la maison X. me (dire) que c'était impossible.
4. Elle reste toujours d'humeur égale quoiqu'elle (subir) en ce moment de lourdes épreuves.
5. Les catholiques vont à l'église tandis que le temple (servir) au culte protestant.

B. 1. On a construit l'autoroute sans que des murs spéciaux (être prévu) pour protéger les riverains du bruit.
2. J'aime me mettre au soleil, encore que ma peau (rougir) facilement.
3. Elle a organisé une réunion d'amis pour mon anniversaire sans que je (s'apercevoir) de rien.
4. J'aimerais bien toucher mon chèque, encore que je (pouvoir) patienter quelques jours.
5. Il sera peut-être engagé par cette entreprise, encore qu'il y (avoir) bien d'autres candidatures que la sienne.

C. 1. Nous ne sommes pas encore au printemps, même si les arbres (fleurir).
2. Nous pourrions visiter Versailles, à moins que vous ne (préférer) Fontainebleau.
3. Ce chien est très calme sauf quand il (apercevoir) un chat !
4. A moins que les affaires ne (reprendre) très vite, la récession promet d'être grave.
5. Dans notre maison, l'isolation est insuffisante : si nous (avoir) à peine chaud l'hiver, nous (étouffer) en été.
6. Je n'arriverai pas à traduire cet article, à moins que vous ne me (procurer) un dictionnaire technique.
7. Même si, un moment, notre équipe (paraître) faiblir, sa victoire n'a jamais fait aucun doute.
8. Si cet hôtel (être) longtemps un palace, il ne l'est vraiment plus !
9. Nos cerises vont être mangées par les oiseaux, sauf si nous les (cueillir) tout de suite.
10. Elle est très gentille d'être intervenue en ma faveur, sauf qu'il (falloir) le faire plus tôt !

8. Compléter les phrases en employant : BIEN QUE – QUOIQUE – ENCORE QUE – TANDIS QUE – ALORS QUE.

1. Le président refuse de démissionner ...... on ait essayé de l'y contraindre.
2. Il reste à Paris pour des raisons professionnelles ...... sa femme et ses enfants sont en vacances.
3. Vous pouvez toujours porter plainte, ..., à mon avis, cela ne serve pas à grand-chose.
4. ...... il possédait un chalet à la montagne, il n'avait pas le temps d'en profiter.
5. Ce parti a de fortes chances de perdre les élections, ... il ait modifié sa politique.
6. ...... ce couturier se soit sans cesse renouvelé, ses modèles conservaient un style qui n'appartenait qu'à lui.
7. ...... il vive déjà depuis un certain temps en Finlande, il se familiarise difficilement avec la langue de ce pays.
8. Nous apprécions un visage souriant ...... un air grognon n'attire guère la sympathie.
9. Mon oncle a une préférence marquée pour sa fille aînée ...... ma tante favorise toujours la cadette.
10. ...... votre erreur ait été involontaire, il faut restituer au plus vite cette somme.

9. Compléter les phrases en employant : MÊME SI – SANS QUE – À MOINS QUE – SAUF SI – SAUF QUE – SAUF QUAND.

1. ...... vous n'avez pas beau temps, tâchez de faire un peu de sport.
2. Viens dimanche, ... un autre jour te convienne mieux.
3. Ce pot-au-feu est excellent, ... il y manque un peu de sel.
4. Il a toujours vécu dans une maison, ... il était à Paris.
5. Il est impossible pour cette jeune fille de sortir avec un garçon ...... son entourage fasse toutes sortes de commentaires.
6. Voulez-vous des cerises à l'eau de vie ? ...... vous ne préfériez un cognac ?
7. J'ai peut-être tort, mais, ... j'avais de l'argent, je ne le placerais pas à la Bourse en ce moment.
8. ...... ses parents s'en rendent compte, André devenait un homme.
9. Nous allons rentrer à pied ...... vous ne puissiez nous emmener en voiture.
10. Je vous aurais bien tous emmenés, ... ma voiture n'a que quatre places.

10. Mettre les verbes entre parenthèses au mode et au temps qui conviennent.

1. Qui que (être) ce monsieur, il attendra comme tout le monde.
2. Quel que (être) le prix, ce sera toujours trop cher pour moi.
3. Quoi que vous en (penser), conduire très vite, c'est accroître les risques.
4. Quoi qu'en (dire) les envieux, c'est un homme intègre.
5. Quelles que (être) ses illusions au départ, il ne les a pas gardées bien longtemps.

11. Compléter les phrases en employant QUI QUE – QUEL QUE – QUOI QUE.

1. ...... soit l'origine de ce vin, il est délicieux.
2. Le moment est mal choisi : ...... vous proposiez, ce sera refusé.
3. Evitons d'être injustes envers ...... ce soit.
4. C'est un homme d'action ; ...... soient les risques, il les prendra sans hésiter.
5. Ce bouquet est bien comme il est ; si tu y changes ...... ce soit, tu vas tout gâcher.

12. Compléter les phrases par QUOIQUE ou QUOI QUE.

1. ...... vous décidiez, faites-le moi savoir au plus tôt.
2. ...... le jour ait beaucoup baissé, on peut encore lire.
3. ...... les inconvénients de cette solution soient réels, aucune autre n'est meilleure.
4. ...... on fasse, cette région va connaître des moments difficiles.
5. ...... on en dise, la Bretagne est ensoleillée.

*13. Transformer les phrases suivantes en employant SI QUE.

Julien est compétent, mais il ne pourra pas tout faire.
→ *Si compétent que soit Julien, il ne pourra pas tout faire.*

1. La nouvelle est surprenante, et pourtant elle est vraie.
2. Ce café est très fort, cependant il ne parvient pas à me tenir éveillé.
3. Elle paraît intelligente ; néanmoins, certaines choses lui échappent.
4. Les donateurs se sont montrés généreux, toutefois la somme nécessaire n'est pas encore réunie.
5. Ce poète a été célèbre, mais il est maintenant bien oublié.

*14. Mettre les verbes entre parenthèses au mode et au temps qui conviennent. Expliquer les nuances de sens.

1. Tout ignorante qu'elle (être), elle ne manquait pas de finesse.
2. Tout ignorante qu'elle (être) pour le moment, je suis sûr qu'elle apprendra vite.
3. Tout violent qu'il (paraître), au fond c'est un très brave homme.
4. Tout violent que (être) le XVIe siècle, ce fut un âge de progrès.
5. Tout vieilli qu'(être) le mot "liesse", il n'a pas de synonyme véritable.

*15. Exprimer la même idée en employant BIEN QUE – QUOIQUE.

1. Tout bourguignon qu'il est, il ne connaît rien aux vins.
2. Toute ronde qu'est la Terre, elle a paru plane aux premiers géographes.
3. Toute plane que la Terre ait paru aux premiers géographes, elle est ronde.
4. Tout bleu que soit le ciel en ce moment, ne t'y fie pas !
5. Tout jeune qu'il fût, il savait se rendre utile.

16. Mettre le verbe au mode et au temps qui conviennent.

1. Si patient que l'on (être), il vient un moment où l'on se fâche.
2. Pour efficace que (être) le climatiseur, il est trop petit pour cette salle.
3. Quelque simples que (être) ces exercices, j'ai du mal à les faire.
4. Pour attentifs que (pouvoir) être les savants, ils ne sont pas à l'abri d'une erreur.
5. Si cher qu'il (falloir) la payer, la victoire fut remportée.

*17. Employer QUELQUE QUE en faisant les accords nécessaires.

1. Nous voici maintenant sains et saufs ...... dangers ...... nous ayons couru.
2. ...... étrange ...... cela paraisse, on ne connut jamais la vérité.
3. ...... excuses ...... ils nous fassent, rien ne compensera le tort qu'ils nous ont causé.
4. ...... séduisants ...... soient les jeunes gens, elle ne se laisse pas tourner la tête.
5. En ...... endroit ......il soit, il trouve toujours quelqu'un avec qui parler.

*18. Compléter les phrases suivantes en employant QUELQUE QUE ou QUEL QUE.

1. ...... confiant ...... paraisse, on devine son anxiété.
2. Il faut parfois se lancer à l'aventure, ... soient les conséquences.
3. ...... changeante ...... elle soit, je la crois sincère.
4. ...... facilités ...... les banques accordent, le remboursement d'une pareille dette est un fardeau.
5. ...... aient été ses fautes passées, sa conduite ultérieure sut les faire oublier.

*19. Employer QUEL QUE SOIT en faisant les accords nécessaires.

1. Il pourra faire appel à nous ...... ses difficultés.
2. La candidate a réponse à tout ...... le sujet abordé.
3. ...... cette fameuse réforme, elle ne fera que repousser l'échéance.
4. ...... vos adversaires, vous êtes en assez bonne forme pour les affronter.
5. ...... les us et coutumes du pays que l'on visite, il convient de les respecter.

20. Employer la conjonction qui convient : QUI QUE – QUOI QUE – QUEL QUE – QUELQUE ...... QUE – SI ...... QUE – TOUT ...... QUE - POUR ...... QUE.

1. ...... vous soyez, il est interdit d'entrer.
2. Il n'est jamais content, ... on lui dise.
3. ...... soit la situation, Jean y fera face.
4. ...... brave ...... il était, le sauveteur hésita.
5. ...... dispositions ...... vous preniez, on y trouvera toujours à redire.
6. Retenez-moi une place à l'Opéra, ... soit le programme.
7. ...... habile ...... soit cette argumentation, elle ne me convainc pas.
8. ...... vous en pensiez, la conjoncture me paraît favorable à nos projets.
9. ...... occupé ...... il soit, il prend le temps de parler avec ses enfants.
10. ...... antipathie ...... il pût éprouver à son égard, il eut toujours le soin de la lui cacher.

*21. Transformer les phrases en employant :
BIEN QUE – TOUT ...... QUE – QUOIQUE – QUOI QUE – QUEL QUE – QUELQUE ...... QUE.

1. Elle n'élève jamais la voix, toutefois elle se fait obéir.
2. Il est très occupé, cependant il nous accueille toujours chaleureusement.
3. Cela va coûter cher mais faites ce que vous voulez !

4. Il est très affaibli par cette maladie, mais on espère qu'il se rétablira rapidement.
5. Il est riche, et pourtant il a dû lui aussi réduire son train de vie.
6. La vie est parfois difficile, mais il ne faut jamais désespérer.
7. Je ne sais pas quels sentiments il éprouve à mon égard, mais j'aimerais le revoir.
8. Le ministre pourra prendre n'importe quelle décision, il y aura des mécontents.
9. Certains utilisent "après que" avec le subjonctif, mais ne les imitez pas.
10. Il avait souvent traversé cette forêt ; il ressentit pourtant ce soir-là une vague inquiétude.

*22. Transformer les phrases suivantes en employant MAIS – POURTANT – CEPENDANT – TOUTEFOIS – QUAND MÊME.

1. Bien que j'aie beaucoup de travail, je trouve chaque semaine le temps de visiter un musée.
2. Quoique nous soyons en été, la température est basse.
3. Bien que nous lui ayons interdit cette démarche, il l'a tentée.
4. Alors qu'ils viennent de goûter, les enfants réclament encore des glaces !
5. Tout intelligent qu'il est, il n'a pas compris que le moment n'était pas favorable.
6. Quoi que l'on fasse pour satisfaire la clientèle, il faut s'attendre à des réclamations.
7. Quelque pénibles que soient ces décisions, nous devons les prendre.
8. Quelque risques qu'il ait pris, il n'a jamais eu d'accident.
9. Si séduisante que soit cette théorie, elle est contestée.
10. Cette conférence était intéressante, encore qu'un peu trop longue.

*23. Transformer en proposition subordonnée le groupe nominal en italique.

1. *En dépit d'une révision récente*, ma voiture est tombée en panne au bout de quelques kilomètres.
2. *Malgré toutes mes précautions*, j'ai réveillé tout le monde en rentrant.
3. *En dépit de sa timidité*, Marie nous a dit un poème avec beaucoup de sensibilité.
4. *Malgré de nombreuses mises en garde*, bien des touristes commettent des imprudences.
5. *Malgré son caractère entier*, il a de nombreux amis.
6. *Malgré un entraînement intensif*, notre équipe a été battue à plate couture.
7. Si Pierre n'a pas réussi, *en dépit de ses dons*, c'est uniquement faute d'application.
8. Méfiez-vous de Jacques : *avec son air candide*, c'est un petit malin !
9. *Malgré toutes les prédictions*, nul ne peut savoir quel sera le résultat des prochaines élections.
10. *Malgré tous les obstacles*, il a brillamment réussi.

*24. Transformer la proposition subordonnée en italique en groupe nominal.

1. *Quoiqu'ils soient bien équipés*, les alpinistes souffrent du froid.
2. Ce coureur a une vitalité étonnante : *bien qu'il ait quarante ans*, il vient de battre un nouveau record.
3. *Bien que nous suivions un régime sans sel*, nous faisons une cuisine agréable.
4. *Bien que cette bague soit un peu chère*, je suis tenté de l'acheter.
5. Comme beaucoup d'artistes, ce peintre ne fut pas reconnu de son vivant, *encore qu'il eût du génie*.
6. *Bien qu'un accord ait été signé*, un conflit peut toujours se déclarer.
7. *Quoique l'on ait organisé plusieurs collectes*, les fonds réunis sont encore insuffisants.
8. Mon assureur ne m'a pas encore indemnisé, *bien que je lui aie adressé plusieurs réclamations*.
9. *Encore qu'elle paraisse frêle*, elle est pleine d'énergie.
10. *Bien qu'elle ait d'abord refusé*, elle s'est laissé convaincre de présider la séance.

*25. Remplacer AVOIR BEAU par une autre construction (coordination, subordination ou groupe nominal).

1. *Sa femme a eu beau lui faire des reproches*, il a continué à se surmener.
2. *La jeune fille eut beau faire du charme*, cela n'attendrit guère le douanier.
3. *On a eu beau me prévenir*, j'ai été déconcerté par certaines de ses remarques.
4. *Cette maison a beau avoir une valeur historique*, elle disparaîtra si l'on maintient le tracé actuel de l'autoroute.
5. *Cette collection a beau s'être très bien vendue*, le fisc ne laissera pas grand-chose aux héritiers.

*26. Transformer les phrases suivantes en employant AVOIR BEAU.

1. *Bien que le temps passe*, le quartier demeure inchangé.
2. *En dépit de son insistance*, je ne sortirai pas avec lui.
3. *Malgré ses appels*, personne ne répondit.
4. *Quoique je me le sois promis bien des fois*, je n'ai pas encore renoncé au tabac.
5. *Bien qu'elle connût la vérité*, il lui fallait se taire.

*27. Transformer le groupe en italique soit en proposition subordonnée soit en groupe nominal.

1. *Tout en étant très beau*, ce tapis risque de jurer avec les rideaux.
2. *Tout en dégustant son repas avec un plaisir évident*, il critique chaque plat.
3. *Tout en criant très fort*, je ne peux me faire entendre au milieu de ce vacarme.
4. *Tout en paraissant calmes au moment de l'accident*, certaines personnes ont ensuite une réaction nerveuse.
5. La pluie d'orage, *tout en étant violente*, avait à peine mouillé le sol durci par la sécheresse.

*28. Transformer les groupes en italique en employant TOUT + gérondif.

1. *Bien qu'il soit déçu par son échec*, il ne paraît pas démoralisé.
2. *Malgré mon vif désir de vous être agréable*, il m'est impossible d'enfreindre le règlement.
3. Certaines émissions, *quoique faites pour nous distraire*, sont passablement ennuyeuses.
4. *Bien qu'il conseille aux autres de participer aux manifestations*, il se garde bien de le faire lui-même !
5. *On a beau connaître son métier à fond*, on se heurte parfois à un cas difficile.

*29. Transformer les groupes en italique en propositions subordonnées.

1. *D'ordinaire conciliant*, il se fâchait dès qu'on abordait ce sujet.
2. *Officiellement retiré de la vie publique*, il continuait à tout diriger en sous main.
3. *Avec un air aimable*, c'est un être sans cœur.
4. *Tout en saignant beaucoup*, certaines blessures à la tête sont bénignes.
5. De telles déclarations, *pour être exactes*, ne sont pas forcément opportunes.

30. Transformer les subordonnées en italique en employant : adjectif – participe passé – TOUT + gérondif – POUR + infinitif - AVEC + nom.

1. *Bien qu'il parût endormi*, le chat guettait la souris.
2. *Bien que je continue à prendre des billets de loterie*, je ne me fais guère d'illusions.

3. *Quoiqu'il fût habituellement sobre*, il se permettait parfois un petit écart.
4. *Bien qu'elle ait un air effacé*, elle sait ce qu'elle veut.
5. *Encore qu'elle soit brillante*, cette interprétation de la "Symphonie fantastique" ne fait pas l'unanimité.

*31. Compléter en employant : POUR – AVEC – OR – SINON – PAR CONTRE – EN REVANCHE.

1. ...... tant de travail et tant d'efforts, il n'a jamais pu réussir ?
2. Je ne demande plus rien, ... que vous me laissiez seul.
3. Voyons ! ...... être un homme d'affaires, on n'est pas nécessairement un escroc !
4. Je voulais parler au directeur lui-même, ... il était absent.
5. Ses offres de service ont rencontré ...... un refus, du moins beaucoup de réticences.
6. Cette merveilleuse actrice, ... être célèbre et adulée, n'en était pas plus heureuse.
7. ...... toute sa puissance industrielle, cette région conserve une vocation essentiellement agricole.
8. Vous soutenez une thèse que vous croyez brillante, ... elle est fausse !
9. Mon appartement est ensoleillé, ... il est un peu petit.
10. Il est vrai qu'elle n'est pas jolie ; ...... elle a beaucoup d'esprit et un caractère charmant.

L'EXPRESSION DE LA COMPARAISON

Les termes de comparaison .... 1 à 8

Comparatifs et superlatifs irréguliers .... 9 à 11

L'égalité 12

Adjectifs de comparaison 13

Subordonnées comparatives .... 14 à 17

Adverbes de comparaison 18

Exercices de synthèse 19

Comme si .... 20 à 22

Exercice de synthèse 23

1. Compléter les phrases en utilisant : AUSSI ...... QUE – PLUS ...... QUE – MOINS ...... QUE.

1. Une nouvelle est une œuvre ...... courte ...... un roman.
2. Le prêt à porter est ...... abordable ...... la haute couture.
3. Un voyage en première classe est censé être ...... confortable ...... un voyage en classe touriste.
4. Le mot "miroir" est ...... usité ...... le mot "glace".
5. En France, parler hongrois est ...... courant ...... parler anglais.
6. Je prends l'autobus : c'est ...... fatigant ...... le métro.
7. Dépenser est ...... facile ...... économiser.
8. Une tempête est ...... violente ...... un ouragan.
9. Le fer n'est pas ...... dense ...... le plomb.
10. Les vins de Loire sont ...... légers ...... les vins de Bourgogne.

2. Transformer les phrases suivantes selon l'exemple proposé.

Dépenser est plus facile qu'économiser.
→ *Il est plus facile de dépenser que d'économiser.*

1. Agir est moins facile que critiquer.
2. Finalement, descendre est plus dangereux que monter.
3. S'énerver est moins efficace que rester calme.
4. Trotter est en fait plus difficile que galoper.
5. Entretenir ce que l'on sait est aussi important qu'acquérir de nouvelles connaissances.

3. Comparer de différentes manières en employant l'adjectif proposé ou tout autre qui conviendrait.

1. Le train et la voiture / rapide.
2. Un bois et une forêt / grand.

3. Un dictionnaire et une encyclopédie / documenté.
4. Hugo et Balzac / célèbre.
5. La télévision et la radio / coûteux.
6. Le cinéma en couleurs et le cinéma en noir et blanc / ancien.
7. Un hôtel particulier et un appartement / prestigieux.
8. Un tabouret et un fauteuil / confortable.
9. Mentir et tricher / mal.
10. Faire rire et faire pleurer / facile.

4. Sur le modèle suivant, composer des phrases comparatives en utilisant les mots proposés.

→ *Le lion est un animal plus féroce que le chat.*

1. délicat (la soie - le coton - un tissu)
2. renommé (le brie - le roquefort - un fromage)
3. solide (le chêne - le sapin - un bois)
4. sain (la montagne - la ville - un climat)
5. éloigné (Paris - Lyon - Marseille)

5. Remplacer les points par : PLUS – PLUS DE – MOINS – MOINS DE – AUTANT – AUTANT DE.

1. La sculpture m'attire ...... que la peinture.
2. Nous avons planté ...... tulipes que l'année dernière, mais la plupart ont dépéri.
3. Au cours de mon voyage, j'ai souffert de l'humidité ...... que de la chaleur.
4. Le temps est couvert et l'on annonce encore ...... nuages pour demain.
5. Il a déjà une telle quantité de disques que, maintenant, il en achète beaucoup ......
6. J'aimerais avoir ...... chance que vous ; je ne gagne jamais au jeu.
7. Je suis content d'avoir déménagé car maintenant, je mets ...... temps pour me rendre au bureau.
8. Depuis qu'il est à la retraite, ses revenus ont diminué, de sorte qu'il voyage nettement ......
9. Cette affaire risque de t'apporter ...... ennuis que d'argent.
10. Ces deux solutions me déplaisent ...... l'une que l'autre.

6. Composer dix phrases en vous inspirant de l'exercice précédent.

7. Compléter les phrases suivantes en utilisant : DE PLUS - DE MOINS - DE TROP.

1. Nous avons revu les Durand : la famille s'est agrandie, ils ont deux enfants ......
2. Ma fille a raccourci sa jupe pour être à la mode : cela fait trois centimètres ......
3. Il y aura une personne ...... à cette table ; ajoutez un couvert.
4. Avec mille francs ......, ce devis deviendrait raisonnable.
5. Il avait bu quelques verres ...... ; il titubait.

8. Compléter les phrases en employant : AUTANT - DAVANTAGE - MOINS - PLUS.

1. Les enfants ont trop de travail le soir ; il faudrait leur en donner un peu ......
2. Voilà une heure que je patiente ! Je n'attendrai pas ...... !
3. Elle ne veut plus te parler ? Eh bien, tu n'as qu'à en faire ...... !
4. Tu n'as eu qu'un petit morceau de tarte. En veux-tu un peu ...... ?
5. Pierre est coupable, mais Jacques ne l'est pas ...... ; en effet, c'est lui qui a eu l'idée de cette sottise.

6. Il a gagné la course en trente minutes ? Peuh ! je suis capable d'en faire ...... !
7. Nous ne t'aimons ni plus ni moins que ton petit frère ; nous t'aimons juste ......
8. Je manque d'éléments pour juger ; il m'en faudrait un peu ......
9. Tu n'as que deux erreurs ? J'en ai fait beaucoup ...... !
10. Il est ravi d'avoir été choisi à ma place ; moi, je le suis ...... !

9. Compléter les phrases par un comparatif régulier (AUSSI – PLUS – MOINS) ou irrégulier (MEILLEUR – MOINDRE – PIRE).

1. Paul s'est tellement développé depuis six mois qu'il est presque ...... grand que son frère aîné.
2. Dans les aéroports, l'alcool et les cigarettes sont ...... marché qu'en ville.
3. Il n'avait qu'un léger rhume, mais il s'est rendu malade en prenant des médicaments au hasard : le remède a été ...... que le mal !
4. Permettez-moi de vous rendre ce petit service, c'est la ...... des choses !
5. Il n'a pas compris qu'il commettait une maladresse, mais sa femme l'a senti : elle est ...... fine que lui.
6. Je m'attendais à trouver une situation difficile, mais les choses sont ...... que je ne le craignais.
7. Ma maison vaut maintenant trois fois ...... qu'elle ne valait il y a dix ans.
8. Maintenant que les enfants sont partis, nous ferions bien de chercher un appartement ...... petit.
9. J'ai nettement ...... de travail que la semaine dernière, si bien que je rentrerai un peu ...... tôt ce soir.
10. J'achète toujours mes fruits au marché : ils sont ...... chers que dans les boutiques, et bien ......

10. Compléter les phrases par un superlatif régulier (LE PLUS – LE MOINS suivis d'un adjectif) ou irrégulier (LE MEILLEUR – LE MOINDRE – LE PIRE).

1. Je t'assure que ce film est excellent ; c'est, à mon avis, ... de ce réalisateur.
2. Nous n'avons pas trouvé ...... erreur dans le relevé du compteur.
3. Malgré son nom, le Pont-Neuf est ...... vieux de Paris.
4. Je me suis endormi à ce spectacle. C'est assurément ...... que j'aie vu depuis longtemps.
5. Le chien est ...... ami de l'homme.
6. Il reste toujours d'humeur égale, même dans ...... circonstances.
7. Au retour de la promenade, l'aîné était encore vaillant, mais le père avait dû prendre ...... petit sur ses épaules.
8. Ils se sont entraînés pour la finale dans ...... conditions.
9. Le diamant le plus petit n'est pas forcément ...... cher.
10. J'ai l'intention d'encadrer ...... de ces photos.

11. Remplacer les points par l'adjectif MEILLEUR ou LE MEILLEUR, ou par l'adverbe MIEUX ou LE MIEUX.

1. Cette chambre n'est guère confortable, et pourtant c'est encore ...... de l'hôtel.
2. La représentation de *L'Avare* a été bien ...... ce soir-là ; les acteurs ont joué beaucoup ...... que les autres jours.
3. Nous avons terminé le repas par une glace. C'est ce que j'ai trouvé de ...... au menu.
4. Regardez la robe que j'ai achetée ; c'est ce que j'ai trouvé de ......
5. Dimanche prochain, je pensais aller à Fontainebleau. Auriez-vous une ...... idée ?
6. J'ai toute confiance en vous. Faites pour ......
7. Ce pianiste interprète les sonates de Mozart bien ...... que tous ceux que j'ai entendus auparavant.
8. Dans ...... des cas il nous rejoindra au plus tôt dimanche.
9. Au cours de la vente de samedi, c'est une armoire ancienne qui a fait ...... enchère.
10. Laissez-lui davantage de responsabilités, cela donnerait de ...... résultats.

12. Compléter les phrases suivantes en employant : LE MÊME – DU MÊME – AU MÊME – COMME.

1. Nous sommes dans ...... classe, nous nous servons ...... livres, nous étudions ...... langue.
2. Nous utilisons ...... dictionnaire et ...... grammaire.
3. C'est une enfant adorable ; elle est gentille ...... tout !
4. C'est toujours ...... chose ! Chaque fois que l'on veut organiser un pique-nique, il se met à pleuvoir !
5. ...... causes produisent les ...... effets.
6. Fatiguée ...... elle est, elle ne supportera pas le voyage.
7. Nos enfants se trouvent confrontés ...... problèmes que ceux que nous avions à leur âge.
8. J'ai refait plusieurs fois les comptes et je suis toujours arrivé ...... résultat.
9. C'est un méridional ...... moi, mais nous ne sommes pas de ...... région.
10. Et je l'ai su comment ? ...... vous, ... tout le monde, par un journal.

13. Compléter les phrases suivantes en employant : PAREIL À – ANALOGUE À – IDENTIQUE À – COMPARABLE À – ÉGAL À – SUPÉRIEUR À – INFÉRIEUR À – DIFFÉRENT DE – SEMBLABLE À.

1. Ça alors ! Ta robe est ...... la mienne ! Où l'as-tu achetée ?
2. J'ai trouvé une reproduction en terre cuite assez ...... la statuette que nous avions admirée au musée.
3. Les nageoires de certains poissons sont ...... (les) ailes des oiseaux.
4. Il a une situation ...... celle de son frère ; c'est pourquoi il le jalouse un petit peu.
5. C'est un homme calme et équilibré, toujours ...... lui-même.
6. C'est un film sans originalité, dont le scénario, ... mille autres, est d'une banalité navrante.
7. La part d'héritage qu'avait reçue le cadet n'était pas ...... celle de l'aîné.
8. Le roman qu'elle vient de publier est très ...... celui qu'elle avait écrit l'an dernier ; cette fois, il ne serait pas impossible qu'elle obtienne le prix Goncourt.
9. Nous avons échangé nos points de vue ; il a des idées tout à fait ...... (les) miennes et nous pensons tous deux qu'il ne faut pas s'affoler.
10. Il eut du mal à la reconnaître tellement elle était ...... la femme qu'il avait quittée seulement deux ans auparavant.

*14. À partir des éléments suivants, construire des phrases complexes en employant : MOINS QUE – PLUS QUE – AUTANT QUE – AUSSI QUE.

1. Cette réforme était sage / on ne croyait pas qu'elle l'était.
2. Ce détergent n'est pas efficace / je pensais qu'il le serait davantage.
3. Cette fois, je l'ai trouvé bien malade / le mois dernier, il était mieux.
4. Il m'a fait du mal / je lui ferai autant de mal.
5. La rédaction de ce rapport est difficile / je n'avais pas imaginé qu'elle le serait autant.
6. Elle gagne beaucoup d'argent / elle en dépense autant.
7. Les dégâts ne sont pas très graves / les premières estimations laissaient craindre pire.
8. Les frais ont été importants / j'avais estimé qu'ils seraient moindres.
9. Le déficit commercial est lourd / on ne le prévoyait pas si lourd.
10. Les performances de ce nouveau moteur ne sont pas satisfaisantes / les ingénieurs escomptaient de meilleurs résultats.

15. Compléter les phrases en employant : AINSI QUE ou AUSSI QUE.

1. Elle était d' ...... bonne humeur ...... nous l'espérions.
2. Elle était de bonne humeur, ... nous l'espérions.

3. Le journaliste a pu parler ...... librement ...... il le désirait.
4. Le journaliste a pu parler librement, ... il le désirait.
5. Pour le Mardi Gras, les enfants se déguiseront, ... le veut la coutume.

*16. Transformer la phrase complexe en deux indépendantes en employant : PLUS ...... MOINS – MOINS ...... PLUS – PLUS ...... PLUS – MOINS ...... MOINS.

Il devient d'autant plus irritable qu'il est fatigué.
→ *Plus il est fatigué, plus il est irritable.*

1. Le banquet sera d'autant plus joyeux que les convives seront nombreux.
2. J'appréciais d'autant moins ses plaisanteries qu'il les répétait souvent.
3. On a d'autant moins d'appétit que l'on se nourrit moins.
4. Curieusement, il est d'autant moins aimable avec les gens qu'il les connaît davantage.
5. Le danger nous affole d'autant plus que nous y sommes moins préparés.

*17. À partir des deux indépendantes, composer une phrase complexe.

Évidemment ! plus la mer sera mauvaise, moins la traversée sera agréable !
→ *Évidemment ! la traversée sera d'autant moins agréable que la mer sera (plus) mauvaise.*

1. Plus la foule grossissait autour de nous, moins j'étais rassuré.
2. Plus les sites alpins se construisent, moins ils sont beaux.
3. Moins vous aurez peur d'un animal, plus il vous respectera.
4. Plus les lois sont nombreuses, moins elles sont observées.
5. Plus vous fumerez, plus vous aurez la gorge irritée.

*18. Transformer les phrases en employant : DE MIEUX EN MIEUX – DE MOINS EN MOINS – DE MAL EN PIS – DE PLUS EN PLUS.

Il y avait beaucoup d'ours dans les Pyrénées ; leur nombre diminue continuellement.
→ Il y avait beaucoup d'ours dans les Pyrénées ; *il y en a de moins en moins.*

1. Nos enfants ont un nouvel ordinateur ; ils l'utilisent chaque jour davantage.
2. Il avait beaucoup aimé les films comiques, mais, à mesure que le temps passait, il les appréciait moins.
3. Je me suis entraîné à faire des traductions ; j'y arrive mieux chaque fois.
4. J'écoute souvent cette symphonie ; je l'apprécie toujours davantage.
5. À mesure que le souverain vieillissait, le royaume allait en se dégradant.

*19. Compléter les phrases en employant : AUSSI BIEN ...... QUE - AUTANT ...... QUE – D'AUTANT MOINS ...... QUE – D'AUTANT PLUS ...... QUE.

1. Le car s'arrête plusieurs fois ...... pour laisser les touristes prendre des photos ...... pour permettre au chauffeur de se reposer.
2. Cette anthologie est ...... utile ...... les citations sont souvent incomplètes.
3. C'est une personne que j'admire ...... pour sa réussite ...... pour la constance de ses efforts.
4. C'est un ouvrage ...... attachant ...... les personnages nous semblent familiers.
5. Il a été reçu ...... pour l'originalité de sa thèse ...... pour la manière brillante dont il l'a soutenue.

20. Remplacer les groupes en italique par COMME SI et faire les transformations nécessaires.

1. Le chien reste toujours auprès de sa maîtresse ; *il semble* avoir peur de la perdre.
2. Il me regardait avec insistance ; *on aurait dit* qu'il voulait attirer mon attention.
3. Elle sortit d'un pas chancelant ; *on eût dit* qu'elle avait vu un fantôme.
4. Les oiseaux se turent soudain ; *on eût dit* qu'un danger approchait.
5. Ils marchèrent au hasard dans Paris ; *il semblait* que la nuit ne dût jamais finir.

21. Remplacer COMME SI par une autre construction comparative en employant les verbes DIRE ou SEMBLER.

1. Gilbert était troublé, *comme s'*il voyait son amie pour la première fois.
2. Elle alla droit vers lui, *comme si* elle le connaissait depuis toujours.
3. Il s'arrêta net, *comme s'*il venait de se rappeler un détail essentiel.
4. La corde se tendit, *comme si* elle allait se rompre.
5. Il discute avec moins de vigueur, *comme s'*il était à bout d'arguments.

22. Compléter les phrases suivantes.

1. C'est un égoïste, il se conduit toujours comme si ......
2. Il a peu d'argent, mais il s'habille comme si ......
3. J'avais beau lui répéter de ranger ses affaires, c'était comme si ......
4. La venue de cette personne ne nous amuse guère, mais nous ferons comme si ......
5. Elle me regarda d'un air terrifié, comme si ......

23. Répondre aux questions par des phrases comparatives.

1. Comment avez-vous trouvé le dîner ?
2. Votre appartement est-il grand ?
3. Cette chambre a-t-elle une vue sur la mer ?
4. Est-il courageux ?
5. Le musée d'Orsay est-il intéressant ?
6. Préférez-vous l'art roman où l'art gothique ?
7. Aimeriez-vous aller en Normandie ou en Savoie ?
8. Voulez-vous lire une biographie ou un roman ?
9. Vous allez à Bordeaux ? Prendrez-vous l'avion ou le train ?
10. Aimez-vous le climat parisien ?

DISCOURS DIRECT ET INDIRECT

Le récit et le discours .... 1 à 3

L'exclamation .... 4 à 9

L'interrogation directe .... 10 à 17

Le discours indirect
Emploi des temps .... 18 à 23
Pour, selon, d'après, de l'avis de,
à (mon) avis, à en croire .... 24 à 26
Infinitif ou subjonctif .... 27 à 30
Disparition de l'exclamation 31-32

L'interrogation indirecte .... 33 à 38

Exercices de synthèse 39-40

Le discours indirect libre .... 41 à 43

Propositions incises 44

Texte 45

1. Dans le texte suivant, distinguer le discours (dialogue) et le récit (passages narratifs ou descriptifs). Étudier les temps du verbe dans le discours et dans le récit.

Assis sur la terrasse, Jacques et Julien fumaient en silence. Le jour commençait à décliner. Sur le chemin, au fond de la vallée, un homme marchait lentement, d'un pas régulier et lourd.
Anne apporta des verres, des bouteilles et des glaçons. Julien remplit les trois verres.
Demain matin, déclara-t-il, il faudra partir très tôt.
À quelle heure ? demanda-t-elle.
Cinq heures au plus tard.
Holà !
C'est trop tôt pour toi ?
Elle éclata de rire :
Mais non ! Ce sera merveilleux de voir le lever du soleil !
Sur le chemin, l'homme avançait toujours de son pas régulier.
Anne le regarda un moment.
On dirait qu'il vient par ici, dit-elle.
Je ne pense pas, répondit Julien.

2. Transposer les phrases suivantes du discours au récit.

Aujourd'hui, il fait beau, nous allons à Versailles. (discours)
➔ *Ce jour-là, il faisait beau, nous sommes allés à Versailles. (récit)*

A. 1. Aujourd'hui, il travaille toute la journée.
2. Ce soir, nous allons chez des amis.

3. Demain, je pars pour Saint-Malo.
4. Hier, il est allé au Louvre.
5. Le programme prévoit une excursion pour après-demain.

B. 1. Les vacances se terminent ; nous rentrons la semaine prochaine.
2. Il doit arriver mardi prochain.
3. Le mois prochain, je vais passer mes examens.
4. Les cours ne commencent que la semaine prochaine : j'ai le temps de m'organiser.
5. Nous pensons que nous pourrons acheter un appartement l'année prochaine.

C. 1. L'année dernière, j'ai beaucoup voyagé.
2. J'ai écrit à mes parents jeudi dernier.
3. J'ai fait cette découverte le mois dernier, en flânant au Marais.
4. Nous avons déjà dîné dans ce restaurant la semaine dernière.
5. Je me rappelle fort bien avoir rencontré ce garçon l'année dernière.

*D. 1. Il a fait beau aujourd'hui mais fera-t-il beau demain ?
2. Je l'ai rencontré hier, le reverrai-je aujourd'hui ?
3. Cette année a été excellente ; l'année prochaine le sera-t-elle aussi ?
4. Ce mois-ci, je n'ai pas beaucoup travaillé : le mois prochain, il va falloir rattraper le temps perdu.
5. Le village est isolé : ici, je trouve le silence dont j'ai besoin.

3. Dans les trois récits suivants, étudier l'emploi des temps : a) Qu'est-ce qui distingue le récit 1 du récit 2 ? b) Comparer la manière dont est conduit le récit en 1 et 2 à celle qu'emploie l'auteur du texte 3. c) Transformer les textes 1 et 2. Pour temps de base, employer le présent narratif.

1. J'allai dîner chez les Bucolin. Juliette, souffrante en effet depuis quelques jours, me parut changée ; son regard avait pris une expression un peu farouche et presque dure, qui la faisait différer encore plus qu'auparavant de sa sœur. À aucune des deux je ne pus parler en particulier ce soir-là ; je ne le souhaitais point, du reste, et, comme mon oncle se montrait fatigué, je me retirai peu de temps après le repas. *(André Gide)*

2. Je suis resté devant la première marche, la tête retentissante de soleil, découragé devant l'effort qu'il fallait faire pour monter l'étage de bois. Au bout d'un moment, je suis retourné vers la plage et je me suis mis à marcher.
C'était le même éclatement rouge. Sur le sable, la mer haletait de toute la respiration rapide et étouffée de ses petites vagues. Je marchais lentement vers les rochers et je sentais mon front se gonfler sous le soleil. Toute cette chaleur s'appuyait sur moi et s'opposait à mon avance. J'ai marché longtemps. *(d'après Albert Camus)*

3. Malgré le vent glacial qui lui cingle la figure, Jacques ne sent pas qu'il avance. Ballotté, bousculé, assourdi par le bruit, il ne s'est même pas aperçu que l'avion, après une succession de cahots sur le sol du plateau, avait brusquement décollé. L'espace autour de lui n'est qu'une masse floconneuse. *(d'après R. Martin du Gard)*

4. Transposer les phrases énonciatives suivantes en phrases exclamatives en employant les adjectifs exclamatifs : QUEL – QUELLE – QUELS – QUELLES.

1. C'est une bonne nouvelle.
2. Ce pays est beau.
3. Ces roses sont très jolies.
4. Il s'est donné bien de la peine.
5. Ils ont pris de grands risques.

**5. Compléter les phrases suivantes en employant les adverbes exclamatifs :
COMBIEN – COMME – QUE – QUE DE.**

    1. Il ne s'habituait pas au mouvement de la grande ville et s'y sentait perdu. ...... il regrettait son village !

    2. Oh ! ...... paroles et ...... discours ! Voilà une heure qu'il parle pour ne rien dire !

    3. Le soleil couchant sur la mer, ... c'est beau !

    4. Depuis son opération, ce n'est plus le même homme. Mon Dieu ! ...... il a changé !

    5. Ah ! ...... d'illusions j'ai perdues depuis ma jeunesse !

**6. Même exercice en employant les interjections suivantes :
AH NON ALORS ! – BRAVO ! – HÉLAS ! – MERCI ! – QUOI !**

    1. ...... ! Tu le savais et tu ne nous a pas prévenus !

    2. ...... ! Je suis arrivé trop tard !

    3. ...... ! Il n'en est pas question !

    4. ...... ! Vous avez trouvé la bonne réponse !

    5. ...... ! Vous me rendez là un grand service !

7. Même exercice en employant : ALORS ! – BON ! – CHUT ! – EH BIEN ! – OUF !

    1. ...... ! Quelles sont vos conclusions ?

    2. ...... ! Qu'est-ce que c'est que ces manières ! Tiens-toi correctement !

    3. ...... ! Pas de bruit ! Les enfants dorment.

    4. ...... ! J'ai fini ma dissertation !

    5. ...... ! Dans ce cas, je préfère me retirer.

8. Même exercice en employant : OH ! – PARDON ! – TIENS ! – VOYONS ! – TANT PIS !

    1. Ils partent ? ...... , nous nous passerons de leur compagnie !

    2. Ne te décourage pas, ... ! Tout finira bien par s'arranger !

    3. ...... ! Je suis désolé de vous déranger !

    4. ...... ! Tu as changé ton mobilier !

    5. ...... ! Je me suis fait mal !

9. Dans les phrases suivantes, quel est le sens des interjections AH et OH ? Lire ces phrases à haute voix avec l'intonation qui convient.

A. *Interjection AH ! : agacement – dégoût – étonnement – satisfaction – soulagement.*

    1. Ah ! très bien ! c'est exactement ce qu'il fallait dire !

    2. Ah ! que cet enfant est fatigant !

    3. Ah ! non ! quelle horreur ! Vous ne me ferez pas manger ça !

    4. Ah bon ! Vous croyez ?

    5. Ah ! enfin ! vous avez compris !

B. *Interjection OH ! : admiration – approbation – indignation – plainte – réprobation.*

    1. Oh ! quelle tenue ! C'est choquant !

    2. Oh ! oui ! C'est bien mon avis !

    3. Oh ! ce que j'ai mal à la tête !

    4. Oh ! Vous avez vu ce qu'il a fait ? Mais il est fou !

    5. Oh ! ce gâteau ! Quel régal !

10. Compléter les phrases suivantes en employant les adjectifs interrogatifs : QUEL – QUELLE – QUELS – QUELLES.

1. ...... chapitre allons-nous étudier maintenant ?
2. ...... romans de Balzac avez-vous déjà lus ?
3. Dans ...... grammaire avez-vous trouvé ces explications ?
4. ...... questions vous a-t-on posées à l'examen ?
5. ...... auteurs français préférez-vous ?

11. Dans les phrases suivantes, quelle est la fonction du pronom interrogatif QUI ? (sujet – complément d'objet direct ou indirect – complément circonstanciel – complément d'agent – attribut).

1. Qui cherchez-vous ?
2. Qui est ce Monsieur Martin dont vous parlez ?
3. Qui a cassé cette vitre ?
4. À qui puis-je m'adresser ?
5. Pour qui travaillez-vous ?
6. À côté de qui étais-tu ?
7. Avec qui vas-tu faire cette excursion ?
8. Chez qui habitez-vous ?
9. De qui tenez-vous cette information ?
10. Par qui avez-vous été renseigné ?

12. Compléter les phrases suivantes par QUE ou QUOI.

1. ...... fais-tu ce soir ?
2. En ...... puis-je vous être utile ?
3. ...... t'a-t-il répondu ?
4. Comment les aider ? ...... pourrait-on faire ?
5. À ...... sert cet objet bizarre ?
6. ...... vais-je lui offrir pour son anniversaire ?
7. Il était souvent dans la lune, rêvant à je ne sais ...... !
8. Eh bien ! ...... se passe-t-il ? Pourquoi vous disputez-vous ?
9. Il te faut mon chandail, mon écharpe, mes gants, et puis ...... encore ?
10. Je veux bien te prêter ma voiture, mais pour ...... faire ?

13. Compléter les phrases suivantes par QUE ou QUOI.

1. Elle a la vie qu'elle a choisie ! De ...... se plaint-elle ?
2. Je n'arrive pas à faire mon plan : je ne sais pas par ...... commencer.
3. Vous avez des nouvelles de Pierre ? ...... devient-il ?
4. J'aimerais savoir sur ...... repose cette théorie ?
5. En ...... cela peut-il la gêner ?
6. ...... répondre à une question pareille ?
7. Ils s'aiment, ils sont heureux ? ...... voulez-vous de mieux ?
8. Ils s'aiment, ils sont heureux ? ...... de mieux ?
9. Vous voulez qu'il travaille ? Mais ...... fait-il d'autre ?
10. Que voulez-vous, on n'est pas toujours jeune ! et ...... y faire ?

14. Poser les questions suivantes en employant : EST-CE QUE.

1. Puis-je venir tout de suite ?
2. A-t-il enfin compris ?
3. Avez-vous retenu vos places ?
4. Avez-vous quelque chose à déclarer ?
5. Ont-ils bientôt fini de faire du bruit ?

15. Poser les questions suivantes en employant : QUI EST-CE QUI - QUI EST-CE QUE - QU'EST-CE QUI - QU'EST-CE QUE - QU'EST-CE QUE C'EST QUE.

1. ...... t'a offert ce beau livre ?
2. ...... vous avez rencontré chez eux ?
3. ...... te ferait plaisir pour Noël ?
4. ...... nous allons faire ce soir ?
5. Quel drôle d'engin ! ...... ça ?
6. Ecoute ! ...... ce drôle de bruit ?
7. ...... vous a donné mon adresse ?
8. ...... peut valoir ce bijou ? Je n'en ai aucune idée !
9. Et toi, ... tu préfères ? Rester à la maison ou aller faire un tour ?
10. ...... nous allons inviter pour les fêtes ?

16. Compléter les phrases en employant les diverses formes du pronom interrogatif LEQUEL (DUQUEL - AUQUEL, etc.)

1. J'ai du vin blanc ou du rosé ; ...... préférez-vous ?
2. J'ai longtemps hésité entre deux robes : ...... prendre ? Elles m'allaient si bien toutes les deux !
3. Je veux bien te prêter mes livres ; ...... as-tu besoin ?
4. Je me suis abonné à ces deux revues ; et vous, ... êtes-vous abonné ?
5. Il y a plusieurs clubs de ski nautique sur la plage ; ...... êtes-vous membre ?

*17. Compléter les phrases suivantes en employant : LEQUEL – LAQUELLE – LESQUELS, précédés de : DANS – CONTRE – PAR – POUR – SUR.

1. J'ai trouvé cette phrase dans un roman. - Ah oui ? .... ?
2. Nous allons revoir ces quelques points difficiles ; .... désirez-vous commencer ?
3. Nous avons étudié beaucoup de textes ; .... serons-nous interrogés à l'examen ?
4. Je ne participerai pas à cette réunion pour diverses raisons.
   – Et ...., s'il te plaît ?
5. Quels sont les risques .... on est assuré par ce contrat ?

18. Mettre les phrases suivantes au discours indirect au présent (il me dit) puis au passé (il m'a dit - il me disait - il m'avait dit).

1. Il me dit : "Pierre arrive toujours à l'heure."
2. Il me dit : "Pierre est arrivé en retard."
3. Il me dit : "Pierre arrivera à huit heures."
4. Il me dit : "Pierre va arriver demain."
5. Il me dit : "Pierre vient de partir."

19. Mettre les phrases suivantes au discours indirect.

1. Mon professeur m'encourage et me dit : "Vous faites des progrès tous les jours."
2. Vous lui direz : "Nous n'avons pas fini de rédiger le compte rendu."
3. Tu me promets toujours : "Je m'en occuperai", mais tu ne tiens pas souvent ta promesse !
4. Je vais lui dire : "Je ne suis pas satisfaite de votre travail."
5. Nous allons arriver en retard. Téléphone-lui.

20. Même exercice.

1. Il m'a dit : "Je ne comprends pas ses explications."
2. Elle m'a affirmé : "Je ne lui ai pas écrit."
3. Le médecin m'a prescrit ce médicament en me disant : "Cela va vous soulager rapidement."
4. Elle répondait toujours : "Je prendrai une décision dès que possible", mais elle ne la prenait jamais.
5. Il lui avait promis : "Je vous attendrai jusqu'à six heures."

21. Même exercice.

1. Elle m'a dit : "J'ai vu les premières fraises au marché, mais elles sont hors de prix !"
2. La météo venait d'annoncer : "Il va pleuvoir dans la soirée et il neigera demain sur tout l'est de la France."
3. Elle m'a répondu : "Mon mari n'est pas là, il vient juste de partir."
4. Le vendeur m'avait affirmé : "Cet appareil est d'excellente qualité et vous en serez satisfait."
5. Au dernier moment, Marie me téléphona : "J'ai réussi à me libérer et je vais pouvoir partir avec vous ! "

22. Même exercice.

1. On nous avait prévenus : "Les banques seront fermées après-demain en raison de la fête nationale."
2. Le client exigea : "Remboursez-moi immédiatement !"
3. Il m'écrivit : "Je ne pense pas arriver avant dimanche prochain."
4. Elle promit : "Tout sera prêt demain à sept heures."
5. Il précisa : "J'ai commencé ce travail avant-hier et il me faudra encore quelques jours pour le terminer."

23. Mettre les phrases suivantes au discours direct.

A. 1. Tout excité, l'enfant leur annonça qu'il revenait du planétarium et qu'il avait appris des tas de choses.
2. Elle racontait qu'à cette époque-là, les habitants du hameau allaient encore chercher leur eau à la fontaine.
3. Le ministre a déclaré que les fonds seraient débloqués dès que les préfets lui auraient fait parvenir leurs évaluations chiffrées des besoins de leurs départements.
4. Il s'écria que si on lui proposait ce poste, il l'accepterait immédiatement.
5. Certains disent que des contacts secrets auraient eu lieu.

B. 1. Il me rappela qu'il était vital d'obtenir un délai supplémentaire.
2. Il me proposa d'oublier ce malentendu et de nous serrer la main.
3. Elle demanda que nous lui adressions le courrier poste restante.
4. Elle exigea que nous soyons revenus avant la tombée de la nuit.
5. Elle ne cessait de répéter qu'il fallait qu'elle y allât.

C. 1. Elle expliqua que sa voisine lui avait demandé d'arroser ses plantes pendant son absence.
2. Ils se plaignent qu'on n'ait pas tenu compte de leurs objections.
3. Elle m'avait promis que nous pourrions nous revoir le surlendemain soir.
4. Lorsque nous l'avons finalement eu en ligne, notre correspondant nous a confirmé qu'à ce moment-là tout était calme.
5. Il m'affirmait que l'entrée de la grotte était là, quelque part dans ces rochers.

*24. Remplacer les expressions en italique par un verbe introducteur (DIRE – PRÉDIRE – PRÉTENDRE – PENSER – CROIRE).

1. *Pour moi*, lire un journal, c'est perdre son temps.
2. *Selon mon voisin, qui est jardinier*, les oignons à grosses pelures annoncent un hiver rigoureux.
3. *D'après une cartomancienne que je viens de consulter*, je me marierai dans l'année.
4. *De l'avis des chasseurs*, le gibier se fait rare.
5. *À en croire ce critique*, la plupart des peintres actuels ne savent pas dessiner.

*25. Remplacer les verbes introducteurs en adaptant les expressions en italique employées dans l'exercice précédent.

1. Il se figure que tout s'arrangera toujours.
2. Les riverains estiment que ce segment d'autoroute devrait être couvert.
3. J'ai pensé que cela n'avait aucune importance.
4. J'étais sûr qu'ils n'avaient pas dit leur dernier mot.
5. Les détaillants prétendent que ce sont les grossistes qui font les véritables profits ; les grossistes prétendent le contraire.

*26. Mettre les phrases suivantes au discours indirect.

1. "Je ne la crois pas incompétente, répondit-il, *pour moi*, elle manque simplement d'expérience : il faut lui laisser un peu de temps."
2. "*Selon moi*, déclara l'expert, cette maison n'a pas été construite dans les règles de l'art."
3. Il m'a dit : "*D'après* ce que j'ai entendu aux dernières informations, nous allons avoir des orages."
4. Elle a répondu : "*À mon avis*, il faut alléger ce programme".
5. "*Selon moi*, nous a dit le directeur, vous avez manqué cette affaire parce que vous n'avez pas été assez persuasifs."

27. Mettre les phrases suivantes au discours indirect en employant l'infinitif.

1. Il a écrit à son fils : "Viens tout de suite."
2. Elle m'a recommandé : "Faites bien attention."
3. Je t'avais bien prévenu : "Méfie-toi de lui."
4. Le surveillant ordonna aux élèves : "Mettez-vous en rang."
5. Il m'avait conseillé : "Lisez quelques lignes à haute voix tous les jours."

28. Même exercice :

1. Pierre a dit à Jeanine : "Embrasse Monique de ma part quand tu la verras."
2. Mon ami m'a dit : "Compte sur moi pour t'aider à repeindre ton studio."
3. "Monsieur, faites du sport et mangez plus légèrement", conseilla le médecin à son malade.
4. Ils avaient proposé à leurs cousins : "Venez passer le réveillon avec nous."
5. Le directeur m'a convoqué : "Faites-moi sans tarder un rapport au sujet de l'accident qui vient de se produire sur le chantier," m'a-t-il demandé.

29. _Même exercice en employant : a) l'infinitif b) le subjonctif._

1. Va dire à ton frère : "Viens à table immédiatement."
2. Je vais demander à mon professeur : "Expliquez-moi cette phrase."
3. Voulez-vous leur dire : "Faites moins de bruit."
4. Je vais dire au boucher : "Préparez-moi un rôti de bœuf pour demain."
5. Téléphonez-lui : "Venez demain sans faute."

30. _Même exercice._

1. Le capitaine recommanda à ses hommes : "Cachez-vous soigneusement et n'intervenez que lorsqu'on vous en donnera l'ordre."
2. J'avais téléphoné à la banque : "Envoyez-moi d'urgence un carnet de chèques."
3. "Venez en personne, m'a dit l'employée, car il faut votre signature."
4. "Allez vous plaindre à qui vous voudrez ; moi, je n'y peux rien", me dit-il avec un geste d'impuissance.
5. J'ai écrit au syndic ; il vaut mieux que ce soit lui qui dise à mes voisins : "Faites un peu moins de bruit."

*31. _Mettre les phrases suivantes au discours indirect._

"Oh là là ! gémissait-elle, c'est trop difficile !"
→ _Elle gémissait que c'était trop difficile._

1. Il s'écria : "Quoi ! Pierre le savait et il ne nous a pas prévenus !"
2. Il ajouta : "Hélas ! Je regrette beaucoup mais je ne puis rien faire de plus."
3. Choquée, elle répliqua : "Ah, non alors ! Il n'en est pas question !"
4. "Bravo ! lui dit l'institutrice, de mieux en mieux ! vous trichez et vous vous en vantez !"
5. Il me montra sa dernière esquisse : "Hein ! Elle n'est pas mal !" me dit-il.

*32. _Mettre les phrases suivantes au discours indirect en ajoutant un verbe introducteur au participe présent ou au gérondif :_
(DEMANDER – SOUPIRER – NIER – PRIER – S'ÉCRIER).

Elle l'encourageait : "Voyons ! tout finira bien par s'arranger !"
→ _Elle l'encourageait, lui disant que tout finirait bien par s'arranger._

1. Il se leva, indigné : "Pas du tout ! Elle n'a jamais dit une chose pareille !"
2. Notre professeur frappa sur son bureau : "Voulez-vous, s'il vous plaît, vous calmer un peu !"
3. L'examinateur l'interrompit : "Eh bien ! Quelles sont vos conclusions ?"
4. Il se laissa tomber sur un banc : "Ouf ! Je n'en peux plus !"
5. Il se leva brusquement : "Bon ! dans ce cas, je préfère me retirer !"

33. _À partir des éléments donnés, construire des interrogations indirectes au présent (il me demande) puis au passé (il m'a demandé – il me demandait – il m'avait demandé)._

1. Il me demande : "Pierre arrive-t-il toujours à l'heure ?"
2. Il me demande : "Pierre est-il arrivé en retard ?"
3. Il me demande : "Pierre viendra-t-il demain ?"
4. Il me demande : "Pierre va-t-il venir ce soir ?"
5. Il me demande : "Pierre vient-il de partir ?"

34. Construire des interrogations indirectes à partir des éléments donnés.

1. Qui a sonné ? (Va donc voir / Il alla voir).
2. Quand reviendra-t-il ? (Il ne l'a pas dit / Il ne l'avait pas dit).
3. Combien de temps serez-vous absent ? (Vous ne me l'avez pas dit / Vous ne me l'aviez pas dit).
4. Quel jour doit-elle venir ? (Je l'ai oublié / Je l'avais oublié).
5. Où prendront-ils leur retraite ? (Ils l'ignorent encore / Ils l'ignoraient encore).

35. Même exercice en employant QUI ou CE QUI.

1. Que se passe-t-il ? / Allons voir.
2. Qui a cassé ce vase ? / Je voulais le savoir.
3. Qui pourra me donner ce renseignement ? / Je ne le savais pas.
4. Que lui arrive-t-il ? / Il ne le comprenait pas.
5. Qu'est-ce qui te fait de la peine ? / Dis-le moi.

36. Même exercice en employant CE QUI ou CE QUE.

1. Que dit-il ? / Je n'ai pas entendu.
2. Qu'est-ce qui est vrai dans toute cela ? / Nous nous le demandions.
3. Qu'allons-nous devenir ? / Nous ne le savions pas.
4. Qu'est-ce qui le pousse à agir de cette manière ? / J'aurais bien voulu le savoir.
5. Qu'est-ce que vous pensez faire ? / Le lui aviez-vous dit ?

37. Même exercice en employant CE QUE ou QUOI.

1. Que puis-je faire pour vous aider ? / Dites-le moi.
2. À quoi cela sert-il ? / On ne nous l'avait pas dit.
3. Sur quoi va-t-on nous interroger ? / Nous nous le demandions.
4. Que veut-il me dire ? / Je me le demandais.
5. De quoi ont-ils besoin ? / Vous l'ont-ils dit ?
6. Que faut-il lui envoyer ? / Te l'avait-il dit ?
7. À quoi pense-t-il ? / J'aurais aimé le savoir.
8. Que pense-t-il ? / J'aurais aimé qu'il me le dise.
9. Que fera-t-il ? / Personne ne peut le prévoir.
10. Que fait-il ? / Je n'en avais aucune idée.

*38. Compléter les phrases suivantes en employant QUE ou QUOI.

1. C'est une situation bien délicate, je ne sais pas ...... faire.
2. C'est une situation bien délicate, je ne sais ...... faire.
3. J'avoue que je ne sais pas ...... répondre.
4. Emue aux larmes, elle ne savait ...... dire.
5. Ce gamin devient insupportable : il ne sait plus ...... inventer pour me rendre folle !
6. Ces informations contradictoires sont troublantes : on ne sait plus ...... penser.
7. Ne sachant ...... répondre, l'enfant baissa la tête et se mit à pleurer.
8. Embarrassé, il cherchait ...... dire pour les remercier, mais les mots ne venaient pas.
9. Nous ne savons plus ...... proposer à ce client pour le satisfaire !
10. Que de publicité ! On ne sait plus ...... imaginer pour attirer la clientèle !

39. Transposer les interrogations directes en interrogations indirectes.

A. 1. Nous lui avions demandé : "Voulez-vous venir avec nous ?"
2. Je lui ai demandé : "Qui est-ce qui vous a donné ce renseignement ?"
3. Il a frappé et il a demandé : "Puis-je entrer ?"
4. Quand fallait-il déposer mon dossier ? Je ne le savais pas.
5. "Y a-t-il encore un train pour Bordeaux ce soir ?" Pouvez-vous me le dire ?

B. 1. Qu'est-il devenu ? On ne le saura peut-être jamais.
2. Je lui ai donné plusieurs timbres et il m'a demandé : "Que veux-tu en échange ?"
3. Comment avez-vous réussi à le retrouver ? Je me le demande.
4. Qu'a-t-on annoncé ? Personne n'a compris.
5. Avec le nom que j'ai, on me demande souvent : "Êtes-vous breton ?"

C. 1. Il m'a demandé : "À quelle heure le train arrive-t-il ?"
2. Quand reviendra-t-il ? Nous ne le savons pas.
3. A-t-il accepté nos conditions ? Faites-le moi savoir d'urgence.
4. J'étais perplexe ; je me demandais : "Que doit-on faire en pareil cas ?"
5. "Pourquoi est-il venu ?" Peux-tu me le dire ?

40. Transposer les interrogations indirectes en interrogations directes.

A. 1. Il m'a demandé si je pouvais lui prêter ma machine à écrire.
2. Saura-t-on un jour ce qui s'est réellement passé ?
3. Il ne comprenait pas ce qui avait provoqué cette panne.
4. Je ne sais pas encore où nous irons cet été.
5. Tes parents ont-ils décidé s'ils t'enverraient en Angleterre ?

B. 1. Indiquez-moi aussi précisément que possible où vous avez perdu cet objet.
2. Ils ne savent pas encore quand ils pourront se libérer.
3. Dites-moi combien on peut déduire pour les frais professionnels.
4. Tâchez d'apprendre pourquoi on n'a pas donné suite à ma demande.
5. Rien ne permet de deviner comment cette histoire finira.

C. 1. Je ne savais pas ce qu'il fallait faire.
2. Je ne comprenais pas pourquoi il m'avait fait cette remarque.
3. Il ne voyait pas comment sortir de ce mauvais pas.
4. Nous ne comprenions pas ce qu'il disait.
5. Nous nous demandions qui il était et d'où il venait.

41. Les phrases suivantes sont écrites au discours indirect libre. Les transposer au discours indirect en ajoutant un verbe introducteur (DIRE – CRIER – DEMANDER – SE DEMANDER – EXPLIQUER – AJOUTER). Quel est l'intérêt du discours indirect libre ?

1. Quand on lui annonça qu'il allait passer ses vacances sur la côte bretonne, l'enfant bondit de joie : il allait voir la mer !
2. Les journées passaient, vides et monotones, sans la moindre distraction ; allait-elle vivre ainsi, sans but et sans espoir ?
3. Il s'excusa de ne pas accompagner ses amis au restaurant : il était au régime et ne pouvait se permettre aucun excès.
4. Elle refusait de partir : on avait bien le temps, il n'était que dix heures.
5. Elle n'avait pas envie de sortir : quel besoin avait-il de passer les nuits dehors ? Avec de la musique et un bon livre, on était si bien chez soi !

42. *Transposer les textes suivants au discours indirect libre.*

    1. Devant ce nouvel échec, elle resta découragée. Elle pensait : "Je n'y arriverai jamais, je m'y suis prise trop tard, je ne rattraperai pas le temps perdu !"

    2. Il téléphona à sa femme pour l'avertir qu'il était retenu par un travail urgent. Il lui dit de ne pas s'inquiéter et promit qu'il rentrerait dès que possible.

    3. Il se trouvait dans un quartier inconnu, un dédale de ruelles. Il se demanda : "Comment suis-je arrivé là et comment vais-je en sortir ?"

43. *Mettre au discours direct ce que les textes présentent au discours indirect ou indirect libre.*

    1. Le roi et le prince arrivèrent auprès d'elle et lui demandèrent à quoi elle s'amusait. Elle leur montra le paon et leur demanda ce que c'était. Ils lui dirent que c'était un oiseau dont on mangeait quelquefois. (d'après Madame d'Aulnoy – *La Princesse Rosette*)

    2. Vers la fin de la journée, un matelot vint lui demander de la part du capitaine s'il dînerait à la salle à manger. Il ne répondit pas tout de suite et voulut savoir d'abord à quelle heure la "Bonne Espérance" levait l'ancre. On lui répondit que c'était pour la nuit même, à onze heures. (d'après Julien Green – *La Traversée*)

    3. Il montra son dédain de ce qu'il appelait les conventions sociales. Qu'importait le jugement de la foule, quand on posait le pied sur elle. Il s'agissait d'être supérieur. La toute-puissance excusait tout. Et, à grands traits, il peignit la vie qu'il saurait se faire. Il ne craignait plus aucun obstacle, rien ne prévalait contre la force. Il serait fort, il serait heureux ! (d'après Emile Zola – *Nantas*)

44. *Transposer les phrases suivantes, selon les exemples donnés.*

A.   Il répondit : "Je reviendrai demain."
      ⟶ *Je reviendrai demain, répondit-il.*
    1. Il se demandait qui pouvait bien lui téléphoner à une heure pareille.
    2. L'enfant cria qu'il s'était fait mal au genou.
    3. Elle affirmait qu'on lui avait garanti cet appareil.
    4. Elle leur avait prédit qu'ils allaient au devant de sérieuses difficultés.
    5. Avec un sourire, elle avoua qu'elle adorait les bijoux.

B.   Il dit : "C'est entendu, je reviendrai demain."
      ⟶ *"C'est entendu, dit-il, je reviendrai demain."*
    1. Elle répondit : "Je le ferai volontiers si j'en ai le temps."
    2. Elle demanda : "Et moi, est-ce que je serai avertie ?"
    3. Elle répliqua vivement : "Ce n'est pas moi qui ai fait cela, et vous le savez très bien."
    4. Roger dit avec un bon sourire : "Bien sûr, tu peux compter sur moi."
    5. Elle promit : "Je viendrai sans faute, je serai là dès huit heures."

C.   "Je crois qu'il est à Marseille, il est parti la semaine dernière."
      ⟶ *"Il est à Marseille, je crois, il est parti la semaine dernière."*
    1. Je pense que tu es satisfait : tu as obtenu tout ce que tu voulais.
    2. J'imagine qu'il va être furieux : il ne s'attend pas à recevoir une pareille lettre !
    3. Je parie qu'il va encore être en retard : il est incapable d'arriver à l'heure.
    4. Je suppose qu'il a des revenus personnels : sa situation ne peut pas lui permettre de mener un tel train de vie !
    5. Il est vrai que cette entreprise a connu des difficultés financières, mais elle a maintenant une trésorerie très saine.

*45. *Dans le texte suivant, étudier l'emploi du discours direct. Expliquer tous les ajouts et les transformations qu'il faudra faire pour passer au discours indirect.. Quel est l'avantage du discours direct ?*

Six mois plus tard, en jouant aux cachettes avec mon frère Paul, je m'enfermai dans le bas du buffet, après avoir repoussé les assiettes. Pendant que Paul me cherchait dans ma chambre, et que je retenais mon souffle, mon père, ma mère et ma tante entrèrent dans la salle à manger. Ma mère disait :

— Tout de même, trente-sept ans, c'est bien vieux !

— Allons donc ! dit mon père, j'aurai trente ans à la fin de l'année, et je me considère comme un homme encore jeune. Trente-sept ans, c'est la force de l'âge ! Et puis, Rose n'a pas dix-huit ans !

— J'ai vingt-six ans, dit la tante Rose. Et puis il me plaît.

— Qu'est-ce qu'il fait, à la Préfecture ?

— Il est sous-chef de bureau. Il gagne deux cent vingt francs par mois.

— Hé hé ! dit mon père.

— Et il a de petites rentes qui lui viennent de sa famille.

— Ho ho ! dit mon père.

— Il m'a dit que nous pouvions compter sur trois cent cinquante francs par mois.

J'entendis un long sifflement, puis mon père ajouta :

— Eh bien, ma chère Rose, je vous félicite ! Mais au moins, est-ce qu'il est beau ?

— Oh non ! dit ma mère. Ça, pour être beau, il n'est pas beau.

Alors, je poussai brusquement la porte du buffet, je sautai sur le plancher, et je criai :

— Oui ! Il est beau ! Il est superbe !

Et je courus vers la cuisine, dont je fermai la porte à clef.

Marcel Pagnol

Emploi des temps (textes) .... 1 à 4

Les subordonnées : modes et temps .... 5 à 7

Les subordonnées :
exercices de substitution .... 8 à 14

Exercices de composition .... 15 à 17

1. *Mettre les verbes entre parenthèses au mode et au temps qui conviennent (langue courante).*

Ce jour-là, Marie faisait une promenade dans la campagne. Elle (marcher) déjà depuis une heure quand elle (voir) de gros nuages qui (s'approcher). Elle (comprendre) qu'il (aller) bientôt y avoir un orage, alors elle (décider) de rentrer le plus vite possible.

Elle ne (être) qu'à deux cents mètres de chez elle lorsque l'orage (éclater). Alors elle (se mettre) à courir pour ne pas se faire mouiller. Malgré tous ses efforts, elle (être trempé) en rentrant.

En plus, elle (se rappeler) qu'elle (ne pas fermer) les fenêtres du premier étage. Elle (monter) les escaliers quatre à quatre mais en arrivant dans les chambres, elle (découvrir) que l'eau y (entrer) déjà. Après (fermer), elle (aller chercher) de quoi essuyer les parquets. Ensuite elle (se changer) et (se faire) une bonne tasse de thé en pensant que, la prochaine fois, elle (faire) attention avant de sortir.

2. *Mettre les verbes entre parenthèses au mode et au temps qui conviennent. (Langue soutenue)*

Il était une fois un roi et une reine qui ne (avoir) pas d'enfants. Enfin la reine (donner) naissance à une petite princesse. Une fois qu'elle (naître), ses parents invitèrent des fées pour son baptême et chacune lui (faire) un cadeau magnifique. Cependant il arriva une méchante fée qui (ne pas être invité) et qui fit cette prédiction : "La princesse se percera la main d'un fuseau et elle (mourir)."

Mais une bonne fée rassura les parents en leur disant : "Dès que la princesse (se piquer) avec un fuseau, elle tombera dans un profond sommeil qui (durer) cent ans." Aussitôt le roi défendit dans tout son royaume qu'on (utiliser) des fuseaux.

Au bout de quinze ans, la princesse, qui (se promener) dans le château, trouva une vieille femme qui était en train de filer parce qu'elle (ne pas entendre) parler de l'interdiction. La jeune fille (vouloir) essayer de filer et aussitôt qu'elle (prendre) le fuseau, elle se piqua et s'évanouit. Le roi la (faire) coucher dans une chambre magnifique et le château fut abandonné. Une épaisse forêt (pousser) tout autour.

Cent ans plus tard, le fils du roi qui (régner) alors dans ce pays (entendre) parler de la princesse endormie et décida d'aller voir ce château au milieu de la forêt. A mesure qu'il (s'avancer), les arbres s'écartaient devant lui.

Enfin il (atteindre) la chambre de la princesse. Ravi de sa beauté, il s'approcha pour l'embrasser et après qu'il (s'agenouiller) près d'elle, la Belle s'éveilla......

3. Même exercice

– Et ma foi, ce (être) le petit Jack qui (trouver) la chambre à coucher en question. En trottinant au pied de la falaise, derrière un retour de la roche, il (découvrir) une de ces grottes bien polies, bien évidées que la mer (creuser) elle-même lorsque ses flots, grossis par la tempête (battre) la côte.
Le jeune enfant (être) ravi. Il (appeler) sa mère en poussant des cris de joie et lui (montrer) triomphalement sa découverte.
"Bien, mon Jack ! (répondre) Mrs Weldon. Si nous (être) des Robinson destinés à vivre longtemps sur ce rivage, nous (ne pas oublier) de donner ton nom à ta grotte !"
La grotte ne (avoir) que dix à douze pieds de profondeur et autant de largeur, mais aux yeux du petit Jack, ce (être) une énorme caverne. En tout cas, elle (devoir) suffire à contenir les naufragés, et – ce que Mrs Weldon et Nan (constater) avec satisfaction – elle (être) bien sèche.
La lune (se trouver) alors dans son premier quartier, et on (ne pas devoir) craindre que la marée (atteindre) le pied de la falaise, et la grotte, par conséquent. Donc il n'en (falloir) pas plus pour se reposer quelques heures.

D'après Jules Verne. *Un capitaine de quinze ans*

4. Mettre les verbes entre parenthèses au mode et au temps qui conviennent.

Comme il (arriver) au village, la pluie (commencer) à tomber. Il (s'arrêter) un instant et (essayer) de refermer son manteau. Il (enrouler) son écharpe autour de son cou. L'eau (pénétrer) quand même ; alors, il renonça et (se remettre) à marcher. Où (aller)-il en arrivant au village ? Quelle auberge l'(accueillir) ? De sa main, il fouilla le fond de sa poche. Il n'y (trouver) que quelques francs. Pour peu que les boulangeries (être fermé), il (devoir) se contenter des maigres provisions qu'il (avoir) encore dans son sac.
A mesure qu'il (approcher), il voyait les gens courir ; certains (avoir) un parapluie, d'autres s'abritaient sous une porte. Le vent était devenu violent, il (souffler) par rafales et lui (glacer) les os. Une fois qu'il (être) à l'entrée de la Grand-Rue, il repéra l'enseigne d'un café. Le père Claude (se tenir) devant la porte de son établissement. Il regardait Josué pendant que celui-ci (s'avancer).
"Hé, l'ami !", lui (crier)-t-il, "venez par ici et (poser) votre sac. Il y aura bien quelques bottes de paille dans la grange et vous (pouvoir) y dormir. Une fois que vous (se laver) un peu, vous (venir) dans la salle et ma femme vous (servir) une soupe chaude."
Josué le (contempler) avec étonnement. Même si on le lui avait affirmé, il (ne pas croire) qu'un tel homme (exister). "Pourvu qu'il ne (changer) pas d'avis," pensa-t-il, "je suis si fatigué ! On me (tuer) que je ne ferais pas un pas de plus."
Le père Claude le rappela. "Ça y est" marmonna Josué, "ils ne (vouloir) plus de moi !"
– "Comment vous (s'appeler) ?" lui (demander) le père Claude. "Josué ? Ma foi, c' (être) un beau nom ! Eh bien, Josué, si vous (vouloir) m'aider à soigner les bêtes, vous (pouvoir) rester quelques jours."

5. Mettre les verbes entre parenthèses au mode et au temps qui conviennent.

1. J'espère que Pierre (pouvoir) arriver à temps.
2. Je souhaite que Pierre (réussir) dans cette entreprise délicate.
3. Asseyez-vous un moment pendant que je (remplir) votre dossier.
4. Asseyez-vous un moment en attendant que je (finir) de remplir votre dossier.
5. On peut planter des fleurs à bulbes tant que le sol n'(être) pas gelé.
6. Emballez bien le poste de télévision de peur qu'un choc ne (se produire).
7. Au cas où un choc (se produire), il vaut mieux que le poste de télévision soit bien emballé.
8. Je m'attends à ce que l'entrepreneur (prendre) du retard ; il est coutumier du fait.
9. Ne craignez-vous pas que l'avion (atterrir) ailleurs à cause du brouillard ?
10. Pensez-vous qu'il (boire) du vin ? – Non, mais je crois qu'il (faire) une exception.

6. Même exercice.

1. Il semblait à ce jeune cadre que la grève du personnel (se justifier).
2. Il paraît qu'on (trouver) du pétrole près de cette ville.
3. Dès qu'on (raser) ce quartier insalubre, on créera un nouveau jardin public.
4. Elle a refusé de sortir avec moi sous prétexte qu'elle (avoir) du travail.
5. Marc dépassait son frère aîné en carrure et en taille au point que celui-ci (paraître) plus jeune que lui.
6. Il s'est placé au premier rang de façon à ce que tout le monde le (voir).
7. À mesure que l'on (maquiller) l'acteur, son apparence se modifiait de façon frappante.
8. Maintenant que la chaleur (tomber), tout le monde se sent mieux.
9. A peine il (apercevoir) le papillon que le chat bondit pour l'attraper.
10. Cet opéra de Monteverdi se donnera à Montpellier après qu'il (être) représenté à Paris.

7. Même exercice.

1. Les rues de ce quartier sont réservées aux piétons, si bien qu'on (devoir) se garer plus loin.
2. Bien que le jardinier (entretenir) régulièrement les parterres, il y pousse tout de même des mauvaises herbes.
3. Je me doute bien que tu (savoir) reproduire ce modèle, tu es très habile !
4. Je doute que tu (se souvenir) des détails de cette recette si tu ne l'écris pas tout de suite.
5. Elle ne s'est guère amusée à cette soirée étant donné qu'elle ne (connaître) personne.
6. Seriez-vous l'intérimaire que l'agence nous (envoyer) ?
7. Trouvez-nous quelqu'un qui s'y (connaître) en mécanique.
8. Quelque compétent qu'il vous (paraître), il ne m'inspire guère confiance.
9. À supposer qu'il ne (se produire) aucun incident, le bateau accostera à dix-sept heures.
10. Il aurait mieux valu que tu (tenir) tes promesses.

8. Remplacer les groupes en italique par une proposition subordonnée sans changer le sens de la phrase.

1. *Au moment de la naissance du prince*, il y eut une éclipse de lune.
2. *En traversant le marécage*, ils furent attaqués par des nuées de moustiques.
3. *En dépit de ses nombreuses réclamations*, il n'a pas encore été remboursé.
4. Le combat cessa *faute de munitions*.
5. Ces ateliers ont fermé *pour cause de faillite de l'entreprise*.
6. *Avant le lever du jour*, le coq chante.
7. On étouffa l'affaire *par crainte du scandale*.
8. *Surpris par cette question*, il resta bouche bée.
9. Asseyez-vous *en attendant le retour du directeur*.
10. *Tout en bavardant*, il surveillait du coin de l'œil sa voiture garée un peu plus loin.

9. Même exercice.

1. *Sauf erreur de ma part*, nous nous réunissons lundi prochain.
2. *S'étant procuré un passe-partout*, il parvint à entrer dans la chambre.
3. *A moins d'un miracle*, nous n'attraperons jamais ce train !
4. *A mi-chemin*, il décida de revenir sur ses pas.
5. *Avec un petit effort*, tu peux finir toute seule ce travail.
6. *Casse ce vase*, et tu verras la réaction de ta mère !
7. *Le temps était-il beau* ? Ils partaient à la pêche.
8. *Même en cas d'accident*, il garderait son calme.
9. *Sans ton aide*, je n'aurais jamais réussi à m'en sortir.
10. *Après son discours*, tout le monde applaudit.

10. Sans changer le sens de la phrase, remplacer la coordination soit par des subordonnées conjonctives variées, soit par des groupes infinitifs, soit par des groupes participaux.

1. Il aime rendre service, aussi est-il très sollicité.
2. Anne est allée à la bibliothèque car elle voulait emprunter un livre sur l'histoire du théâtre.
3. Elle s'est encore acheté une robe du soir ; pourtant elle en a plusieurs et de fort jolies.
4. Nous avions peur qu'elle ne se réveille, aussi parlions-nous tout bas.
5. Il m'a téléphoné ce matin et il m'a averti de son arrivée.
6. Il a été reçu à son examen, et pourtant il n'a pas travaillé !
7. Je lui ai dit de ne pas m'attendre, et elle est partie.
8. Elle a écouté nos reproches en silence, puis elle s'est contentée de sourire.
9. Ils s'aiment, donc il est normal qu'ils désirent se marier !
10. Ils se séparent car ils ne s'entendent plus.

11. Remplacer les groupes en italique par une subordonnée ou toute autre tournure de même sens.

1. Cette variété de fleur s'épanouit *tant qu'il y a* de la lumière.
2. Les trains continuent à circuler *bien qu'il y ait* des travaux sur la voie.
3. Cette émission est très populaire *si bien qu'elle en a éclipsé* beaucoup d'autres.
4. *Étant fatigué*, il n'a pu se rendre à l'église à pied.
5. Ce prototype, *si perfectionné qu'il soit*, n'est pas encore compétitif.
6. Après la tempête, on a mis le bateau en cale sèche *en vue de réparer* les avaries.
7. "*Vu que vous connaissez bien* la banlieue Sud, je vous confie le secteur", a dit le directeur de l'agence à son adjoint.
8. Je suis entrée dans la parfumerie *comme elle en sortait*.
9. Ce livre restera taché *quoi que vous fassiez*.
10. La chanteuse *s'est tant dépensée sur scène* qu'elle a dû interrompre sa tournée.

12. Exprimer la même idée sans employer SI.

1. *S'*il n'est pas venu, c'est qu'il est fatigué.
2. Cette carte est *si* originale que je l'ai envoyée à différents amis.
3. Nous aurions aimé savoir *si* tu venais ou non avec nous.
4. *Si* facile soit-elle, cette tâche requiert un minimum de concentration.
5. Ce poète aurait été flatté *si* ses vers avaient été publiés par une revue à gros tirage.
6. J'ai l'impression que cette robe ne me va pas. – Mais *si*, elle te va même très bien !
7. La jeune fille était amoureuse ; *si* elle était à table, elle en oubliait de manger ; *si* on lui posait une question, elle semblait émerger d'un rêve.
8. *Si* mon mari est brun, mon beau-frère, lui, est très blond.
9. Un touriste nous demanda *si* nous pouvions lui indiquer la station de métro la plus proche.
10. Méfie-toi de ce cheval, il n'est pas *si* docile qu'il en a l'air.

13. Même exercice

1. Je te prête mes notes pour ce week-end, *si* tu me les rends lundi sans faute.
2. *Si* humide que soit ce sous-sol, on peut essayer de l'assainir.
3. Le sous-sol de notre maison est *si* humide qu'on ne peut rien y entreposer.
4. En mai dernier, *s'*il y avait du soleil, je m'arrangeais toujours pour passer au moins une heure au jardin.
5. Comment pourrais-je vous envoyer à temps ce document *si* je ne l'ai pas reçu ?